Le cordon d'argent

Tome I – Les initiés

MICHEL FRÉCHETTE

Le Cordon d'argent

Tome I – Les initiés

Illustration de la couverture :
Julie Charpentier

Les publications
L'Avantage

Catalogage avant publication de Bibliothèque et Archives nationales du Québec et
Bibliothèque et Archives Canada

Fréchette, Michel, 1950-

Le cordon d'argent
Sommaire : t. 1. Les initiés.
Pour les jeunes de 14 ans et plus.

ISBN 978-2-9810600-4-4

I. Titre. II. Titre : Les initiés.

PS8611.R42C67 2009   jC843'.6 C2009-941883-5
PS9611.R42C67 2009
HD9764.C32C76 2008 338.1'7498092   C2008-942160-4

DÉPÔTS LÉGAUX
4e trimestre 2009
Bibliothèque nationale du Canada
Bibliothèque nationale du Québec

© Les publications L'Avantage, 2009
183, Saint-Germain Ouest, Rimouski (Québec) G5L 4B8 CANADA
Téléphone : 418 722-0205 – 1 877 722-0205 – Télécopieur : 418 723-4237
Site Internet : www.lavantage.qc.ca
Courriel : publicationlavantage@lavantage.qc.ca

Reconnaissance d'aide
Les publications L'Avantage est inscrite au Programme d'aide aux entreprises du livre
et de l'édition spécialisée de la Société de développement des entreprises culturelles
(SODEC) pour ses activités d'édition et bénéficie du Programme de crédit d'impôt
pour l'édition de livres – Gestion SODEC – du Gouvernement du Québec.

*Je dédie ce premier volume
aux deux amours de ma vie,
Lison, une maman attentionnée,
et mon fils Nicolas.*

REMERCIEMENTS

Je ne peux passer sous silence le travail remarquable de madame Sylvie Bugeaud, une dame de la Vallée, qui, par ses commentaires pertinents et ses suggestions judicieuses, a fait de mes manuscrits des œuvres agréables à lire.

Je tiens également à remercier monsieur Jacques Amyot qui fut le premier à m'inciter fortement à publier mes manuscrits.

RÉFLEXION

Ce texte se veut avant tout un outil de synthèse des connaissances que j'ai acquises au fil des ans, par mes différentes lectures.

Cet exercice me permet, par la suite, d'ordonner les principes étudiés et, dans la mesure du possible, de relier par un fil conducteur l'ensemble de ces connaissances.

À partir de toutes ces notions, je m'efforce d'élaborer une philosophie de vie, une voie à suivre pour les années à venir.

Le travail d'écriture, sous la forme du roman, est un genre d'examen que je m'oblige à passer afin de vérifier le niveau de cohérence de ma démarche.

Les objectifs de cet exercice sont très personnels. Au lieu d'énoncer à voix haute le fruit de mes observations, je couche sur papier l'ensemble de ma pensée. Si, par la suite, ce document permet d'alimenter la réflexion d'autrui, tant mieux ; nous serons alors au moins deux à en profiter.

Michel Fréchette

30 mai 1992

CHAPITRE I

À la surface de Vénus se déroulait un étrange ballet de lumières.

Depuis plusieurs jours déjà, des centaines de sphères lumineuses, aux contours fluides, arrivaient de toutes les directions et convergeaient vers les grandes plaines de cristal, enclavées dans la partie septentrionale de la planète. Progressivement, elles se regroupaient en essaims aux formes changeantes avant de quitter, dans une traînée éblouissante, la surface de la planète.

Sur la crête d'une colline surplombant la vallée, deux formes humanoïdes observaient calmement le ciel. Toutes deux étaient en transit sur Vénus. Tout comme des milliers d'autres créatures séjournant temporairement sur ce satellite d'une jeune étoile perdue dans la périphérie de la galaxie, ils n'étaient que des observateurs. L'origine du plus âgé se trahissait par la forme légèrement ovoïde de son crâne. Bien que sa physionomie témoignât d'un âge très avancé, ses yeux pénétrants reflétaient une grande sagesse et une vivacité toute particulière. Ses gestes comme son habillement, une ample tunique bleue toute simple, exprimaient une grande sobriété. Il avait quitté sa lointaine nébuleuse cachée dans le noyau galactique afin de venir étudier l'évolution d'une civilisation récente, recensée sur la troisième planète d'un petit système solaire de la Voie lactée : la Terre.

Près de lui, son compagnon aurait pu, au contraire, se confondre facilement dans une assemblée de Terriens, bien qu'il ne fût pas natif de cet endroit. De stature athlétique, l'homme n'avait aucune peine à adapter son rythme à celui de son compagnon de promenade. Avec sa chevelure couvrant partiellement sa nuque et son visage anguleux où se dessinaient quelques rides de sagesse, on lui aurait facilement donné une quarantaine d'années, et qui plus est, une quarantaine au meilleur de sa forme. Somme toute, cet être dégageait une image agréable qu'il avait cru bon conserver depuis plus de douze mille ans.

La traînée lumineuse disparut dans les couches nuageuses de Vénus.

— C'était le dix-septième départ, maître Shaïba, annonça Guidor. Les derniers guides de lumière sont en route vers la Terre.

Le vieil homme hocha silencieusement la tête.

***

À une heure aussi tardive, peu de gens fréquentaient les sentiers bordant le lac enclavé dans les limites du parc. Dans un silence où se devinaient au loin les murmures de la vie urbaine, un craquement sec se fit entendre. Sortant de nulle part, une ombre traversa un buisson à vive allure. Planant à plus de cinquante centimètres du sol, elle atterrit durement sur le tapis de gazon et s'immobilisa. À la lueur d'un lampadaire, on pouvait maintenant deviner la silhouette de ce visiteur impromptu.

Il avait peut-être douze ans, guère plus. Assis sur la pelouse et tenant un sac de plastique sous son bras gauche, le garçon grimaça et se frotta une fesse de sa main libre. Il se releva avec peine. Maintenant légèrement accroupi, les sens aux aguets, il réajusta le foulard crasseux lui ceignant le front. Immobile, il demeurait attentif au moindre bruit, au moindre souffle. Du regard, il scruta les touffes d'herbes folles et découvrit l'éclat métallique tant recherché. Du bout du pied, il fit pirouetter sa planche à roulettes et l'attrapa au vol. Quittant le tapis de verdure, il marcha rapidement vers l'allée asphaltée du parc.

Il filait maintenant à vive allure sur sa planche, tout en tenant précieusement son sac aux contours difformes. Il s'arrêta soudain, haletant. Deux cercles de lumière venaient d'apparaître au détour du sentier. D'un geste calculé, il s'élança de sa planche et atterrit dans une roulade au pied d'un érable centenaire. Au loin, les cercles de lumière n'avaient changé ni de direction ni de vitesse, signe qu'il n'avait pas été aperçu. Se déplaçant toujours aussi lentement, les deux points lumineux se rapprochaient sans toutefois deviner sa présence. Le garçon plongea son visage dans les herbes en espérant qu'on ne remarquerait pas sa planche ni son précieux butin laissé près du sentier. Dans un ronronnement de moteur au ralenti, la voiture des policiers dépassa le garçon embusqué. Dès que le véhicule eut pris un peu de distance, le garçon se releva avec précaution et alla récupérer ses biens.

— Qu'est-ce qu'y faut pas faire pour un sac de pommes? maugréa-t-il dans un soupir.

***

— Prenons cette pomme comme exemple…

De sa main noueuse, madame Latoure saisit le fruit et le présenta à son unique élève. Devant l'enseignante, une jeune fille tentait désespérément de saisir quelques bribes d'intelligence de tout ce fatras scientifique. Elle avait seize ans et comme toutes les jeunes filles, elle rêvait d'espaces plus agréables que ce petit local transformé en classe privée. Elle soupira silencieusement. Encore deux ans et elle n'aurait plus à subir le babillage quotidien et incessant de cette mégère.

Elle en venait quelquefois à envier les filles de son âge qui fréquentaient l'école publique. Bien sûr, il y avait des inconvénients. Cela l'aurait obligée à côtoyer des gens aux ambitions très primaires, pour ne pas dire, dans certains cas, des inadaptés sociaux sans aucune classe. Et qui plus est, on ne lui aurait jamais permis de se rendre à l'école en escarpins et de porter les vêtements griffés qu'elle affectionnait tant. Cela n'aurait occasionné que de la jalousie et de l'envie chez les autres élèves.

Mais il y avait tout de même un bon côté à l'école publique. À chaque cours, on avait une tête différente devant le tableau et de temps en temps, on changeait même de décor.

— C'est une pomme Melba, poursuivit l'enseignante. Si nous étudions la séquence génétique de la Melba, nous remarquerons des similitudes…

Dès sa toute première année scolaire, ses parents avaient tenté de l'inscrire à l'école publique, mais l'expérience s'était soldée par un échec. Son inscription à une école privée n'obtint pas plus de succès. La direction du dernier établissement fréquenté, effrayée par les étranges visions de la fillette ainsi que par les descriptions insolites qu'elle en faisait, avait tout simplement exigé son départ. En désespoir de cause, ses parents avaient transformé une des douze chambres d'amis de la maison en lieu d'apprentissage. Au fil des ans, seuls les tableaux et les illustrations garnissant les murs subissaient des changements, démontrant ainsi l'évolution du cheminement académique de la jeune fille.

Tout en écoutant distraitement l'enseignante, elle transcrivait machinalement quelques notes dans son cahier. Mais à quoi pourraient bien lui servir toutes ces notions de biologie, de physique et de chimie? Ses parents lui laissaient une fortune colossale. Jamais elle n'aurait à travailler. Elle balaya du revers de la main ses longs cheveux blonds, leva les yeux et observa la caissière.

La jeune fille jeta un coup d'œil autour d'elle et reconnut l'endroit immédiatement. Avec son long comptoir et sa série de guichets, elle ne pouvait s'y tromper. Toute petite, elle était venue ici avec son père. C'était le lieu où il effectuait ses transactions bancaires. Son père… Sa mère… Des images furtives traversèrent son esprit. Son cœur se serra. Ses parents lui manquaient terriblement.

— Personne ne bouge et tout se passera bien, annonça une voix rauque derrière son épaule.

Sa vision s'éleva soudainement. Telle une bulle de savon poussée au gré du vent, elle se retrouva rapidement au-dessus de l'assistance. Trois hommes masqués venaient de faire irruption dans la banque. Deux cagoulards tenaient des sacs de voyage, le troisième brandissait une arme menaçante. Malgré la tension grandissante, clients et employés obéissaient docilement aux directives des malfaiteurs lorsque soudain, l'inévitable se produisit.

Un garçonnet d'à peine trois ans sortit d'entre les jambes de sa mère et se mit à courir sur le linoléum lustré. Instinctivement, sa mère tenta de le retenir, mais son geste fut trop brusque et mal interprété par l'un des voleurs. Le coup de feu partit. À la stupeur générale, la jeune femme, atteinte à la poitrine, s'étala sur le carrelage.

L'alarme retentit parmi les cris d'effroi. Pris de panique, les bandits n'insistèrent pas et foncèrent vers la sortie. Faisant abstraction des murailles, la vision de la jeune fille se transporta instantanément dans la rue. Dans un mouvement circulaire, elle fit le tour de la voiture qui attendait les malfaiteurs devant la banque. Une dernière portière claqua, la voiture démarra. Impuissante, la vision de la jeune fille demeura un simple témoin de leur fuite.

— K 604-208, murmura la jeune fille en levant les yeux vers le tableau périodique des éléments chimiques.

— Caroline, qu'est-ce que tu racontes? demanda l'enseignante.

Elle connaissait le numéro d'immatriculation de la voiture des fugitifs. De plus, elle en était certaine, elle reconnaîtrait le visage du conducteur. Elle soupira de désespoir. Elle aurait tant voulu se rendre utile, mais elle le savait déjà: tante Emma ne l'autoriserait jamais à contacter la police.

— Alors, qu'est-ce que tu as vu cette fois-ci? insista madame Latoure d'un air pincé.

— Des fleurs, il y avait des fleurs à perte de vue, répondit candidement la jeune fille.

***

Tout en marchant tranquillement à ses côtés, Guidor écoutait silencieusement les dernières recommandations du grand Maître de lumière. Contrairement à son compagnon, maître Shaïba avait depuis longtemps délaissé la marche traditionnelle. Sous la frange mouvante de sa tunique, on pouvait deviner ses pieds chaussés de sandales flottant à quelques centimètres du sol. Posément, le vieil homme dit :

— Ici sur Vénus, nous sommes à l'abri des attaques des puissants envahisseurs de Trogol. Nous évoluons dans une dimension vibratoire où ces créatures maléfiques ne peuvent ni nous détecter ni nous atteindre. Malheureusement, il en sera bien autrement pour toi dans la matière dense de la Terre.

L'homme s'immobilisa. Guidor en fit autant.

— Mais j'ai confiance en toi, poursuivit le Maître de lumière. Tu connais bien les consignes de sécurité. De plus, les habitudes ainsi que les faiblesses des Terriens n'ont plus de secrets pour toi.

Guidor hocha la tête.

— Les Trogoliens aussi, je les connais bien. Une race extra-galactique gouvernant dans l'ombre et contrôlant l'économie de la Terre. Ils sont présents partout, mais demeurent invisibles aux yeux des Terriens. De leur monde souterrain, ils régissent depuis des siècles le destin de la planète et de ses habitants.

Le maître acquiesça à son tour.

— Durant le dernier millénaire, nous avons contrecarré leurs projets à plusieurs reprises, mais avec l'ouverture de la prochaine fenêtre cosmique dans les siècles à venir…

— Oui, je sais, maître. Huit mille ans, c'est si vite passé ! Cette fenêtre est importante à leurs yeux. Il faut s'attendre à ce que l'empereur dirigeant ces monstres tente de se l'approprier.

— Et s'il n'y avait que l'empereur, soupira maître Shaïba. Il y a peut-être plus dangereux que lui.

— Vous pensez à son serviteur du mal ? Ce monstre sous verre ?

Le maître acquiesça de nouveau.

— Il possède de terribles pouvoirs et sa puissance s'est accrue au fil des siècles. Si cet être malfaisant atteint cette fenêtre cosmique et profite du passage ainsi ouvert, c'est toute la Galaxie qui sera de nouveau en péril, non seulement les Terriens, mais des centaines de mondes parsemant l'univers.

— Je suis bien conscient de cette menace.

— Une menace que nous devons absolument éliminer rapidement en protégeant le dernier cristal de la planète.

— Soyez rassuré, maître, je ne laisserai pas ces monstres souiller le cristal sacré.

— Mais pour ce faire, les Terriens doivent, avant tout, reprendre possession de la dague de cristal.

— Si nous pouvions le faire à leur place… soupira Guidor.

— La dague est une clé, mais elle est avant tout un symbole de leur destinée. L'homme possède le libre arbitre. Le destin de la planète est entre ses mains.

Guidor acquiesça silencieusement :

— Aujourd'hui, nous sommes au seuil d'un nouvel âge qui amènera les hommes et les femmes de la Terre à retrouver leur véritable identité.

Le Maître de lumière se tut. Il se tourna lentement vers Guidor et ajouta :

— Heureusement qu'une partie de la population se prépare déjà au changement ; mais certaines personnes, des gens de pouvoir, craignent de perdre leurs privilèges. Ils résisteront farouchement.

— Les envahisseurs ont construit leur empire sur la vanité et la cupidité des hommes, compléta Guidor dans un soupir.

— Mon ami, le destin de ce monde, et peut-être celui d'une partie de la Galaxie, est entre tes mains…

— Avec l'aide de trois Terriens, précisa Guidor. Des âmes pures et innocentes.

— C'est vrai, admit le maître.

Faisant encore quelques pas, il ajouta :

— Ces trois jeunes Terriens, tu es toujours certain d'avoir le temps de les préparer à leur mission ?

Guidor acquiesça d'un signe de tête.

— Bien… murmura maître Shaïba.

S'arrêtant à nouveau, le maître prit affectueusement Guidor par les épaules.

— Il est temps… De votre succès dépend l'arrivée harmonieuse des Terriens dans le troisième millénaire.

Guidor répondit par un sourire optimiste. En quelques secondes, il se transforma à son tour en une sphère de lumière et s'élança vers le firmament de Vénus dans un tourbillon azuré. Le maître le regarda s'éloigner.

— Bon voyage, cher ami. Que la paix et l'harmonie soient avec vous.

Dans les secondes qui suivirent, telle une étoile filante, la sphère d'énergie quitta la planète. Traversant l'espace à la vitesse de la lumière, elle plongea rapidement vers l'atmosphère de la Terre à la recherche de trois âmes pures et innocentes.

***

— C'est inadmissible et criminel ! Comment avez-vous pu faire une chose pareille ?

Le verdict était tombé en même temps que le poing massif du directeur sur le grand bureau immaculé. De petite taille, légèrement grassouillet, l'homme arpentait le carré de plexiglas protégeant l'épais tapis de son bureau. Malgré une climatisation efficace, des gouttes de sueur perlaient du sommet de son front partiellement dégarni. Au bout de sa course, il jeta un regard marqué de colère à son interlocutrice.

Elle effleurait à peine la trentaine. Avec ses yeux pétillants et ses cheveux châtains tombant légèrement sur les épaules, on aurait pu lui donner quelques années en moins. Mais là s'arrêtaient tous les signes d'une insouciante jeunesse, car une forte personnalité et une maturité d'esprit se devinaient dans chacune de ses paroles et chacun de ses gestes.

— C'est mon inaction qui aurait été criminelle, déclara-t-elle. Je n'avais pas le choix.

La réplique était directe et sans compromis. Nadia, ingénieure chimiste chez Chemptek depuis plus de trois ans, croisa le regard du directeur et le soutint. Il n'y avait pas de bravade dans ses agissements, seulement une confiance absolue dans son raisonnement et dans la droiture de sa décision.

— Pas le choix? reprit le directeur au bord de l'apoplexie. Grâce à vous, nous avons deux cent cinquante-six employés qui se tournent les pouces dans le secteur des colorants. Dans le reste de l'usine, ça fait jaser. Le syndicat s'interroge, les journalistes commencent à poser des questions embarrassantes et nous perdons des milliers de dollars tous les jours. Vous avez entendu? Des milliers de dollars! La production du dioxole-2000 doit reprendre immédiatement.

— Et les rejets, qu'en faites-vous?

— Les rejets? Quels rejets? demanda le directeur en gonflant la poitrine, ce qui fit sauter un bouton de son veston.

Nadia observa le petit objet nacré tournoyer sur le bureau. Lorsqu'il s'immobilisa, la jeune femme leva les yeux vers son supérieur.

— Les résidus de production du dioxole-2000, monsieur. La fabrication du dioxole engendre des sous-produits très toxiques que l'on doit gérer avec précaution.

— Des histoires... Jetez-les à la rivière, conclut-il laconiquement.

— C'est impossible, monsieur le directeur, objecta la chimiste. Je ne peux donner cet ordre avant d'avoir reçu le rapport d'impact sur l'environnement.

— L'impact sur l'environnement! reprit le directeur sur un ton ironique. Madame se donne une conscience écologique? Madame se porte à la défense de la nature? Eh bien, à partir d'aujourd'hui, madame aura tout le loisir d'admirer cette nature, car vous ne faites plus partie du personnel de Chemptek.

Sans un mot, Nadia encaissa le coup. Lentement, elle dégrafa le laissez-passer attaché à son corsage et le déposa sur le bureau, à quelques centimètres du bouton du directeur.

Sur un ton méprisant, ce dernier ajouta :

— Considérez-vous en chômage, et pour longtemps. Chemptek possède énormément de ressources et de contacts dans le milieu.

Ayant retrouvé son aplomb, l'homme chercha à tâtons le dossier de sa chaise. Il tenta de replacer son veston en deuil d'un bouton et se laissa choir sur l'épais coussin de son fauteuil.

— Je veillerai personnellement à ce que votre dossier soit sur le bureau de tous les dirigeants d'entreprises de la région... peut-être même de tout le pays!

***

Quelques bibelots, une dizaine de livres de référence, une photo de ses parents prise lors de la remise des diplômes, c'était à peu près tout ce qui l'identifiait à son lieu de travail. Tout en remisant ces quelques effets dans une petite boîte de carton, Nadia demeurait pensive en se remémorant son dernier échange avec le directeur.

Si l'homme s'était attendu à des pleurs et des gémissements de la part de la jeune femme, il en fut pour ses frais. Nadia avait accepté son congédiement sans sourciller. En fait, elle l'avait prévu et, inconsciemment, presque espéré. Depuis plus d'un an, elle avait eu connaissance de certaines irrégularités commises par la compagnie. Sa fonction lui permettait de tout voir. En revanche, elle se sentait impuissante, les mains liées. Une situation devenue intolérable au fil des mois, et qui prenait fin aujourd'hui.

La jeune femme prit le temps de s'asseoir une dernière fois à son bureau et vérifia de nouveau le contenu de ses tiroirs. Elle n'avait rien oublié, tout était dans le carton. La tête dans les mains, les coudes appuyés sur son bureau, elle se demandait ce qui l'avait amenée à vivre aujourd'hui une telle situation. Tout d'abord, pourquoi était-elle devenue ingénieure chimiste? Son premier choix, par plaisir, aurait été les sciences humaines. En optant pour la chimie, Nadia espérait s'ancrer dans le concret. Elle avait senti le besoin de contrebalancer cette existence parallèle qui l'amenait dans des mondes irréels, des mondes qu'elle côtoyait depuis son tout jeune âge.

Le timbre du téléphone la sortit de sa rêverie. Nadia jeta un coup d'œil à l'écran de cristaux liquides de l'appareil. Un seul mot s'y affichait : Police. Elle prit le combiné d'un air fataliste et répondit sans attendre.

— Bonjour, lieutenant Satoba.

Dans un bureau du commissariat du centre-ville, l'interlocuteur afficha un petit air amusé. Un grand trait ivoire barrait son visage d'ébène.

— Bonjour, Nadia, vos talents de clairvoyance sont toujours aussi efficaces.

— Il n'est pas nécessaire d'être médium pour vous identifier, lieutenant, répliqua stoïquement la jeune femme. Aucun autre policier ne se permettrait de m'appeler à mon lieu de travail.

— C'est vrai, concéda le policier. Mais cette fois-ci, c'est particulier. Nous...

Nadia coupa court.

— Lieutenant, je ne suis pas dans mon assiette en ce moment. Si vous pouviez me rappeler un soir cette semaine...

— Il sera trop tard, Nadia. Depuis deux jours, nous effectuons des battues dans le parc municipal et les boisés environnants. Nous sommes à la recherche d'un vieil homme âgé de soixante-treize ans qui demande...

— Vous m'en voyez désolée, lieutenant, mais je suis dans un passage à vide et je doute fort que mes talents...

— Nadia, cette personne a un besoin urgent de médicaments. Elle a présentement un sursis de douze heures. Après cela, nous poursuivrons la fouille du parc à la recherche d'un cadavre.

Nadia ferma les yeux et prit le temps d'inspirer profondément. Décidément, le lieutenant savait choisir ses mots pour toucher la sensibilité de la jeune femme. Dans un soupir, elle laissa tomber :

— Vous gagnez, lieutenant.

Jetant un coup d'œil à sa montre, elle ajouta :

— Je serai à votre bureau dans vingt minutes.

***

Ancré dans les steppes glacées du Grand Nord canadien, le centre de détection terrestre repéra un écho radar inhabituel. L'opérateur de service fit un signe à son officier.

— Regardez-moi ce signal, commandant. Je vous parie une semaine de solde que nous avons affaire à un ovni.

Sans attendre, l'officier établit la communication.

— Centre d'interception, nous avons un... plutôt trois objets volants non identifiés au nord du 64e, progressant rapidement en direction sud-est.

Dans les minutes qui suivirent, deux chasseurs F-18 décollèrent du centre d'interception en direction du signal localisé.

***

Sur le bord d'une petite route isolée se cachait, dans l'éclaircie de la forêt, un poste d'essence d'une époque révolue. Avec ses pompes des années cinquante et ses placards affichant de vieux slogans rétro, un client de passage aurait pu s'attendre à faire le plein d'une essence raffinée au milieu du siècle dernier. Une telle éventualité ne semblait pourtant pas préoccuper les propriétaires du commerce. On aurait même pu croire que tout était mis en œuvre pour ne pas qu'ils soient dérangés.

Sur le toit arrière du garage, masqué par la cime des arbres, un objet insolite trahissait le retard technologique apparent. Une immense coupole braquée vers le ciel scrutait en silence les échos provenant de l'espace. Sous ce disque d'aluminium, dans une pièce de l'arrière-boutique de la station-service, un escalier donnait accès à des installations électroniques souterraines des plus sophistiquées.

Un technicien tendit à son assistant un rapport dans un rouleau de plastique.

— Les postes d'observation des sentinelles terriennes ont détecté quatre ovnis aujourd'hui, mais nous, nous savons qu'il y a eu neuf passages. Ce rapport donne tous les détails. Tu devras le remettre en main propre à l'intendante du palais impérial.

— La grande conseillère Haziella, précisa l'assistant, impressionné par l'importance du destinataire.

L'opérateur confirma d'un signe de tête. Le messager avança la main vers le tube de plastique. Au même moment, il ferma les yeux et esquissa un sourire de satisfaction. Rapidement, son visage se transforma en laissant apparaître de minuscules écailles translucides.

— Qu'est-ce que tu fais? aboya l'opérateur sur un ton indigné.

— Mais je…

— Reconfigure ton image holographique immédiatement!

— Mais je retourne dans la cité…

— Tu connais le règlement. Aussi longtemps que nous sommes à la surface de la planète, nous conservons notre image de Terrien.

— Mais ça demande tellement de concentration et ça consomme presque toute mon énergie!

— Le règlement est le règlement et ceux qui ne s'y conforment pas terminent leur carrière à surveiller les bas-fonds des cités impériales.

— Vous voulez dire avec les sang-mêlé!

Devant une perspective aussi horrible, le messager ne put réprimer un frisson de dégoût. À contrecœur, il activa mentalement le neurotransmetteur logé dans son ceinturon. En moins d'une seconde, l'hologramme se matérialisa. Le messager retrouva son image de Terrien.

Satisfait, l'opérateur déposa d'un coup sec le tube de plastique dans la main du coursier. Ce dernier l'accepta et se dirigea prestement vers un coin de la pièce. Cachée derrière un générateur encadré de poutres d'acier, la navette de transit attendait son passager. À l'approche de ce dernier, la visière du cockpit coulissa silencieusement. Le messager grimpa les trois marches menant à la passerelle qui déjà s'arrimait à la coque du véhicule. Devant l'appareil, une large porte en métal brossé pivota silencieusement tandis qu'un gyrophare rouge soulignait le début de la manœuvre de transfert. La visière de l'appareil se referma. Dans un sifflement de plus en plus aigu, la navette glissa vers le puits parcimonieusement éclairé. L'habitacle vibra et la descente s'amorça.

L'estafette profita de cette courte pause pour enfin se mettre à son aise. Il ferma les yeux et pencha la tête. Rapidement, l'hologramme s'effaça. Sa physionomie se métamorphosa entièrement, découvrant ainsi le vrai visage écailleux du Trogolien. Il poussa un long soupir de soulagement en faisant claquer les mandibules lui servant de mâchoires. Dans sa main droite, quatre griffes tenaient consciencieusement le précieux message destiné à la première conseillère de l'empire.

***

Nadia se trouvait seule dans la pièce. Quatre chaises droites et une table de bois au placage écaillé garnissaient tristement l'endroit. Une carte de la région ainsi qu'une enveloppe brune et un crayon reposaient sur la surface du meuble. Avec ses murs vert tendre défraîchis et son éclairage diffus lavant tous les contrastes, le décor ne portait pas à la fête. Cependant, Nadia ne s'en formalisait pas. Il y avait bien ce fluorescent bourdonnant qui ne demandait qu'à rendre l'âme, mais puisque les autres tenaient le coup… Bref, pour la salle d'interrogatoire d'un service de police, l'endroit faisait parfaitement l'affaire. L'aménagement des lieux n'avait d'ailleurs aucune importance aux yeux de la jeune femme. Simplement adossée à sa chaise, les yeux fermés, les mains reposant sur ses cuisses, Nadia se contentait de prendre de profondes inspirations. Elle se concentrait simplement sur la tâche qu'on lui avait demandé de réaliser. Elle ne remarqua pas non plus la lueur qui flottait depuis quelques secondes au-dessus de sa personne.

L'état de transe l'avait gagnée plutôt rapidement. Mais à présent, Nadia rencontrait des difficultés. En tentant de se concentrer sur la personne recherchée, plusieurs décors disparates s'étaient glissés dans son esprit. Une interférence persistante semblait brouiller la sélection des images. Soudain, une nuée de pensées étrangères envahit totalement la communication. Une bouffée psychique se résumant par un simple mot : « Nadia. »

Le message était fort et clair. Trop fort peut-être car elle fut prise de vertige et sa tête bascula vers l'arrière.

Derrière l'épaule de Nadia, la silhouette translucide s'approcha de l'oreille de la jeune femme qui n'avait pas encore vraiment repris tous ses esprits. La voix murmura lentement :

— Tu dois aider Steven et Caroline.

Ne pouvant identifier l'origine du message, Nadia secoua la tête et tenta de le chasser de son esprit. Elle retira de l'enveloppe la photo d'un vieil homme. Plaçant ensuite ses mains au-dessus de la carte, elle ferma les yeux et se concentra de nouveau sur sa recherche. Les interférences ayant complètement disparu, en moins d'une minute, elle visualisa l'homme recherché et identifia sa position. Nadia ouvrit les yeux, ramassa le crayon et encercla un point sur la carte.

Son travail était terminé. Elle se leva et prit le temps de s'étirer. Elle venait à peine de commencer à se détendre lorsque soudainement, la voix s'infiltra de nouveau dans son esprit, mais cette fois-ci avec douceur, comme si on avait pris le temps d'ajuster la puissance de transmission. Le message demeurait toutefois le même :

— Tu dois aider Steven et Caroline.

Nadia, surprise par la clarté du message, faillit perdre pied.

— Qu'est-ce que tout cela veut dire ? Je ne suis même plus en transe !

Et pourtant, elle était pleinement consciente du message, un message précis qui lui était destiné. Perplexe, elle répéta :

— Steven et Caroline.

Nadia eut beau chercher dans sa mémoire, aucun visage ne collait à ces prénoms.

— Mais je ne connais aucun Steven… ni Caroline.

Haussant les épaules, elle ramassa négligemment la carte, l'enveloppe, la photo et le crayon. Se composant un visage souriant et détendu, elle passa machinalement une main dans ses cheveux châtains avant d'ouvrir la porte du bureau.

***

La pièce donnait directement sur la grande salle des enquêteurs où se côtoyaient bureaux, téléscripteurs, écrans et ordinateurs. En cette fin d'avant-midi, la plupart des inspecteurs étaient encore sur la route. Il régnait donc dans ces lieux un calme relatif, une atmosphère appréciée par la jeune femme après l'exercice délicat qu'elle venait de réaliser. Soudain, au fond de la salle commune, un véritable ouragan agressa rageusement la porte avant de dévaster cet endroit paisible.

Il devait avoir onze ou douze ans. Avec ses pommettes saillantes et son teint cuivré, on devinait aisément ses origines amérindiennes. Le jeune garçon portait un pantalon rapiécé, un t-shirt défraîchi, et un bandeau délavé ceignait son front. Sa tête trônait sur un corps agile, mais d'une propreté douteuse. On aurait pu le confondre avec un diablotin sorti d'une boîte à surprise. Mais la surprise n'avait rien d'agréable pour le policier en uniforme qui tentait par tous les moyens de rattraper le garçon. Le jeune fauve sautait d'un bureau à l'autre, faisant lever un nuage de papiers et de rapports au grand désespoir de son poursuivant.

Le sergent McGraw, un inspecteur en civil assis à son bureau, leva les yeux en direction du cyclone. Il eut juste le temps de se pencher avant de sentir le garçon sauter par-dessus lui en prenant appui à deux pieds sur sa tête.

— Hé! C'est mon *skate* et mes pommes! s'écria le garçon en découvrant ses avoirs sur un bureau voisin de McGraw.

— Ne touche pas à ces pommes, jeune homme. Ce sont des pièces à conviction, annonça le sergent.

Amusée par le côté insolite de la situation, Nadia prit le temps d'observer la scène quelques instants. Un deuxième policier contourna le bureau et tenta de soustraire au garçon les fruits tant convoités. Son geste eut une seconde de retard. Dans son élan, il tomba à plat ventre sur la planche instable, roula sur toute la longueur du bureau et termina sa course dans une chute spectaculaire, la tête première dans une corbeille à papiers.

Nadia se rendit compte soudain du sourire qu'elle affichait, un sourire qui contrastait avec l'humeur massacrante des officiers présents. Afin de ne pas froisser la susceptibilité des policiers, Nadia pinça les lèvres et tenta de se forger, sans vraiment y parvenir, un visage plus sévère. Puis, se désintéressant de la scène, elle marcha résolument vers la porte donnant sur le corridor. Derrière elle, le policier en civil, essoufflé par cette poursuite ridicule, s'arrêta net et pointa le garçon du doigt.

— Steven, c'est ta quatrième visite ce mois-ci. Avec les dégâts d'aujourd'hui, tu passeras devant le Tribunal de la jeunesse demain matin, annonça-t-il avec colère.

— Et le Conseil de bande ne pourra pas invoquer les lois de la réserve, cette fois-ci. Tu auras droit au centre d'accueil pour délinquants, renchérit l'autre en uniforme.

Nadia figea sur place. Dans d'autres circonstances, elle aurait pu croire à une coïncidence, mais le message qu'elle avait reçu demeurait encore trop présent à sa mémoire : « Tu dois aider Steven et Caroline. » Nadia hésita. Et si elle se trompait ? Elle avait beau trouver une foule de raisons pour ignorer ce petit monstre, son intuition, qui la trompait rarement, lui disait qu'elle était en présence du fameux Steven.

— Et si c'est le Steven en question ?... Alors, qui est Caroline ?

***

Quatre coups tintèrent à la délicate horloge française sous verre déposée sur le manteau de la cheminée. Celle-ci était flanquée de deux bibliothèques encastrées richement garnies, le tout occupant la presque totalité du mur du vaste salon.

Du fond de ce dernier émanait une douce musique provenant d'un imposant piano à queue. Une adolescente de seize ans y était assise. Ses traits étaient fins et son port, bien droit, dénotait une éducation certaine. Ses longs cheveux blonds coulaient sur une blouse à volants à la coupe impeccable. Avec sa jupe plissée et ses délicats souliers à talons hauts, on aurait pu lui donner quelques années de plus.

En biais avec l'instrument, partiellement caché par une fougère luxuriante, un homme d'un certain âge écoutait religieusement. Calé dans un fauteuil de cuir souple, vêtu d'un complet gris acier de confection recherchée, Augustin Lamarre conservait les yeux mi-clos, se contentant de battre la mesure du bout de son menton.

À l'extérieur du salon, une dame portant un cabaret d'argent traversa la salle à dîner. Elle s'arrêta quelques secondes devant l'embrasure de la porte et observa les deux mélomanes à travers le hall principal. Elle se dirigea ensuite vers un riche vaisselier et déposa son cabaret sur la tablette d'appoint. Silencieusement, elle fit glisser le tiroir central et en retira un minuscule flacon surmonté d'une poire de caoutchouc.

Elle dévissa le bouchon et en extirpa le fin compte-gouttes empli d'un liquide brunâtre. Elle déposa le flacon sur la tablette, sans prendre le temps de lire les instructions à demi effacées où l'on devinait encore un avertissement : Maximum 2 gouttes par jour. Mais elle n'avait que faire de cette recommandation. Consciencieusement, elle laissa tomber dix gouttes dans le verre de jus de fruits déposé dans le cabaret d'argent.

Les dernières notes du piano moururent. Curieusement, la jeune fille n'avait pas touché au clavier et les languettes d'ivoire remontèrent docilement.

— C'est magnifique, déclara enfin l'homme du fauteuil.

— C'était la pièce préférée de maman, dit la jeune fille sur un ton nostalgique. Heureusement que j'ai conservé cet enregistrement, ajouta-t-elle en retirant la disquette d'un lecteur blotti sous le clavier de l'instrument.

— Caroline, après un si beau concert, c'est le temps de la collation, lança la vieille dame en affichant son plus beau sourire.

La jeune fille ramassa le verre ainsi que deux biscuits secs. La vieille dame déposa le cabaret sur une petite table et s'affaira à verser le thé dans les deux tasses restantes.

— Hum, fit la jeune fille en grimaçant.

L'homme était sur le point de prendre sa tasse, mais arrêta son geste.

— Ce jus est très acide, jugea Caroline. La prochaine fois, tante Emma, serait-il possible d'y ajouter plus de sucre, s'il vous plaît?

— Bien sûr, ma chérie. Et je te promets qu'à l'avenir, tu ne goûteras plus jamais à un tel jus.

— Merci, ma tante, vous êtes bien bonne pour moi.

— C'est normal, ma chère Caroline. Depuis le décès de tes parents, nous sommes les seuls membres de ta famille. Et tu sais à quel point nous avons tes intérêts à cœur.

Sur ces paroles des plus touchantes, Caroline prit une nouvelle gorgée. Après tout, le goût demeurait acceptable. Elle entreprit de terminer son verre au grand plaisir des témoins de la scène.

***

Sortant de sa rêverie, Nadia se rendit compte que les policiers maîtrisaient enfin le jeune voyou. Le tenant à bout de bras et marchant d'un pas rapide vers la section des cellules, les deux hommes passèrent juste devant elle, ce qui lui permit d'examiner la bête sauvage à l'origine de tout ce remue-ménage.

Malgré l'air rébarbatif qu'il affichait, Nadia ne pouvait s'empêcher de ressentir de la sympathie envers le jeune garçon. Soudain, une odeur piquante chatouilla les narines de la jeune femme. Elle renifla discrètement, le nez pointé vers le garçon.

— Ouf, fit-elle en se ventilant le visage de la main.

— Allez, Steven. Tu connais le chemin, ironisa un policier en poussant le garçon vers une lourde porte d'acier maintenant entrouverte.

«Tu dois aider Steven et Caroline», répéta Nadia intérieurement.

Après quelques secondes de réflexion, elle en fut convaincue.

— Oui. Steven, ça ne peut être que lui.

De nouvelles secondes s'écoulèrent. La jeune femme demeurait là, immobile au centre du corridor. Et même si c'était le Steven en question, qu'avait-elle en commun avec ce jeune autochtone? Elle avait eu plus que son lot de surprises pour la journée. Avait-elle vraiment besoin de ce nouvel imprévu?

«Aider Steven». Ces deux mots s'insinuèrent de nouveau dans son esprit.

— Je vais sûrement passer pour une folle, soupira-t-elle en glissant ses deux mains dans ses cheveux, mais je vais en avoir le cœur net.

Faisant demi-tour, elle emprunta le couloir menant aux services administratifs.

***

Depuis longtemps, l'empereur Krash-Ka, cinquante-septième monarque du continent creux, avait cessé de compter. De nouveaux points scintillaient sur la carte holographique représentant les cinq continents de la surface. À ce stade de la détection, leur nombre n'avait plus vraiment d'importance. Il lui suffisait de savoir que chaque tache brillante annonçait la présence d'une nouvelle sphère de lumière.

Pour le moment, la population de l'empire ainsi que sa propre autorité n'avaient rien à craindre de ces visiteurs inconnus. Les cités trogoliennes, construites sous l'épaisse couche rocheuse planétaire, à plus de vingt kilomètres de profondeur, étaient à l'abri de toute attaque surprise. Mais la seule présence de cet élément insolite suffisait à augmenter le niveau d'agitation dans l'imposante salle de contrôle. Les opérateurs de la section « dépistage » se relayaient les informations les plus récentes. Les analystes scrutaient les tonnes de symboles que vomissaient les ordinateurs. Un peu plus loin, sur la gauche, un groupe de stratèges tentaient, sans succès, de déchiffrer les intentions de ces nouveaux visiteurs.

De sa passerelle d'observation, l'empereur avait une vue imprenable sur toutes les activités du poste de commandement. Sa main écailleuse, terminée par de courtes griffes, lâcha la rampe. L'empereur fit quelques pas.

C'était le signal qu'attendait dame Haziella, la grande conseillère impériale. Grande par son poste et ses responsabilités, la conseillère Haziella en imposait par son titre autant que par son physique. Bien au-dessus de la taille moyenne trogolienne, dame Haziella devait tenir compte fréquemment de cette particularité physique. Mesurant à peine un centimètre de moins que l'empereur, elle devait constamment plier légèrement les genoux afin de demeurer sous le regard de son maître. De plus, lorsqu'elle accompagnait l'empereur dans un lieu public, elle prenait soin de toujours demeurer à près de deux mètres derrière son souverain. Ainsi, les sujets de l'empire pouvaient difficilement comparer sa taille à celle de leur monarque. Une telle procédure avait provoqué quelques situations insolites qui auraient pu, à l'occasion, faire sourire certains hauts fonctionnaires, mais on souriait rarement en présence de la grande conseillère. Malgré ses épaules légèrement voûtées, et toujours prête à s'incliner devant son empereur, dame Haziella conservait un regard perçant sous les écailles cachant partiellement ses yeux. Toujours dans l'ombre de son souverain, elle était plus qu'une fidèle servante de l'empire du continent creux. Dans le cœur du royaume, tous la connaissaient comme la conseillère la plus influente. Elle était les yeux et les oreilles du monarque. Chez les hauts dignitaires du palais, à mots couverts, on la surnommait l'espionne de l'empereur.

La considération qu'on lui témoignait et le respect qu'elle inspirait n'étaient pas le fruit du hasard. Profitant de sa condition d'épouse du grand conseiller, elle avait su, au fil des ans, tisser un important réseau privé d'informateurs. Ce réseau lui avait permis d'acquérir une grande influence auprès de l'empereur par l'entremise de son conjoint. Après le décès de ce dernier, survenu lors d'un accident dont les causes demeuraient nébuleuses, dame Haziella consolida ses assises en démembrant les faibles ressources de son époux.

Par voie de conséquence, elle fut intronisée grande conseillère de l'empire. Une décision qui semblait tomber sous le sens, mais qui demeurait tout de même un fait inusité. En effet, en huit mille ans d'histoire, jamais une femelle trogolienne n'avait occupé un poste aussi prestigieux et par surcroît, aucune souveraine n'avait jamais dirigé les destinées de l'empire.

La conseillère Haziella demeurait bien consciente de sa position privilégiée et comptait bien en profiter le plus longtemps possible, même si cela l'obligeait à obéir à un empereur sans grande envergure. Un empereur dont le principal souci était d'acquérir les fonds nécessaires à la réalisation de son plus grand rêve, une nouvelle cité impériale dédiée à sa gloire.

Haziella émit un toussotement discret. La réaction de l'empereur fut à peine perceptible. Il tourna légèrement la tête dans sa direction. Elle comprit aussitôt que son maître consentait à l'écouter.

— Le Globulus sonde toutes les communications, Votre Grandeur. De plus, tous nos agents déployés à la surface de la planète ont déjà été alertés. Dois-je leur communiquer des consignes particulières?

— Non. Qu'ils ouvrent l'œil et demeurent à l'affût de tous phénomènes nouveaux ou insolites. Mais attention, je ne veux aucun geste inconsidéré. Aux yeux de ces visiteurs, la planète doit sembler gouvernée par les Terriens.

Avec un sourire venimeux, il ajouta:

— Pour le moment, laissons-les agir et abattre leurs cartes. Le plus important est de découvrir les raisons de leur visite.

— Et s'ils sont des envahisseurs?

— Il y a plus de huit mille ans, nous avons été les premiers à envahir cette planète. Aujourd'hui, sans le savoir, des milliards de Terriens sont à notre service et travaillent à la prospérité de notre empire. Il n'y a pas de raison que ça change. Si ces visiteurs se révèlent une menace, en temps et lieu, nous leur ferons connaître les vrais maîtres de la planète.

Visiblement satisfaite de la réponse du souverain, la conseillère poursuivit son rapport.

— Et en ce qui concerne le Globulus, vous n'avez aucune instruction à lui transmettre?

Avec sévérité, l'empereur ajouta:

— Si, j'ai quelques questions à lui poser, mais il est inutile de prendre des notes. Je lui parlerai en personne.

La conseillère s'inclina au passage de son maître.

— Le Globulus sera certainement honoré de votre visite, Votre Grandeur.

Ceci dit, elle effleura du bout des doigts son scryptobloc, un communicateur multifonctions qui ne la quittait jamais, et ordonna :

— Que l'on prépare la navette impériale !

Sans attendre une confirmation du message, elle partit au petit pas sur les traces de son maître.

***

— Bien sûr, il pourrait vivre dans sa réserve, déclara l'homme à la peau d'ébène. Beaucoup d'autochtones choisissent d'y demeurer. Ils profitent de tous les services à la communauté et même de certains privilèges. Là-bas, il est aimé et apprécié. Et j'en ai eu la confirmation par le conseil des anciens, précisa l'homme. Mais Steven possède l'instinct de ses ancêtres, et la planète tout entière est son territoire de chasse.

— Mais ce n'est tout de même qu'un enfant, objecta Nadia.

— Justement... Si je ne me trompe, Nadia, vous êtes célibataire. Vous n'avez donc que très peu d'expérience avec les enfants, pour ne pas dire aucune.

Nadia ne sentit pas la nécessité de répondre à ce commentaire. Pourquoi l'aurait-elle fait ? Cet homme qui lui faisait face en ce moment, appuyé au cadre de la fenêtre, était nul autre que le chef de la police. Il avait accès à une foule d'informations et connaissait très bien le dossier personnel de Nadia. D'ailleurs, le policier n'attendait pas de réponse. Il jeta un regard en biais à la jeune femme demeurée debout et immobile, les mains appuyées au dossier de sa chaise. Lentement, il marcha vers le gros fauteuil de son bureau qu'il fit gémir sous son poids. Il ajusta méthodiquement ses lunettes sur son large nez, ouvrit un dossier épais et poursuivit :

— En accord avec les services sociaux, nous sommes toujours heureux de permettre le parrainage d'un enfant de la rue. Mais ce garçon, Nadia, est une vraie bombe à retardement, un cataclysme ambulant. Si vous tenez absolument à parrainer un jeune défavorisé, j'ai ici une liste de noms...

Nadia coupa court et répéta calmement :

— Lieutenant, je sais que ma demande peut vous sembler insolite, mais je désire Steven et aucun autre garçon.

Elle avança de quelques pas et fixa le policier droit dans les yeux avant d'ajouter :

— En retour de tous les services rendus, accordez-moi la garde de Steven... disons pour un essai de quelques semaines.

L'officier ne savait plus comment composer devant une telle requête. Il prit le temps d'enlever ses lunettes et se frotta machinalement la racine du nez.

— Steven est un véritable fauve, Nadia. Il a fallu deux policiers pour le maîtriser. En vous confiant ce garçon, je ne suis pas certain de vous rendre un très grand service.

Nadia demeura muette, mais toujours aussi déterminée. En désespoir de cause, l'inspecteur fit une ultime tentative dans le but de décourager la jeune femme. Consciencieusement, il replaça ses lunettes et sortit d'une enveloppe une épaisse liasse de documents.

— Il y a eu plusieurs plaintes contre ce garçon. Il a fait pas mal de dégâts, ces temps-ci. Avant de libérer Steven, il faudra négocier, hors cour, un dédommagement avec les plaignants.

La jeune femme acquiesça d'un léger signe de tête. Sans un mot, l'homme fit glisser sur son bureau le lot de feuillets vers Nadia. Elle s'en saisit lentement et prit le temps de lire tous les détails.

— Il a fait tout ça ?

— En moins de deux mois, précisa le policier.

La jeune femme passa sa main libre dans ses cheveux.

— J'ai l'impression d'étudier le bilan des dégâts matériels après le passage d'un cyclone, avoua Nadia.

Le lieutenant esquissa un petit sourire.

***

Une cinquantaine de kilomètres seulement séparaient le palais de la caverne du Globulus. Le glisseur impérial ayant priorité, la course n'exigea pas plus de dix minutes. Assise en face de l'empereur, la grande conseillère se sentit tout de même obligée de meubler la conversation. Ayant reçu, d'un signe de la main, l'assentiment de son maître, dame Haziella aborda prudemment un épineux sujet.

— Depuis quelques mois déjà, le Globulus exerce des pressions auprès de l'administration centrale. Bien qu'il ne soit plus qu'un cerveau, il demeure un Trogolien à part entière. Comme nous tous, il doit vivre son val-thorik à tous les sept ans terrestres. Pour vous et moi, ce n'est déjà pas très agréable de subir cette poussée de croissance physiologique répartie sur l'ensemble de notre corps. Imaginez alors cette croissance concentrée sur un seul organe, le cerveau.

— Venez-en au fait, marmonna l'empereur.

— Il souhaite une modification des dimensions de son dôme protecteur. Il profitera sûrement de votre visite pour réitérer sa demande et il insistera très certainement.

— Je suis au courant de sa requête. Elle a déjà été refusée, soupira l'empereur. En six cents ans, nous avons remplacé son dôme à quatre reprises. Selon nos ingénieurs, le dôme est valable pour plus d'un siècle d'expansion. Il n'y aura donc pas de changement avant plusieurs décennies. L'empereur ajouta sur un ton impatient :

— Le Globulus est peut-être le plus vieux et le plus gros cerveau de la Terre, ce n'est pas une raison pour céder à tous ses caprices. Il y a des problèmes plus urgents à régler.

— Vous pensez à ces nouveaux envahisseurs... suggéra la conseillère.

— Non, corrigea l'empereur. Je me préoccupe d'une situation beaucoup plus criante. Depuis trois ans, nous constatons des fuites de capitaux dans la majorité des banques terriennes contrôlées par notre empire. Les plans de la nouvelle cité impériale sont pratiquement terminés… Avez-vous vu la maquette du nouveau palais?

— J'ai eu ce plaisir, Votre Grandeur.

— C'est vraiment magnifique, n'est-ce pas? Ce palais sera une splendeur!

— Et témoignera judicieusement de votre règne, Votre Grandeur.

L'empereur laissa échapper un soupir.

— Mais la concrétisation de ce rêve exige des sommes colossales et ces fuites de capitaux nuisent considérablement à mes ambitions. Nous perdons des fortunes et nous n'avons toujours pas identifié la source de ce problème.

Mal à l'aise, la conseillère avoua:

— En effet, Votre Grandeur, c'est à n'y rien comprendre. Malgré tous les efforts déployés, nos agents de surface n'ont encore rien découvert. Nous avons bien quelques pistes...

— Et le Globulus? Que fait donc le Globulus? Avec toute sa puissance et son génie, pourquoi n'a-t-il rien trouvé?

***

La pièce circulaire aurait facilement accueilli un terrain de basket-ball si elle n'avait été envahie par un impressionnant dôme de verre d'une dizaine de mètres de diamètre, monté sur un socle de métal rutilant. Une multitude de câbles et de boyaux colorés émergeaient de l'installation. Certains plongeaient directement dans le sol, tandis que d'autres serpentaient vers d'étranges tours lumineuses ceinturant le grand dôme translucide. Sous le globe, baigné dans un sirop bleuté bouillonnant, vivait le puissant cerveau du Globulus, une masse de chair grise et mouvante représentant plus de deux tonnes de neurones.

Les doubles portes étanches s'ouvrirent. L'empereur entra dans l'imposante caverne protégeant les précieuses installations. À quelques pas derrière son souverain suivait la grande conseillère. Sans un mot, l'empereur s'arrêta devant le dôme.

Haziella connaissait bien son rôle et appliqua le protocole réservé aux rencontres officieuses.

— Globulus, sa grandeur vous fait l'insigne honneur de sa présence.

Cette visite était loin d'être une surprise pour le cerveau sous verre. Grâce à ses multiples connexions reliées aux principaux ordinateurs de l'empire, il avait détecté l'activation de la navette impériale ainsi que le trajet établi bien avant que son souverain y ait mis le pied.

Naturellement, le Globulus passa sous silence ce détail. Il n'était pas bon d'afficher toutes formes de supériorité vis-à-vis de son empereur. Il répondit donc d'un ton affable à l'annonce de la conseillère :

— C'est en effet un grand privilège et c'est avec plaisir que je mets toutes mes ressources au service de l'empire.

— Trêve de politesse, coupa l'empereur, impatient.

Celui-ci fit quelques pas en faisant claquer le talon de ses bottes sur le sol dur de la caverne. S'arrêtant devant le cerveau machine, les poings sur les hanches, il somma ce dernier :

— Globulus, aujourd'hui, je veux des réponses précises et complètes. Qui sont ces nouveaux visiteurs ? Des envahisseurs, des conquérants ?

Le Globulus, imperturbable, laissa passer la tempête. De sa voix synthétique, il expliqua calmement :

— Il est un peu tôt pour se prononcer, Votre Grandeur. Tous mes capteurs branchés sur les réseaux telluriques de la planète...

— De quoi parlez-vous ? intervint l'empereur.

— Des réseaux telluriques, Votre Grandeur. Ce sont des champs de force qui sillonnent la croûte terrestre. Ces courants magnétiques...

— Suffit, coupa de nouveau l'empereur, de plus en plus agité. Je sais ce que sont les réseaux telluriques et je ne suis pas ici pour suivre un cours de géodésie. Alors ? Quelle relation y a-t-il entre les réseaux telluriques et ces visiteurs de l'espace ?

— Les capteurs, installés sur les réseaux, ont tous détecté l'arrivée de ces curieuses sphères de lumière sur l'ensemble des continents de surface, expliqua le Globulus. Depuis plusieurs jours, je travaille à les dénombrer et à identifier leurs positions.

— Et leur puissance? Quelle est leur puissance? Ces sphères lumineuses sont-elles armées?

— Impossible de le dire, Votre Grandeur. Ces sphères sont des sources d'énergie pure, sans forme physique. Elles sont, pour ainsi dire, immatérielles.

— Immatérielles, répéta l'empereur, incrédule. Tu prétends qu'elles n'existent pas.

— Elles existent, Votre Grandeur, mais sous forme de vibrations.

— Comme la lumière, suggéra discrètement la conseillère.

— Votre comparaison est judicieuse, dame Haziella. La lumière est, en effet, une vibration. Nous pouvons la voir, nous pouvons la traverser ou la faire dévier de sa trajectoire, mais nous ne pouvons ni la peser ni la contenir dans une boîte.

S'adressant cette fois-ci à l'empereur, il ajouta:

— Si je puis me le permettre, je suggère à Votre Grandeur d'envoyer des agents de reconnaissance à la surface de la planète et d'observer la réaction de la population.

Ce fut au tour de la conseillère d'intervenir.

— Votre grandeur, je vous rappelle respectueusement que nos meilleurs agents sont déjà à la surface pour enquêter sur les mystérieuses fuites de capitaux.

— C'est vrai, confirma l'empereur.

La conseillère, profitant de cette brèche, ajouta:

— Et il y a ces rachats de plusieurs grandes multinationales par une organisation financière inconnue. Nous perdons une fortune tous les jours.

Fustigeant le Globulus du regard, l'empereur reprit:

— Tu as entendu, Globulus? Nous perdons des fortunes.

— Je sais, Votre Grandeur. Cela me préoccupe beaucoup. Jusqu'à présent, je dois avouer que les résultats sont plutôt décevants.

Cette organisation inconnue est très bien structurée. Elle utilise des techniques de camouflage financier aussi efficaces que les nôtres. Par contre, si vous autorisiez le changement de mon globe protecteur, une puissance accrue me permettrait peut-être...

L'empereur écourta abruptement la conversation et lança sur un ton tranchant :

— Un nouveau globe ! N'y pensez pas ! Il faudra avant tout le mériter. Et pour cela, il me faut des résultats.

Sans attendre de réponse, il tourna les talons et quitta la caverne.

∗∗∗

Steven sortit le premier et s'arrêta net sur le perron de granit. Serrant sa planche à roulettes sous son aisselle, il demeura le dos bien droit, les bras croisés sur la poitrine. Nadia laissa la porte se refermer derrière elle.

— Ouf, je croyais que ça ne finirait jamais, lança-t-elle en prenant une grande bouffée d'air.

Un geste qu'elle coupa dans son élan lorsque son nez l'avisa de la présence de Steven. Du coin de l'œil, elle surveilla les réactions du jeune garçon, demeuré muet depuis leur première rencontre dans le bureau du lieutenant.

— Tu n'as rien à dire ?

— Ils ont bouffé mes pommes, laissa tomber le garçon.

— Tes quoi ?

— Mes pommes. Même le gros Satoba en avait une sur son bureau. C'est moi qui travaille, pis c'est les flics qui bouffent.

Dans une moue dédaigneuse, il ajouta :

— C'est la justice des Blancs.

Peu familière avec les priorités du garçon, Nadia tenta une diversion.

— Bon, on ne va tout de même pas établir notre campement devant ce poste de police, lâcha-t-elle avec une pointe d'humour.

Devant le mutisme du garçon, Nadia plia les genoux et regarda le jeune garçon droit dans les yeux. Sur un ton de camaraderie, elle ajouta :

— Steven, je suis responsable de toi et je veux te faire confiance. Alors s'il te plaît, aide-moi à terminer cette journée en beauté.

N'espérant pas de réponse de son nouveau protégé, elle se redressa, descendit les sept marches de pierre et attendit le garçon sur le trottoir. Dans un silence stoïque, Steven rejoignit la jeune femme.

— Ma voiture est au coin de la rue. Nous serons chez moi dans vingt minutes.

Et pour elle-même, elle ajouta entre les dents :

— ... pour prendre une bonne douche.

Demeurant indifférente au mutisme du garçon, Nadia amorça la marche. Sans un mot, Steven déposa sa planche sur le trottoir et se mit à rouler aux côtés de la jeune femme. Satisfaite, Nadia ouvrit son sac et chercha les clés de sa voiture. Durant quelques instants, Steven sembla la suivre docilement, mais après une dizaine de mètres, il ralentit progressivement son rythme et distança légèrement Nadia. Ne quittant pas la femme des yeux, il épiait ses moindres gestes.

Soudainement, à la hauteur d'une petite ruelle, il donna un coup de hanche et modifia la trajectoire de sa planche. Il plongea alors dans l'étroit passage et prit rapidement de la vitesse. Dans sa course folle, il évita de justesse les trois énormes barils à déchets, mais n'eut pas le temps de remarquer la silhouette lumineuse masquée par une pile de boîtes à fruits. Juste après le passage du garçon, Guidor sortit de l'ombre en affichant un large sourire amusé. Dans la seconde qui suivit, un tourbillon de lumière enveloppa le guide et ce dernier disparut.

Essoufflé mais fier de son manège, Steven freina au fond de la ruelle fermée par une grande palissade de bois. Il connaissait bien le quartier ainsi que tous ses petits secrets. Le garçon saisit la quatrième planche de la palissade, mobile et retenue par un seul clou. Tenant sa planche à roulettes d'une main, il fit pivoter le panneau et se glissa dans l'ouverture, heureux d'avoir échappé si facilement à son cerbère.

— Ha! Ha! Qu'elle essaie de m'attraper maintenant!

Il était sur le point de replacer la planche mobile lorsqu'une lumière éblouissante jaillit tout juste derrière lui, si forte qu'elle projeta l'ombre du garçon sur la palissade. Bien que surpris par le phénomène, Steven n'avait pas le temps de s'y attarder. Il devait conserver son avance.

Il tourna la tête et prit son élan, mais s'arrêta net dans la seconde suivante. Le visage de Steven affichait maintenant la stupeur et la consternation. Juste devant lui, Nadia l'attendait, les mains sur les hanches, en le fixant avec amusement. Paniqué, Steven fit demi-tour. Oubliant la planche mobile de la palissade, il tenta de sauter par-dessus celle-ci. Il grimpa sur une pile de caissettes à fruits et prit son essor. Les fines languettes de bois cédèrent sous le poids du garçon. Un bruit sec se fit entendre et sa jambe demeura coincée dans une des caisses. Après de multiples contorsions, il réussit malgré tout à atteindre le haut de la palissade. Il s'élança, mais le bas de son autre jambe de pantalon s'accrocha à une éclisse de la palissade. Steven perdit l'équilibre et lança sa planche par-dessus la barrière. Toujours maintenu par son pantalon, il se retrouva sens dessus dessous, la tête frôlant dangereusement le ciment.

Quoique étourdi par ses manœuvres et bénéficiant d'un champ de vision limité, le garçon n'eut aucune peine à reconnaître les jambes de sa poursuivante. Il releva la tête.

— Tu as perdu quelque chose? demanda négligemment la jeune femme, les mains cachées dans la veste de son tailleur.

Le garçon n'en croyait pas ses yeux.

— C'est pas vrai! siffla-t-il entre les dents.

Steven reprit ses sens rapidement. Se tortillant violemment, il réussit à se dégager de sa fâcheuse position en sacrifiant un lambeau de toile de son pantalon. Il atterrit sur les mains et s'aplatit de tout son long sur le sol. La caissette de bois emprisonnant son autre jambe se fracassa sous l'impact. Tel un félin, il se releva et s'élança dans la ruelle en boitillant. Après quelques enjambées, il se libéra enfin le pied des restes de la caissette et sauta sur sa planche.

Trop occupé à rétablir son équilibre, il ne put remarquer le nouvel obstacle. Lorsqu'il le vit, il était déjà trop tard. Un panneau de tôle ondulée appuyé sur un caisson de bois, tout près d'un immense baril de carton, se trouvait devant lui. Ne pouvant l'éviter, Steven grimpa sur le tremplin improvisé et tenta de sauter par-dessus le baril, mais son élan fut insuffisant. Ses pieds quittèrent la planche et il retomba directement sur le baril. Sous le choc, ce dernier se mit à rouler en entraînant son passager dans un exercice périlleux. Tant bien que mal, Steven réussit à maintenir son équilibre par un mouvement rapide des jambes. À la sortie de la ruelle, le baril accrocha la bordure du pavé et dévia de sa course, entraînant son valeureux cavalier sur le trottoir.

Demeurée seule près de la palissade, la poursuivante esquissa un sourire et un nouveau tourbillon de lumière l'enveloppa.

Steven n'était pas au bout de ses peines. Lorsque le baril s'écrasa sur un parcomètre, l'arrêt fut rapide et brutal. Projeté dans les airs, il plana sur plus d'un mètre vers un cabriolet avant d'y atterrir lourdement. Le nez écrasé dans le siège du passager, les jambes pendues au dossier, le garçon se releva péniblement. Une nouvelle surprise de taille assomma le garçon: Nadia l'attendait bien tranquillement, les bras croisés, appuyée sur l'aile de la voiture.

— Et bien, jeune homme, vous en avez mis du temps pour vous rendre à la voiture. Tu avais besoin d'un peu d'exercice?

— Comment t'as fait ça? demanda le garçon encore tout hébété.

Steven n'attendit pas la réponse. Exténué, il offrit ses poignets et attendit le passage des menottes.

— T'es une superflic, pas vrai?

Demeurant indifférente au geste du garçon, la jeune femme répondit simplement :

— Je ne suis pas une superflic. Je ne suis pas flic du tout, précisa Nadia en contournant la voiture.

— Alors t'es qui ?

— Une amie qui ne souhaite que t'aider, déclara-t-elle en plaçant la main sur la poignée de la portière.

— Et pourquoi t'as fait ça ?

— Parce qu'on me l'a demandé.

— Qui ça « on » ?

— Steven, tu poses trop de questions.

Coupant court à l'interrogatoire, elle ouvrit la portière, monta dans la voiture et ajouta pour elle-même :

— Si au moins je connaissais les réponses…

Tout près de là, dans la ruelle, une autre Nadia les observait tranquillement. Elle se noya dans un vortex lumineux et s'effaça rapidement sous les traits de Guidor. Aux pieds de l'homme, la planche à roulettes de Steven était maintenant immobile.

Ignorant tout du remue-ménage des dernières minutes, Nadia tourna la clé de contact en annonçant joyeusement :

— En route pour la maison et ce soir, après une bonne douche, tu dormiras dans un vrai lit.

Du coin de la ruelle, Guidor observait toujours la femme et l'enfant. Il ferma légèrement les yeux et communiqua un nouveau message à Nadia :

— Maintenant, tu dois aider Caroline.

Un nouveau vertige s'empara de Nadia. Sa tête bascula vers l'avant dans une suite de soubresauts avant de s'écraser de nouveau sur l'appuie-tête. Steven avait tout vu. Au bord de la panique, il demanda :

— Ça va pas, madame ?

Le choc avait été violent. Nadia retrouva péniblement ses esprits. Elle appuya sa tête sur ses mains accrochées au volant. Nerveux, Steven regarda autour de lui.

— Eh! Madame, faites pas de blagues. Si tu perds connaissance, y vont penser que je t'ai attaqué.

— Calme-toi. Tout va déjà mieux.

Nadia respira profondément et s'expliqua:

— Il m'arrive d'avoir des visions, avoua-t-elle. Quelquefois, le choc est très dur.

— Wow! T'as dû voir un super «tank».

— Non, répondit-elle stoïquement.

La curiosité de Steven était piquée au vif. Il se tortilla sur son siège quelques secondes et revint à la charge.

— Pis? C'était quoi ta... vision? Une baleine, un orignal, un autobus...

— Non, une maison.

— Ouais! Une maison, une maison, mais quelle sorte de maison? insista Steven, de plus en plus intrigué.

— Simplement une grande maison, répondit la jeune femme. Blanche avec des colonnes, un long mur extérieur et un jardin.

Steven demeura songeur quelques instants. Soudain, ce fut la révélation.

— Le quartier nord, c'est sûr que c'est dans le quartier nord. Je le connais bien. L'été, avec des copains, on fait le tour des jardins. On y pique des fruits et des légumes.

Nadia leva la main et mit immédiatement les choses au clair.

— Steven, aussi longtemps que tu seras avec moi, il n'y aura plus d'actes illégaux. C'est bien compris?

Le garçon sembla peser le pour et le contre durant quelques secondes. Il prit sa décision.

— O.K. madame.

— Et cesse de m'appeler madame, mon nom est Nadia.

— Oui, madame... euh oui, madame Nadia.

— Nadia tout simplement.

Se calant dans son siège, il demanda:

— Alors, qu'est-ce qu'on fait maintenant?

— Nous recherchons Caroline.

— Caroline? C'est qui, Caroline?

— Une personne qui a besoin de notre aide.

— Notre aide? Et elle est où, cette fille?

— Quelque part dans le quartier nord, répondit Nadia en déplaçant le bras de vitesse.

— Hé! Attends, madame! Mon *skate*! lança Steven en ouvrant sa portière.

Sur le trottoir, la planche roula docilement en direction de la voiture. D'un geste rapide, le garçon la ramassa avec un plaisir non dissimulé. Après l'avoir déposée sur le siège arrière, il chuchota à Nadia:

— Je suis chanceux de la retrouver. C'est plein de voleurs par ici.

Guidor observa la scène avec un sourire bienveillant. Dans une nuée lumineuse, il se fondit dans le décor de briques de la ruelle.

CHAPITRE II

Depuis près d'une heure déjà, Nadia et Steven sillonnaient lentement les rues du quartier nord. C'était un secteur relativement vaste. Nadia s'étonnait de n'y avoir jamais mis les pieds. Paradoxalement, Steven s'y sentait à l'aise. Sa vie de vagabond, ses activités pas toujours recommandables l'avaient amené à explorer tous les coins de la ville.

Les rues propres, bordées de grands arbres, étaient le signe que le quartier avait connu, durant plusieurs décennies, des propriétaires riches sinon très à l'aise. Bien que la balade fût agréable, Nadia commença à montrer des signes d'impatience.

— Steven, c'est la deuxième fois que nous empruntons cette rue. Es-tu certain que nous avons visité toutes les rues de ce quartier ?

— On n'a pas raté une seule rue du quartier des riches.

Nadia laissa échapper un soupir.

— C'est sûr, poursuivit le garçon, y a aussi le coin des super riches, mais ta Caroline peut pas habiter là. Ce monde-là a tellement d'argent qu'ils ne peuvent pas avoir de problèmes.

Nadia explosa :

— C'est maintenant que tu me dis ça ! Il t'est peut-être difficile de me croire, mais tu sauras que l'argent n'est pas synonyme de bonheur.

Steven fit une grimace qui annonçait bien son commentaire.

— C'est vrai… C'est pas facile à croire.

Avec un sourire amusé, Nadia conclut :

— Montre-moi tout de même la direction.

Steven avait baptisé le nouveau quartier de « super riche ». Bien que le garçon eût été reconnu comme un chapardeur, un voleur et un menteur, cette fois-ci, il n'avait pas exagéré. En comparaison, le quartier des « simples riches » ressemblait à une succession de chalets d'été. Tout ici était plus grand, plus vaste, plus beau. Même l'air que l'on y respirait semblait valoir plus cher.

Sans vraiment s'en rendre compte, Nadia avait encore réduit l'allure de la voiture. Cela devenait un jeu de cache-cache en compagnie de Steven. Tous les deux tentaient de découvrir, dans une éclaircie de boisé, un coin de ces magnifiques demeures. Malheureusement, elles se retrouvaient souvent dissimulées derrière un massif de verdure ou une imposante muraille de pierre.

Soudain, Nadia freina dans un crissement de pneus. Surpris par le geste, Steven se retrouva le nez écrasé dans le pare-brise. La jeune femme venait de découvrir la maison blanche apparue dans sa vision. La demeure, déposée au centre d'un grand parc, était entourée d'un haut mur de pierres que scellait à son portail une imposante grille de fer forgé.

Se tenant le nez à deux mains, Steven fut le premier à se manifester.

— Hé ! Ça va pas, les nerfs ? Avec un coup pareil, je suis sûrement défiguré pour la vie.

— Tu n'es pas sur ton *skate,* Steven. Dans les voitures, on porte sa ceinture, répondit Nadia, exaspérée.

L'arrêt brusque de Nadia avait fait sursauter une vieille dame qui marchait sur le trottoir. Dans l'énervement, elle avait failli perdre son large chapeau rouge et lâcher la laisse retenant son petit caniche blanc. À la hauteur de la voiture, elle leva le nez et fronça les sourcils en fixant le garçon. Les cris de Steven augmentèrent l'indignation de la dame, habituée à la quiétude de son quartier huppé. Les lèvres pincées, le menton bien haut, elle s'éloigna rapidement à petits pas.

— Steven, tiens-toi tranquille, sinon nous allons nous faire remarquer. C'est ici. J'ai trouvé la maison.

— Quelle maison? J'vois pas de maison, souffla le garçon d'une voix sourde.

La jeune femme prit une grande respiration, compta mentalement jusqu'à trois et dit:

— Si tu enlèves tes mains de ton visage et ouvres les yeux, tu verras la maison.

— Et le sang, je vais perdre tout mon sang partout dans la voiture, gémit le garçon.

Afin de bien montrer son impatience grandissante, Nadia articula lentement chacun de ses mots.

— Steven, tu-ne-sai-gnes-pas et tu-n'es-pas-dé-fi-gu-ré.

Steven comprit le message et cessa sa comédie en se donnant un air innocent, faussement rassuré.

— C'est vrai? Eh bien! Ça fait plaisir de le savoir.

Nadia écouta à peine la remarque du garçon. Hypnotisée par les taches blanches de la construction que laissaient filtrer des trous de verdure, elle était maintenant songeuse et indécise. Steven l'observa du coin de l'œil et accepta de lui accorder une minute de réflexion. Fixant le téléphone cellulaire attaché au tableau de bord, il abrégea la période à dix secondes et annonça:

— J'ai faim. Si on commandait une pizza? demanda-t-il en s'emparant du téléphone.

Ne recevant pas de réponse, Steven décida de concéder à Nadia les cinquante secondes de réflexion restantes. Il jongla quelques instants avec l'appareil jusqu'à ce que Nadia le lui prenne des mains et le remette à sa place. Steven n'insista pas et se mit à compter les nuages.

Nadia avait enfin trouvé l'endroit mais à présent, elle ne savait plus vraiment ce qu'elle devait faire. Sonner à la porte et demander

Caroline? Elle aurait l'air ridicule de se présenter ainsi sans raison. Et qui était cette inconnue? Que pouvait-elle lui demander ou lui offrir? Mais avant tout, comment découvrir qui était Caroline sans attirer l'attention? Nadia sortit de son mutisme et laissa échapper dans un soupir:

— Je ne sais même pas qui est Caroline...

Sans se retourner, elle demanda:

— Steven, si tu désirais apprendre des choses sur quelqu'un sans que cette personne le sache, que ferais-tu?

— Tu veux dire comme l'espionner? s'enquit le garçon.

— Ho! échappa Nadia, scandalisée par le terme.

— Y a pas d'autre mot pour ça, Nadia, répondit Steven en haussant les épaules.

Piqué par un sujet qui le rejoignait dans son quotidien, il prit un air de conspirateur et ajouta:

— Il faut en premier se rendre sur le terrain ennemi pour repérer les lieux sans se faire voir.

Steven se composa un air de professionnel et avoua:

— C'est toujours comme ça que je fais. Le plus important, c'est de connaître la place, pis surtout les trous pour en sortir.

— Oui, je vois, se contenta de dire la jeune femme.

Reprenant le ton du conspirateur aguerri, il poursuivit:

— Aussi, il faut connaître les habitudes du client.

— Ça ne semble pas très difficile... Il te faut combien de temps pour y arriver?

— Arriver à quoi?

— À connaître les habitudes du client, apprendre qui est cette Caroline. C'est pour cette raison que nous sommes ici.

Steven devint sur la défensive.

— Ho! Tu ne veux pas dire que tu penses que je vais entrer là-dedans?

— Steven...

— Et pourquoi je devrais faire ça? Ta Caroline, je la connais même pas.

LE CORDON D'ARGENT – *Les initiés*

Ne se laissant pas influencer par l'air sévère de la jeune femme, Steven ajouta :

— De l'autre bord de la clôture, y a peut-être des chiens méchants ou des pièges à loup ; des lasers qui te coupent en morceaux ou des lance-flammes cachés dans les arbres, ou des...

Voyant Nadia peu impressionnée, Steven changea d'arguments.

— Pourquoi se mettre dans le trouble pour une fille qu'on ne connaît pas ?

— Il y a une heure à peine, souligna la jeune femme, je n'ai pas hésité à aider un garçon que je ne connaissais pas. Tu en es pourtant bien heureux.

Steven haussa de nouveau les épaules.

— Moi, j'ai rien demandé, marmonna-t-il.

— Maintenant, poursuivit Nadia sans se démonter, je te propose simplement de faire la même chose. Rendre service à une inconnue qui a besoin de notre aide.

En désespoir de cause, Steven ajouta :

— Comme ça ? En plein jour ?

— Tu as peut-être raison, concéda Nadia. Bon, allons-y pour la pizza...

Un large sourire s'afficha chez Steven pendant que Nadia décrochait le combiné.

— ... et nous reviendrons dans quelques heures.

Steven perdit son sourire.

***

Au cœur du continent creux, dans une salle de travail du palais impérial, on avait convoqué l'état-major de toute urgence. Autour d'une immense table ovale, des îlots de conseillers techniques s'étaient formés. Dans les différents groupes, c'était l'agitation, mais on devinait à leurs réactions des signes d'impuissance.

Au bout de la table trônait Krash-Ka. Se tenant le menton d'une main, il observait ses spécialistes totalement dépassés par les événements. Sur un mur de la salle, un écran tridimensionnel s'illumina. La grande conseillère apparut en stéréovision.

— Je demande audience à Votre Grandeur.

Krash-Ka n'eut pas à bouger la tête. Devant lui, un écran miniature se déplia sur la table. D'un ton impatient, il autorisa la communication.

— Accordé, puis oubliez le décorum, conseillère. Donnez-moi des réponses.

Haziella s'empressa d'obéir tout en conservant un ton respectueux.

— Je suis dans la caverne du Globulus, Votre Grandeur. Nous avons contrôlé toutes ses données. Le Globulus tient à vous les confirmer lui-même.

L'image de la conseillère fit place à celle du Globulus. Un visage synthétique se présenta à l'écran. À la vue de cette image virtuelle, les membres de l'état-major se désintéressèrent de leurs propres échanges et hypothèses. Un silence respectueux s'installa. Le Globulus allait parler. Il apportait peut-être les réponses à leurs questions.

— Votre grandeur, depuis quelques heures, il y a autour de la planète une quantité importante de vibrations psychiques de haut niveau et elles sont d'une intensité inhabituelle.

— Les sphères de lumière en sont responsables? demanda l'empereur d'une voix venimeuse.

— C'est possible, annonça prudemment le Globulus.

Peu satisfait de cette demi-réponse, l'empereur insista :

— Mais une vibration psychique de haut niveau, cela représente quoi concrètement?

— Plus un être humain est généreux, plus il dégage des sentiments d'amour et plus ses vibrations psychiques sont élevées, expliqua patiemment le Globulus. Les vibrations que je détecte présentement sont dix fois, cent fois plus élevées et puissantes que ce que peut émettre le meilleur des humains de cette planète.

Krash-Ka se leva d'un bond en s'exclamant :

— Mais c'est terrible et inacceptable ! Nous avons bâti notre empire sur l'égoïsme, la haine que se portent mutuellement les humains. Si les Terriens cessent de se détester, nous allons vers la catastrophe !

— En effet, Votre Grandeur, toute notre économie est basée sur le manque d'amour et l'intolérance des humains.

Durant l'échange entre l'empereur et le Globulus, tous les témoins s'étaient tus, mais à présent, on sentait une agitation grandissante chez l'état-major. Certains demeuraient méditatifs, d'autres ressentaient le besoin d'échanger avec leurs collègues. Tous firent de nouveau silence lorsque l'empereur reprit la parole.

— Nous ne pouvons prendre ce risque. Libérez des agents, il nous faut des informations complètes sur ces... vibrations psychiques.

L'image se brouilla sur l'écran et la conseillère réapparut.

— Votre grandeur, je vous souligne que tous les agents de surface enquêtent en priorité sur la fuite de nos capitaux.

— Il y a une nouvelle priorité, annonça l'empereur. Alors libérez-en... au moins un.

Et sur un ton qui ne permettait aucune réplique, il ajouta :

— Le meilleur.

***

De son bureau du trente-deuxième étage, les immenses baies vitrées offraient à Sygrill un panorama grandiose sur tout le centre-ville. Pour l'heure, l'homme assis à son bureau était beaucoup plus intéressé par une petite fenêtre, déposée sur sa table de travail, qui donnait en permanence une tout autre vision de la planète. Branché sur les principales bourses et les centres d'échange monétaire, le modeste écran offrait à son utilisateur une satisfaction bien particulière : la richesse.

Par un capricieux jeu de lumière, la surface de l'écran réfléchissait les traits d'un individu au visage peu sympathique. Avec son menton anguleux, son nez effilé et ses arcades sourcilières proéminentes protégeant deux yeux gris acier, le personnage ne portait pas à rire. Cela importait peu à l'intéressé puisque, comme tous ses congénères travaillant à la surface de la planète, cette image n'était qu'un masque servant uniquement à abuser les Terriens. Si on y ajoutait un corps athlétique dans un complet-veston et des mains capables de broyer les phalanges de n'importe quel banquier, on avait devant soi le stéréotype parfait du requin de la finance. Sygrill Trog manipula encore quelques touches du clavier et sembla très satisfait de son travail. Avec désinvolture, il plaça ses deux pieds, chaussés de bottes en peau de crocodile, sur le coin du bureau.

— Et voilà. Ni vu ni connu. Deux millions de dollars supplé-mentaires dans mon compte de banque personnel en Suisse. Ces humains, ils sont vraiment faciles à berner... et mes compatriotes de l'empire encore plus !

Ses compatriotes ! Ils étaient plus d'un milliard à s'entasser dans les cités sombres du continent creux, des cités où Sygrill avait de plus en plus de difficulté à séjourner. Avec leur éclairage artificiel et leurs avenues surpeuplées, les cités de l'empire n'avaient plus rien d'attirant à lui offrir. Et s'il n'y avait que cela ! Par leur constitution physique, les Trogoliens ne transpiraient pas, mais sous les dizaines d'étages des niveaux supérieurs, il y avait les bas-fonds, ces niveaux presque insalubres où grouillait la faune des sang-mêlé.

Les sang-mêlé ! Des êtres répugnants issus de croisements génétiques. Des créatures n'ayant pratiquement plus rien de commun avec les Trogoliens de souche. Ils se comptaient maintenant par millions, répartis dans les principales cités de l'empire. Des millions de corps qui, jour après jour, exhalaient des relents de transpiration. Malgré les cloisons étanches isolant les castes, les étages mitoyens supérieurs demeuraient imprégnés de cette odeur infecte de sang-mêlé. Heureusement, depuis six ans, c'était chose du passé pour cet agent qui appréciait les grands espaces de la surface. Mais tout ne s'était pas fait sans effort.

Issu d'une modeste famille de technocrates, Sygrill avait bien connu ces effluves fétides provenant des bas-fonds impériaux. Afin de quitter le plus tôt possible ces niveaux nauséabonds, le jeune Sygrill n'avait pas ménagé ses efforts. À coup d'intrigues, de menaces, de chantages et de manipulations diverses, le jeune aspirant officier avait rapidement réussi à gagner ses galons. Ses manœuvres déloyales particulièrement bien élaborées avaient attiré l'attention des hauts fonctionnaires gouvernementaux. À peine promu, on l'avait prestement dirigé vers les services spéciaux.

Peut-être à cause de son intelligence supérieure, et sûrement en raison de sa capacité de concentration lui permettant des transformations holographiques de longue durée, on l'avait propulsé agent de surface. Oui, il avait une intelligence supérieure... et les millions s'accumulaient dans son compte de banque.

Les millions s'accumulaient, mais pas assez rapidement à son goût. Sygrill était bien conscient qu'un jour, on le rappellerait dans le continent creux. On lui offrirait un poste de stratège ou de formateur des nouvelles recrues. Une fonction bien rémunérée, mais peut-être pas assez pour lui permettre de se loger loin des niveaux puants des sang-mêlé. Et ça, il n'en était pas question. Il n'accepterait rien de moins que les niveaux supérieurs et pourquoi pas, peut-être «le» niveau supérieur. Après tout, l'empereur n'était pas immortel et avec un peu d'aide, il était toujours possible d'abréger son règne. Sygrill premier, cela sonnait bien! Mais pour y arriver, il devrait s'assujettir des appuis importants. Il faudrait arroser des fonctionnaires influents, soudoyer la majorité des membres de l'état-major, corrompre quelques dignitaires de haut rang. Toute cette opération exigerait une fortune. Pour le moment, il ne possédait que l'équivalent d'une goutte dans l'océan.

Sur son bureau, un appareil de communication vibra. Sygrill perdit son sourire. Du bout des doigts, il pressa un bouton. Un panneau mural glissa silencieusement. Sur un deuxième écran apparut l'image de la grande conseillère.

Sygrill se leva prestement de son siège.

— Mes salutations, noble dame Haziella, déclara-t-il sur un ton respectueux.

La conseillère se contenta d'un simple mouvement de la tête et alla directement au vif du sujet.

— Agent Sygrill, vous travaillez toujours sur l'enquête des détournements de fonds?

Se composant un visage faussement désolé, l'individu répondit:

— En effet, grande conseillère. Soyez assurée que je consacre toute mon énergie à cette opération. Malheureusement, les résultats demeurent négatifs jusqu'à présent.

— Alors oubliez cette enquête pour le moment. J'ai pour vous une mission commandée directement par l'empereur. Un travail important et urgent. Vous recevrez, dans quelques secondes, les informations ainsi que les instructions concernant votre nouvelle affectation.

La conseillère coupa la communication aussi rapidement qu'elle l'avait entamée. L'agent referma le panneau mural et se permit une réflexion à haute voix:

— Une mission plus importante que les détournements des fonds impériaux? Je me demande combien tout ça peut me rapporter.

***

Quelques étoiles pointaient déjà timidement au-dessus des conifères entourant le parc. Près de Nadia, sur le siège du passager, traînait une petite trousse à outils. À une dizaine de mètres derrière la voiture, Steven s'activait à la grille d'entrée du domaine. Au bout d'un moment, il abandonna, glissa dans sa poche de pantalon le tournevis qu'il tenait à la main et revint, piteux, à la voiture. Steven annonça son verdict:

— C'est une serrure électrique commandée de l'intérieur. Y a rien à faire.

La rue semblait déserte, mais Nadia prit tout de même le temps de s'en assurer. Satisfaite de ses observations, elle descendit de voiture et poussa Steven à l'ombre d'un érable centenaire.

— Il ne reste plus qu'une solution, soupira-t-elle.

Appuyant son dos au mur d'enceinte, Nadia joignit les mains et fit la courte échelle au garçon. Dans un geste fataliste, Steven haussa les épaules et glissa son pied dans les mains de la jeune femme. Cherchant une prise sur la construction de briques, Steven entreprit d'escalader le mur ceinturant le domaine.

Il posa un pied sur l'épaule de Nadia. Celle-ci guida à tâtons l'autre pied du garçon vers un deuxième point d'appui. Le pied atteignit l'épaule, mais glissa. Nadia le rattrapa juste à temps.

— Steven, fais un peu attention, ma veste n'est pas un paillasson.

Elle renifla prudemment et ajouta en grimaçant :

— Dépêche-toi, tes souliers dégagent une odeur très désagréable.

Afin de s'aider dans sa progression, Steven entreprit de mettre ses deux pieds sur la tête de la jeune femme, ce qui provoqua un cri d'indignation chez Nadia. Découragée, elle ferma les yeux un instant et se mit à réfléchir à la situation.

— Nadia, qu'est-ce qui t'arrive ? En prenant Steven sous ta protection, tu croyais l'aider en lui donnant la chance de revenir sur le droit chemin, et voilà que c'est toi maintenant qui aide ce garçon à entrer illégalement dans une propriété privée ! C'est le monde à l'envers !

***

L'imposante table en bois de rose aurait pu facilement accueillir une vingtaine de convives, mais aujourd'hui, il n'y avait que trois couverts déposés sur la longue nappe de lin blanc. À chacune des extrémités de la table trônait un adulte, un homme et une femme que l'on aurait pu deviner à leur retraite. De temps à autre, ils jetaient un coup d'œil attentif vers le centre de la table, où était assise une adolescente mangeant en silence. Occasionnellement, la jeune fille présentait des signes de nervosité se traduisant par de brefs gestes incontrôlés.

Assise à la gauche de la jeune fille, la dame âgée avait remarqué chez l'adolescente cette agitation anormale bien que familière à ses yeux. Sans quitter son assiette du regard, elle déclara d'une voix claire et tranchante :

— Avant de nous quitter cet après-midi, madame Latoure m'a confié que tu avais eu quelques malaises lors de ton cours de biologie. Est-ce vrai ?

— J'ai eu un léger vertige…

— Deux serait plus exact, corrigea la tante.

— Mais ils furent de très courte durée… et sans conséquence, précisa la jeune fille qui ne réussissait toujours pas à contrôler le cliquetis de sa fourchette sur le bord de son assiette.

— Caroline, il semblerait que tu sois sur le point de subir une nouvelle crise. As-tu pris ton médicament, ce midi ?

Baissant les yeux, la jeune fille avoua :

— Je crois que je l'ai oublié.

— Alors il est plus que temps que tu le prennes, conclut la vieille dame.

— Oh ! Non, tante Emma, pas tout de suite, gémit la jeune fille.

À l'autre bout de la table, l'homme s'essuya minutieusement les lèvres du coin de sa serviette avant de s'adresser à l'adolescente.

— Caroline, une jeune fille bien élevée n'oblige pas sa tutrice à répéter un conseil.

— Ton oncle a raison, renchérit la dame en ramassant sa coupe de vin. À la mort de tes parents, nous avons généreusement accepté de venir habiter chez toi et de prendre soin de ta personne… et de tes biens. Le moins que tu puisses faire pour nous remercier est de nous obéir.

— Mais ce médicament est tellement mauvais, gémit la jeune fille. Après cela, je ne pourrai plus rien avaler.

Se donnant une meilleure contenance, elle ajouta :

— D'ailleurs, je crois que c'était une fausse alerte. Je me sens déjà mieux maintenant.

Elle jeta furtivement un regard vers son oncle avec l'espoir qu'il accepterait de retarder l'absorption de cette horrible mixture. L'homme venait à peine de baisser les yeux pour réfléchir à ce problème lorsqu'un bruit d'ustensiles résonnant sur le bois franc attira son attention.

En pensée, Caroline n'était déjà plus à la table. Elle avait quitté depuis peu la salle à dîner et se retrouvait maintenant dans le jardin, tout près du grand muret ceinturant la maison. Malgré l'obscurité, elle devina une présence à ses côtés. Soudain, près d'elle, un garçon perdit l'équilibre et tomba sur le sol dans une roulade.

Dans la salle à dîner, l'oncle et la tante observaient avec intérêt les gestes désordonnés de Caroline. L'adolescente leva les bras très haut en poussant un cri de panique. Brusquement, elle les ramena sur sa poitrine et se pencha vers l'avant. Ses coudes heurtèrent violemment la table massive. Caroline cacha son visage dans ses mains, étalant ainsi ses longs cheveux dorés en éventail devant son visage. Les secondes s'égrenèrent. La jeune fille retrouva lentement une respiration régulière. Sa vision avait disparu.

Les deux adultes échangèrent un regard entendu, ponctué d'un sourire complice. La femme se leva, marcha posément vers Caroline. Elle plaça sa main osseuse sur l'épaule frémissante de la jeune fille.

— Caroline, ton état s'aggrave de jour en jour. Ton oncle et moi devrons prendre des décisions importantes à ton sujet.

— Vous n'allez pas me renvoyer à la clinique ? C'est un endroit tellement horrible !

— Pour le moment, tu as besoin de te reposer. Nous reparlerons de tout cela plus tard.

Levant les yeux vers son mari, elle dit simplement :

— Augustin.

L'homme se leva à son tour, prit la jeune fille sous les aisselles et l'aida à monter l'escalier.

***

Dans le parc, Steven termina sa chute dans une roulade au pied d'un arbre.

— Ho, là, là! gémit le garçon.

De l'autre côté du mur, Nadia courut vers la grille et demanda, inquiète:

— Steven, tu m'entends? Réponds-moi si tu m'entends.

— Oui, oui, Nadia.

— Dieu soit loué! souffla-t-elle. Tu n'as pas de mal?

— Bien sûr que non. J'ai atterri comme un p'tit oiseau, répondit Steven en se frictionnant la tête.

Se relevant péniblement, il poursuivit tout de même ses jérémiades.

— Tout ça pour une fille que je ne connais pas… pis l'autre avec ses crises, pis ses visions…

Il revint vers la grille d'entrée pour conclure:

— J'espère qu'elle en vaut le coup, ta Caroline, parce que moi…

Prise d'un nouveau vertige, Nadia n'écoutait plus.

— Eh! Nadia, ça va?

Nadia retrouva son équilibre en s'accrochant aux barreaux de la grille. Encore un peu confuse, elle décrivit sa vision.

— Cette fois-ci, je sais qui est Caroline. C'est une jeune fille. Elle est couchée sur un lit dans une chambre du deuxième étage.

— Parfait, maintenant que tu sais qui elle est, on ne va pas la réveiller, proposa Steven en faisant mine de retourner vers le mur.

— Au contraire, intervint Nadia. Je sens qu'elle court un grave danger. Tu dois monter la voir et lui parler.

— Quoi? C'est une blague? Maintenant?

— Maintenant! Steven, c'est peut-être une question de vie ou de mort et tu es le seul à pouvoir réussir… cette mission de sauvetage.

Une mission de sauvetage! Retrouvant une bouffée de la fierté de ses ancêtres, Steven ôta le foulard crasseux qui lui ceignait le front. Lentement, il le déroula et s'en servit pour se voiler le visage. Puis, il se lécha une main et la plaqua sur ses cheveux qu'il fit redescendre sur son front, ne laissant ainsi paraître que la ligne de ses yeux. Découragée par une telle mise en scène, Nadia lui demanda tout de même:

— Qu'est-ce que tu fais?

— Je pars en mission, répondit laconiquement le garçon avant de se fondre dans l'ombre d'un bosquet.

***

Dans la salle de contrôle du continent creux, l'empereur, assis devant le grand écran panoramique, ne perdait pas un mot des explications du Globulus.

— Comme vous pouvez le constater, Votre Grandeur, cette représentation graphique démontre bien qu'il se forme présentement un regroupement très concentré d'énergie.

— Ces énergies, elles convergent dans la même direction?

— Vers la même destination serait plus juste, précisa le Globulus.

— Mais ici, nos écrans ne nous indiquent aucun signal. Il n'y a pas la moindre tache sur nos radars.

— Je n'en suis pas surpris, répliqua le puissant cerveau. Il s'agit de hautes vibrations psychiques semblables à celles de la pensée, non détectables par nos meilleurs appareils électroniques.

— Alors, comment faites-vous pour les retracer?

— Je suis le seul à pouvoir les détecter grâce à mon réseau de courants telluriques...

— Les courants telluriques, coupa l'empereur. Qu'est-ce qu'ils ont encore à voir dans tout ça?

— Ce sont des courants d'énergie traversant les champs magnétiques de la croûte terrestre. Ils ont la propriété entre autres...

L'empereur démontra de nouveau des signes d'impatience. Il en avait plus qu'assez de toutes ces explications techniques. Il se leva et demanda :

— Bon, bon, ça va. Et leur destination ? Ces vibrations psychiques, ces pensées, où vont-elles ?

— Je n'ai pas encore réussi à identifier la destination exacte de ces énergies psychiques, Votre Grandeur, mais ce n'est qu'une question de temps.

— Du temps… répéta l'empereur. Je vous préviens, Globulus : ne me faites pas perdre le mien !

***

Longeant les haies, se glissant furtivement entre les arbres, Steven avait atteint rapidement le petit taillis bordant la maison. Jusqu'à présent, tout s'était passé sans encombre. À travers le feuillage, les petits yeux de Steven scrutaient le décor : personne dans le sentier, aucun mouvement dans les fenêtres. Steven examina la façade. Une corniche large d'à peine quinze centimètres ceinturait le premier étage.

Malgré ses fanfaronnades, Steven devait se l'avouer, il n'était jamais allé aussi loin dans ses expéditions nocturnes. Comment s'était-il laissé embarquer dans une telle aventure ? Et ça lui rapporterait quoi en bout de ligne ? De la gratitude ? Jamais il n'avait fait un coup aussi tordu pour de la gratitude. D'accord, dans le passé, il avait bien pris certains risques pour épater des amis, mais au moins, ses amis savaient apprécier ses talents. Ils pensaient comme lui. Pas comme cette Nadia bien habillée qui avait des visions bizarres, ou comme l'autre, cette fille de riches qu'il devait retrouver ! Une fille de riches qui devait sûrement parler sur le bout de la langue ! Si Nadia ne l'avait pas sorti du trou, il aurait peut-être couché en prison, mais il serait avec ses amis. Ses vrais amis… Au poste, les couchettes étaient dures, mais on ne lui aurait pas demandé de risquer sa peau sur un mur de pierres.

Steven jeta un coup d'œil vers la grille. Il devina la silhouette de Nadia qui devait sûrement l'observer. Impossible de reculer... et tout ça pour une fille de riches. Le garçon se surprit à imaginer cette fille couchée sur un beau grand lit, dans une belle grande chambre, avec de beaux grands meubles couverts de grandes boîtes à bijoux...

Des boîtes à bijoux! Un vent d'optimisme souffla soudainement dans la tête du garçon. Silencieusement, il sortit de sa cachette et dépassa, sans la remarquer, la lueur blafarde dissimulée dans le trait de lumière d'un lampadaire.

Se servant du lierre grimpant le long du mur de briques ainsi que des pierres en saillie du coin de l'édifice, Steven entreprit d'escalader le mur sud de la maison. La progression s'avéra plus lente que prévu car le lierre était fin et sec. À plusieurs occasions, les fines branches cédèrent lorsque Steven voulut s'y agripper.

Derrière la grille, Nadia surveillait en permanence la progression de la petite tache mouvante le long du mur. Lorsqu'une nouvelle branche de lierre céda et qu'elle vit Steven se balancer d'une seule main à plus de trois mètres du sol, son cœur cessa de battre. Malgré elle, elle s'avoua :

— À quoi ai-je pensé? Il va se casser le cou. C'est de la folie d'avoir embarqué Steven dans une telle aventure.

Machinalement, elle passa à deux reprises ses mains dans ses cheveux.

À présent, à peine cinquante centimètres séparaient Steven de son objectif: la corniche de pierre ceinturant l'étage. Dans un dernier effort, le garçon lança sa jambe gauche par-dessus le rempart et la corniche fut enfin accessible. Steven l'empoigna à deux mains et par une traction des bras, passa ses coudes au-dessus de la bordure de pierre.

Nadia, toujours attentive aux acrobaties du garçon, poussa un soupir de soulagement. Steven avait enfin atteint la corniche, mais sa situation demeurait peu enviable.

Adossé au mur, le garçon se glissa le long de la corniche jusqu'à une fenêtre entrouverte. Prudemment, il jeta un coup d'œil à l'intérieur. La fenêtre donnait sur un long corridor traversant tout l'étage. Steven avait déjà une jambe à l'intérieur quand un bruit de poignée de porte se fit entendre. Rapidement, Steven fit marche arrière.

L'oncle sortit de la deuxième chambre sur la gauche, puis referma la porte en donnant deux tours de clé dans la serrure. Steven, de nouveau sur sa corniche, n'en menait pas large.

L'homme mit la clé dans la poche de sa veste. Des petits pas rapides dans le corridor lui annoncèrent l'arrivée d'une présence féminine. Celle-ci demanda à mi-voix :

— Tu lui as donné son médicament ?

L'homme lui fit un signe de tête affirmatif et précisa dans un sourire complice :

— Comme d'habitude après une crise, j'ai triplé la dose. D'ici une heure, elle se sentira encore plus perdue et dans peu de temps, c'est elle qui nous demandera de l'interner.

La vieille dame émit un ricanement aigrelet et murmura :

— Nous n'aurons pas à attendre longtemps. Je crois que le moment est venu de se débarrasser de la fillette une bonne fois pour toutes.

L'homme acquiesça de la tête à cette suggestion. La femme poursuivit :

— J'ai téléphoné au médecin de la famille. Ce bon vieux docteur Simard ne devinera jamais notre mise en scène. Il devrait arriver d'ici quelques minutes. J'ai également rejoint le directeur de la clinique psychiatrique. Des infirmiers viendront chercher Caroline en fin de soirée.

Hochant la tête, l'homme ajouta :

— Les périodes de transe de l'enfant passeront facilement pour des crises de folie.

— À n'en pas douter ! Et avec l'aide du directeur de la clinique, j'ai déjà préparé un dossier qui permettra de garder Caroline...

pardon, corrigea-t-elle en ricanant, de soigner cette pauvre enfant pendant au moins vingt ans.

L'oncle se mit à rire de cette blague sordide. Il marcha vers la fenêtre et prit une grande respiration. Steven, sur la corniche, recula d'un pas et se fit le plus petit possible. Se croyant seul et protégé des oreilles indiscrètes, l'oncle avoua à sa femme sur un ton plus sérieux :

— J'ai hâte que tout cela soit terminé. Avec les pouvoirs de vision à distance de Caroline, je craignais que cette petite peste découvre un jour les manipulations financières que j'ai effectuées dans les comptes bancaires de son héritage.

— En plus, il y a cet homme d'affaires étranger au nom bizarre, ce monsieur Sygrill Trog, précisa la vieille dame. Dans les prochains jours, il doit nous faire une offre pour le rachat de TechniBit, « notre » usine de pièces électroniques. Avec ses filiales à l'étranger, des dizaines de millions sont en jeu.

— Et ces millions seront à nous très bientôt.

S'éloignant de la fenêtre en se retournant vers sa femme, l'homme conclut :

— Tu as raison, très chère amie. Il est temps que la fillette disparaisse de la circulation.

Un bruit de voiture interrompit la discussion. Le couple quitta le corridor.

Lentement, Steven longea la corniche jusqu'au coin de la maison donnant sur la façade. Il risqua un œil et vit un vieil homme descendre lentement de sa voiture. Steven tourna le coin et poursuivit son exploration jusqu'à la première fenêtre de la façade. Il jeta un coup d'œil : une chambre inoccupée. Le garçon entreprit de se glisser jusqu'à la deuxième fenêtre.

Afin d'assurer sa prise et de s'aider dans sa progression, Steven s'accrocha au volet ajouré. Il glissa sa main entre les lattes du panneau inférieur, mais au lieu de l'aider à avancer sur la corniche, le volet pivota sur ses gonds. Surpris, Steven perdit l'équilibre et bascula vers l'arrière, mais ses doigts demeurèrent coincés entre les lattes du volet. Le garçon se retrouva ainsi suspendu au-dessus du vide à trente centimètres de la corniche.

Nadia ne vivait plus. Jamais elle n'avait connu de moment aussi angoissant. Steven jouait sa vie sur une corniche et elle était l'instigatrice d'une telle situation. Si jamais…. elle ne pourrait pas se le pardonner.

Le garçon amorça un léger balancement. À la quatrième tentative, son pied droit effleura la corniche. Steven accentua le mouvement, mais ses efforts répétés eurent lentement raison des supports retenant le volet. Une, puis deux vis cédèrent sur la penture supérieure et la troisième présentait déjà des signes de fatigue. Steven cessa tout mouvement de balancement. Délicatement, s'aidant de ses deux mains, il progressa sur la tranche du battant. Il avait pratiquement atteint, du bout du pied, la corniche lorsque la troisième vis quitta le support. Un peu plus bas, les vis de la penture médiane commencèrent à sortir de leurs ancrages.

Avec précaution, Steven glissa sa main dans la poche arrière de son pantalon et agrippa le tournevis qu'il avait conservé. À travers son foulard, il saisit l'outil entre ses dents. De ses deux mains, il avança de quelques centimètres sur le volet, mais ce nouveau geste força encore la penture, qui s'écarta légèrement du mur. Surpris, Steven ouvrit la bouche et en lâcha son tournevis. Heureusement, ce dernier se planta miraculeusement entre son pied et le renfort de son soulier.

Relevant lentement la jambe, sa main chercha à tâtons la poignée du précieux outil. Il découvrit enfin le manche et l'empoigna solidement. Dans un mouvement lent, il ramassa l'outil et tendit le bras vers les vis récalcitrantes. Doucement, sans gestes brusques, il resserra les vis et replaça ensuite l'outil entre ses dents. Déterminé à en finir, il se hala en deux rapides glissades et sentit enfin la corniche sous son corps. Tout en reprenant son souffle, il se remit sur pieds et replaça le tournevis dans la poche arrière de son pantalon. Plus loin dans le parc, le trait de lumière d'un lampadaire vacilla. On aurait pu y deviner un sourire s'estompant dans la nuit.

Steven n'était pas le seul à souffler. Nadia, impuissante, reprenait ses esprits, la tête appuyée sur la grille.

— Mon Dieu! J'ai l'impression d'avoir vieilli de dix ans en quelques minutes.

Prudemment, le garçon jeta un coup d'œil dans la pièce. La chambre était vaste et richement meublée. Sur un lit à baldaquin garni de tentures rose lilas, Caroline était étendue sur le dos, le revers de la main sur le front, les yeux fermés. Au pied du lit, le médecin referma sa petite valise noire posée sur une minuscule table de service. À ses côtés, les tuteurs de Caroline surveillaient attentivement la scène.

Le médecin, satisfait de son examen, leur expliqua:

— Je lui ai donné un sédatif qui fera effet d'ici quelques minutes. Elle sera donc plus calme lorsqu'on viendra la chercher.

Se tournant vers Caroline, il enleva ses lunettes et sur un ton sincère, il ajouta:

— Pauvre enfant. Un si bel avenir... qui se termine dans une clinique psychiatrique.

La femme, poussant l'ironie à son comble, répondit sur un ton à fendre l'âme:

— C'est en effet un grand malheur. Nous avions tellement de beaux projets pour cette enfant!

Sur sa corniche, Steven siffla entre les dents, en caricaturant la vieille dame:

— ... tellement de beaux projets pour cette enfant... Espèce de sorcière!

Le trio marcha vers la porte de la chambre. Juste avant de quitter la pièce, le médecin se permit de louanger le couple.

— Vous avez beaucoup de mérite de vous occuper si tendrement de cette enfant, sans compter tous les soucis que vous occasionne la gestion de ses biens.

L'oncle et la tante prirent des airs de martyrs. Augustin précisa dans un soupir:

— Depuis la disparition de ses parents dans ce triste accident d'avion, chacune de nos minutes est consacrée aux intérêts de cette enfant.

La femme, pour ne pas être en reste, ajouta :

— Nous aimons cette nièce comme si elle était notre propre fille. Elle est très, très chère à nos yeux.

Sur sa corniche, Steven, indigné, mima dans une grimace la fin de la réplique :

— ... elle est très chère à nos yeux. Surtout chère en dollars. Ça, c'est certain.

Bouillonnant de colère, il ajouta :

— Les salauds !

Il en perdit presque pied.

***

Fait exceptionnel, l'empereur pénétra seul dans la caverne du Globulus. Un fait rarissime qui amena ce dernier à manœuvrer avec une plus grande prudence.

— Votre visite est un grand honneur, Votre Grandeur.

— Au diable les honneurs, lança le monarque en colère. Je suis très mécontent, Globulus. Notre centre de stratégie ne peut rien planifier si tu ne nous procures pas les informations dont nous avons besoin.

Le Globulus demeurait perplexe et ne savait trop comment répondre.

— Vous m'en voyez désolé, Votre Grandeur, mais les informations que je possède sont si étranges que j'ose à peine les dévoiler.

— Parle toujours, déclara sèchement l'empereur, nous verrons bien.

À la droite du Globulus, un peu en retrait, un écran tridimensionnel s'illumina, découvrant un paysage montagneux des plus aride. Le décor tourna sur lui-même et une nuée de points lumineux se mirent à virevolter entre les montagnes.

— La destination des sphères de lumière se situe au cœur des montagnes du Tibet.

— Au Tibet? Mais c'est en Asie centrale! C'est absurde. Il n'existe aucune ville ou agglomération importante dans ce désert de sable et de roches.

***

Loin, très loin, au-delà du grand désert de Mongolie, dans les hautes altitudes où le sommet des pics enneigés caresse les nuages, des tourbillons de neige s'engouffraient entre les montagnes. Dans ce pays froid et aride, on ne rencontrait que quelques gardiens de yaks et des bergers aux yeux bridés. Ils semblaient les seuls à s'aventurer à de telles altitudes. C'était si loin, si haut! Ce n'était pas sans raison que l'on appelait ces hautes montagnes «le toit du monde».

Mais contrairement aux apparences, les bergers n'étaient pas vraiment les seuls à fréquenter ces lieux. Au creux des montagnes, dans une grotte à l'abri de toute invasion, se tenait une étrange assemblée.

Les énergies de haute vibration identifiées par le Globulus s'étaient densifiées dans une imposante salle creusée à même le roc. Trente-trois sphères de lumière étaient apparues. Une à une, elles avaient pris forme et maintenant, trente-trois hommes et femmes, debout à une grande table en « V » inversé, faisaient face à six personnages encadrant un vieux patriarche. Ce dernier accaparait l'attention de tout l'auditoire. Il regarda dans la direction de la dernière sphère à s'être matérialisée, où l'on reconnaissait maintenant un homme aux yeux bleus. Le patriarche dit:

— Je donne maintenant la parole à Guidor et lui souhaite la bienvenue à Shangrila.

Sur ces paroles, le vieil homme s'assit lentement, tout comme les six personnages qui l'accompagnaient. L'assemblée demeura debout ainsi que Guidor.

— Merci, vénérable Maître, commença le nouveau venu. Je serai bref, car bien que le monde de Shangrila soit situé dans une dimension espace-temps inaccessible à la grande majorité des Terriens, la concentration d'énergie émanant de cette assemblée peut être ressentie par les médiums vivant sur la planète, et malheureusement aussi par certains Trogoliens particulièrement sensibles aux hautes vibrations. Ces derniers ne peuvent rien contre nous, mais il serait imprudent de les alarmer inutilement.

Le patriarche hocha la tête et ajouta :

— Tu as raison, Guidor, allons au vif du sujet. Parmi nous tous, tu es celui à qui a été confiée la plus importante mission : initier les trois Terriens qui deviendront bientôt les gardiens de la fréquence. Ils auront la lourde tâche de retrouver la dague de cristal... La clé de la grande porte de la lumière. Mais deux de ces Terriens sont très jeunes, encore des enfants. Auront-ils la force et le courage de traverser tous les obstacles ?

Guidor se fit rassurant et annonça avec confiance :

— Physiquement, ils sont jeunes en effet, vénérable Maître, mais il ne faut pas oublier que ce sont de vieilles âmes.

— Et seront-ils prêts à temps ? demanda l'honorable patriarche.

— Tous les trois se préparent à cette importante mission depuis plus de six mille ans, déclara Guidor. J'ai confiance en eux. Ils sont forts et pleins de ressources.

***

Toujours accroché à sa fenêtre, Steven observa discrètement l'oncle refermer la porte derrière lui. Il attendit le double déclic dans la serrure avant de passer à l'action. Avec précaution, il ouvrit la fenêtre toute grande et entra dans la chambre. Tel un chat, il progressa silencieusement en détaillant minutieusement les éléments du décor.

La chambre était luxueuse et répondait bien aux attentes d'une adolescente. Tout près de la porte, une immense affiche présentant un chanteur populaire tapissait le mur opposé à la fenêtre. Face au lit, un petit bureau d'étude supportait un ordinateur ainsi qu'une montagne de CD et de DVD.

Steven avança de quelques pas mais s'arrêta net, un éclat de lumière ayant attiré son attention. Tout près de lui, sur une commode, une boîte à bijoux entrouverte le narguait malicieusement. Machinalement, il avança la main et la glissa dans la boîte. Lorsqu'il la retira, un collier de perles et une jolie bague restèrent accrochés à ses doigts. Les bijoux avaient pratiquement atteint la poche de sa chemise lorsqu'il retint son geste en se pinçant les lèvres.

— Non. Je n'ai pas le droit de trahir Nadia… Pas aujourd'hui.

Non sans un certain regret, il remit son butin dans le coffret. Toujours aux aguets, Steven poursuivit sa progression. Il contourna le lit et remonta à la hauteur de Caroline. Il se pencha vers la jeune fille et chuchota :

— Caroline, tu m'entends ?

La jeune fille tourna machinalement la tête dans la direction de la voix. C'est alors que Steven se rendit compte qu'il portait toujours son foulard sur le visage. D'un geste brusque, il descendit le tout, juste à temps. Les yeux mi-clos, Caroline devina la silhouette du garçon à travers un épais nuage de brume. D'une voix cotonneuse, elle murmura :

— Hum... Qui êtes-vous ?

— Un ami, dit-il simplement.

— Je n'ai pas d'amis, gémit-elle dans un soupir en détournant la tête.

— Hé bien, à présent tu en as un... et même deux. Allez, Caroline, debout...

Après quelques secondes d'attente, il insista :

— Caroline, tu dois te lever.

La jeune fille tourna de nouveau la tête en direction du garçon et les yeux mi-clos, renifla l'air.

— Pouah ! Quelle est cette odeur ? C'est horrible !

Sans deviner l'origine de l'allusion, Steven se permit un petit mensonge.

— C'est le feu, Caroline, y a le feu dans la maison, tu dois sortir !

Reniflant de nouveau l'air, Caroline fit la grimace :

— Aucun feu ne peut sentir aussi mauvais...

Toujours étourdie, la jeune fille fit un effort et ouvrit les yeux. Elle releva le buste en s'appuyant sur ses coudes. Steven ne perdit pas une seconde. Il se rendit à la porte et examina la serrure. Avec un sourire de satisfaction, il annonça :

— Peuh ! Une serrure de maison de poupée.

Il sortit de nouveau le tournevis de sa poche en jetant un coup d'œil vers Caroline. Elle s'était laissée choir sur le côté et s'était rendormie. En trois enjambées, Steven rejoignit la jeune fille. Son tournevis entre les dents, il ramassa Caroline par les épaules.

— Hey ! C'est fini, le dodo. Il faut se lever.

Avec l'aide du garçon, elle réussit tant bien que mal à s'asseoir au bord du lit. Machinalement, elle chercha ses chaussures tandis que Steven explorait déjà les entrailles de la serrure. Un déclic se fit entendre. Pendant ce temps, Caroline avait réussi à se lever. Elle enfila une paire d'escarpins et marcha vers le garçon d'un pas hésitant. Steven afficha un sourire triomphal. La porte s'ouvrit sans offrir de résistance.

— Et voilà le travail ! Cette mission commence à devenir amusante, songea-t-il.

Caroline, une main appuyée sur le dossier d'une chaise, avait de la difficulté à garder les yeux ouverts. Elle fit mine de retourner à son lit, mais Steven la prit par le bras et la guida vers la porte. Il remarqua ses souliers à talons hauts.

— T'as pas de souliers plus ordinaires ?

Malgré sa somnolence, Caroline réussit à répondre sur un ton hautain :

— Lorsque je quitte la maison, je porte toujours ce genre d'escarpins.

— Ah! Ces gens riches, y faut pas essayer de les comprendre, marmonna le garçon en haussant les épaules.

— Où allons-nous? s'informa la jeune fille.

— Vers la liberté, répondit le garçon.

***

Jamais le Globulus n'avait connu une position aussi inconfortable durant les six derniers siècles. À toutes les situations, il y avait toujours eu une solution, une explication ou du moins, une hypothèse de travail. À tout phénomène, il y avait une explication logique, des données concrètes, des paramètres pouvant être calculés, pondérés, comparés. Mais voilà, il n'y avait rien à évaluer ni à comparer. Ces sphères de lumière demeuraient des énigmes. Cette fois-ci, le Globulus semblait désarmé. Il devait trouver une réponse à cet imbroglio avant que le tout dégénère en une crise majeure comme en avait déjà connu l'empire à quelques occasions.

Les neurones du mégacerveau firent une pause d'une nanoseconde…

Les crises majeures, voilà peut-être où se trouvait la clé à toutes ses questions… L'arrivée inopinée de ces sphères d'énergie déstabilisait la quiétude de l'empire. Une quiétude qui avait été mise à rude épreuve, à quelques occasions déjà, durant les huit derniers millénaires. Chacune de ces crises s'était traduite par des soubresauts économiques et politiques se soldant par des conséquences néfastes ou positives selon les cas. Pourquoi ne pas chercher dans cette direction?

Le Globulus plongea dans les bases de données archivées en se référant aux grandes perturbations vécues par l'empire. Une première date apparut rapidement.

2008: les stratèges financiers de l'empire avaient vraiment fait du bon travail. Des milliards de dollars avaient fondu comme neige au soleil dans les portefeuilles d'actions des plus grands financiers à la surface de la planète. Aux États-Unis, on avait dû puiser dans les fonds de la Réserve fédérale pour assurer un semblant de stabilité économique. Cependant, peu de gens savaient que cette réserve, dite fédérale, n'appartenait pas au gouvernement, mais bien à un consortium de banques contrôlant la véritable économie du pays. Ce consortium prêta donc plus de 800 milliards de dollars au gouvernement, tout en empochant des profits faramineux. L'empire, l'un des actionnaires majoritaires de ce regroupement, fit des bénéfices dépassant ses meilleurs pronostics.

1942 : une période faste pour les Trogoliens. Les usines d'armement contrôlées par l'empire tournaient à plein régime. On fournissait, directement ou indirectement, tous les antagonistes. On avait même laissé traîner, sur les bureaux des ingénieurs anglais, quelques brouillons techniques expliquant les principes élémentaires du radar. Sans cette invention, les Britanniques seraient tombés trop rapidement. Pour demeurer rentable, une guerre devait durer longtemps... On avait même imaginé une tactique afin d'influencer un certain psychopathe nazi, mais on s'était vite rendu compte que les atrocités imaginées par ce dernier dépassaient largement toutes les techniques d'extermination développées par les stratèges trogoliens.

1431 : sans l'infiltration judicieuse de quelques agents dans le clergé anglais, une jeune illuminée française aurait bousculé toutes les stratégies politiques échafaudées par l'empire. Heureusement, les réseaux d'influence agirent efficacement et la jeune pucelle termina ses jours sur un bûcher.

1307 : une date que ne pouvait oublier le Globulus. Il revoyait cette France du début du XIVe siècle où les anciennes et opulentes commanderies des Templiers symbolisaient la puissance et la richesse. Il se revoyait marchant à la tête d'un peloton de soldats, portant fièrement les armoiries de Philippe le Bel, mais dissimulant, ainsi que quelques officiers, un petit pendentif au motif trahissant leur véritable allégeance : un triangle de rubis serti sur un carré d'onix… Au nom du roi de France, il tenta de s'approprier les trésors protégés par les moines guerriers, mais Jacques de Molay, officier suprême des Templiers, le démasqua. S'ensuivit une confrontation à l'épée où l'officier du roi n'eut pas l'avantage. Encore aujourd'hui, le Globulus conservait le désagréable souvenir de la lame qui lui avait tranché la tête. Sans le sang-froid de son premier officier qui l'avait reçue entre les mains et qui avait eu, par la suite, la riche idée de la rapporter au cœur de l'empire, le Globulus ne serait pas de ce monde, aujourd'hui, pour se remémorer ces faits. Heureusement pour lui, cet événement tragique avait eu lieu quelques semaines avant qu'il atteigne le point culminant de son val-thorik, cette poussée de croissance physiologique qui avait permis aux médecins de l'époque de sauvegarder son cerveau. Un vieux ressentiment remonta à la surface et fit augmenter le bouillonnement du liquide sirupeux dans lequel flottait justement ce fameux cerveau sous verre. Un nom lui revint en tête, un nom qu'il n'osa prononcer, mais qu'il ne pourrait oublier jusqu'à l'heure de la vengeance. Oui, 1307 fut une année de crise… de crise personnelle.

1232 : un arrêt de courte durée dans la base de données. Bien que les tentatives de corrompre le pape Grégoire IX eussent échoué, la Grande Inquisition avait tout de même permis de faire un important ménage chez des groupuscules s'opposant aux objectifs établis par l'empire, mais le Globulus considéra que cela avait peu de rapports avec ses recherches du moment.

325 : il en fut de même avec le concile de Nicée présidé par Constantin 1er. Les communications de l'époque étant des plus rudimentaires, il fut relativement aisé de s'infiltrer parmi les 220 évêques provenant de toute la chrétienté. La tentative de diviser les fidèles de la nouvelle religion par des querelles théologiques remporta un certain succès, mais les retombées économiques se firent attendre durant près d'un siècle. Le Globulus se désintéressa du sujet.

33: la base de données défila à toute allure et s'arrêta brusquement. Le Globulus reconnut immédiatement une crise majeure. Il avait fallu, à cette époque, un véritable commando de tacticiens chevronnés et d'orateurs de première classe pour convaincre une bande de rebelles de faire pression sur un fonctionnaire romain du nom de Ponce Pilate. Grâce à une suite d'intrigues savamment orchestrées, un avatar prêchant l'amour et la paix avait été définitivement mis hors circuit. Bien sûr, ses enseignements avaient encore cours de nos jours, mais cela n'avait en rien changé le nombre de querelles territoriales. Bien au contraire, des millions d'êtres innocents avaient servi de prétextes, au nom de ce messie, à la réalisation de multiples génocides, ce qui avait contribué à l'expansion des finances de l'empire.

-4716: les données se succédèrent à vive allure et semblèrent ne plus vouloir s'arrêter jusqu'à un changement de politique important dans les orientations de l'empire. C'est à cette époque que l'empereur mégalomane Vardok le sixième annonça la fermeture du chantier situé sous la grande île du Nord. Par décret impérial, il était maintenant convenu que plus aucune somme ne serait versée au projet déraisonnable amorcé par le souverain fondateur de l'empire, Krasner 1er, et que dorénavant, tous ces fonds seraient consacrés à garnir les coffres de la famille royale, pour la plus grande gloire de l'empire.

Cette fois-ci, la pause neuronale du Globulus s'éternisa sur plus de huit nanosecondes. Durant plus de six cents ans, le Globulus avait servi fidèlement l'empereur Krash-Ka ainsi que trois de ses prédécesseurs. Tous lui avaient demandé des efforts accrus afin d'enrichir l'empire, mais aujourd'hui, à quoi servait cette fortune? Bien sûr, à la surface de la planète, il y avait de ces humains incapables de se contenter d'un revenu quotidien de moins d'un million de dollars, mais ces gens avaient au moins une excuse, la compétition. Une revue publiait même annuellement le nom des plus grandes fortunes de la planète. Mais ici, au sein du continent creux, les excédents de revenus générés n'avaient qu'un seul destinataire, l'empereur. C'était une accumulation inutile de richesse. Alors, pourquoi avoir détourné les sommes destinées au projet de Krasner, le fondateur de l'empire? Et à propos, quel était ce fameux projet? Aucune note n'en précisait la teneur... Sans chercher plus loin, le Globulus activa le programme à fond.

-6028 : curieusement, les détails concernant Krasner, ce militaire d'exception, étaient fragmentaires, comme si on avait voulu occulter ses projets d'avenir concernant l'empire. Le Globulus dut se contenter, dans un premier temps, de différents extraits de documents qu'il assembla tant bien que mal.

Dans un premier extrait, il était question de l'honneur perdu et de Krasner, un des amiraux les plus respectés de l'empire, à qui on aurait refusé les renforts demandés alors que la victoire était si près, si tangible!

Dans un deuxième extrait, Krasner considérait qu'il avait été trahi par des envieux, des poltrons. Trahi par une amirauté qui s'occupait plus à frotter des médailles déjà acquises qu'à tenter d'en gagner de nouvelles. Lui, Krasner, avait été le seul à proposer l'envahissement du noyau de la galaxie. Il avait été le seul à traverser la barrière des ombres, le seul à menacer l'hégémonie des Maîtres du noyau galactique. Le seul également à subir des pertes aussi importantes. Le seul à être repoussé par l'ennemi, faute de ces renforts tant réclamés.

Un autre document faisait état du conseil de guerre, de l'humiliation devant ses pairs et finalement, de l'exil de tout son clan vers cette minuscule branche de la galaxie qu'il avait sillonnée durant neuf ans avant de découvrir la Terre.

Enfin, l'empereur Krasner dévoilait ses projets d'avenir. De ce coin perdu de la Galaxie naîtrait un nouvel empire, plus fort, plus agressif. Un empire qui saurait retourner au-delà de la barrière des ombres et vaincre les seigneurs régnant dans le cœur galactique. Un empire qui obligerait son ancien monde trogolien à s'incliner devant son nom, à le reconnaître comme le nouveau maître de la Galaxie grâce aux stratégies géniales qu'il avait élaborées.

Le Globulus demeura perplexe. Rien, il n'y avait plus rien ! Aucun détail sur ces fameuses stratégies. Il y avait encore trop de points obscurs. Et cela semblait trop important pour être mis de côté. Pour la première fois en six siècles d'existence, il découvrait un intérêt à réaliser une tâche qui ne lui avait pas été commandée. Il trouverait, il éplucherait tous les dossiers de l'empire, quitte à y consacrer les cent prochaines années.

***

Nadia faisait les cent pas près de la grille. Elle commençait à trouver le temps long et consultait régulièrement sa montre. Soudain, un sourire apparut sur son visage, mais elle le perdit rapidement. Elle avait reconnu Steven longeant le mur de la maison, mais elle devint angoissée lorsqu'elle identifia le corps presque inerte d'une jeune fille que Steven tentait de traîner jusqu'à un bosquet.

Ils avaient enfin quitté la zone d'éclairage ceinturant la maison lorsque Steven rencontra de nouvelles difficultés. Le talon d'une des chaussures de Caroline s'était coincé sous une racine saillante. Déjà, conserver la jeune fille debout tenait du miracle. Maintenant en équilibre précaire sur une seule jambe, Steven tentait d'asséner de légers coups de pied sur le soulier récalcitrant.

— Steven, fais attention de ne pas la blesser, déclara Nadia en se glissant près du garçon.

— Nadia ! Mais qu'est-ce que tu fais ici ?

Déjà accroupie, la jeune femme s'activa sur le soulier.

— Vas-y délicatement. Ne brise pas le talon, précisa la jeune femme.

— Mais c'est juste un talon de soulier.

— Oui, je sais Steven, mais je suis certaine que Caroline y tient beaucoup.

— Tant que ça ? Faire des histoires pour un soulier. Y a du monde qui a de drôles de priorités.

La chaussure enfin dégagée, Nadia libéra Steven d'une partie de son fardeau.

— Tu ne devrais pas la juger ainsi.

— Pourquoi? demanda le garçon qui retrouvait enfin son équilibre.

— Lorsque l'on demeure isolée du monde et sans ami durant tant d'années, il est bien normal de s'accrocher aux objets que l'on possède.

— Comment tu sais ça?

— Une vision, un peu plus longue que les autres.

— Eh ben, j'ai raté une émission… Pis j'y pense, tu m'as pas dit comment t'es entrée ici? Pendant la pause publicitaire?

— Les portes se sont ouvertes pour laisser entrer une voiture.

— Ouais, le vieux docteur qui voit rien.

— Le hic, le médecin est reparti et nous sommes toujours du mauvais côté de la grille.

— Faut pas paniquer. Ils attendent encore de la visite.

Comme pour lui donner raison, le bruit d'un véhicule les fit sortir de leur torpeur. Une ambulance s'arrêta à l'entrée. Un léger déclic se fit entendre et la grille s'ouvrit. Le véhicule redémarra. Nadia tenta bien de réveiller la jeune fille, mais ce fut peine perdue. Prenant l'adolescente sous les aisselles, le duo réussit à la traîner, tant bien que mal, jusqu'à la voiture.

— Elle est toujours inconsciente, constata Nadia un peu inquiète. Steven, qu'est-ce que tu lui as fait?

Sur un ton laconique, il répondit simplement:

— Je lui ai sauvé vingt ou trente ans de sa vie.

CHAPITRE III

Au trente-deuxième étage de l'imposante tour à bureaux, Sygrill n'était vraiment pas satisfait des informations reçues. Calé dans son fauteuil, il se frotta les tempes en maugréant.

— Des suppositions évasives sans fondements... Des évaluations approximatives. Ces bureaucrates bornés! Comment veulent-ils que je travaille avec ça?

Il lança rageusement son crayon sur son bureau. Sous l'emprise de la colère, Sygrill relâcha sa concentration. Durant cette perte de contrôle momentanée, sa main droite se déforma rapidement en une masse écailleuse garnie de quatre longues griffes. Sans aucune émotion, Sygrill examina sa main. Il ferma les yeux et retrouva son calme. La masse écailleuse retrouva aussitôt son apparence humaine.

Il se leva et marcha vers la fenêtre panoramique. D'une telle hauteur, on avait une vue splendide sur toute la partie ouest de la ville. Un ciel piqué d'étoiles rivalisait avec le scintillement des luminaires. Avec un très bon télescope, on aurait pu discerner, très haut dans le ciel, un minuscule point blanc caché dans la constellation du Centaure. Ce point blanc, un soleil à demi éteint, rappelait les origines des Trogoliens. Mais pour le moment, Sygrill s'intéressait plus aux problèmes concernant la Terre.

— Je suis dirigé par des incompétents. Un jour... qui n'est pas très loin, je deviendrai Krash-Ka. Je dominerai l'empire et je ferai un ménage chez tous ces gratte-papiers.

Cette réflexion fit germer une idée.

— Quand on veut devenir Krash-Ka, il faut penser en Krash-Ka.

D'un pas décidé, il retourna à son bureau et pianota quelques coordonnées sur un clavier. Un pan de mur pivota et un écran laissa apparaître son interlocutrice. La grande conseillère, surprise par cette communication impromptue, ne cacha pas son mécontentement.

— Agent Sygrill, votre appel est hors des périodes autorisées. J'espère que vous avez une bonne raison pour me déranger ainsi.

L'agent ne se laissa pas impressionner par le ton arrogant de la conseillère et répondit pratiquement sur le même ton.

— Oui, noble dame Haziella. Une mission commandée par Krash-Ka lui-même.

Sans toutefois perdre la face, la conseillère dut adoucir le ton.

— Très bien. Je vous écoute.

— L'empereur m'a confié une mission capitale et les informations que j'ai reçues ne me sont d'aucune utilité.

— Vraiment? dit-elle avec une pointe d'ironie. Alors que suggérez-vous?

Sygrill jouait gros, il le savait. Il allait dire une énormité. Il pesa ses mots et anticipa la réaction de la conseillère.

— Je réclame que mon terminal personnel soit couplé à un accélérateur ultrasonique et branché directement sur le cœur de l'ordinateur central de Trogol.

La grande conseillère n'en crut pas ses oreilles et son visage marqua bien sa surprise. Scandalisée par une telle demande, c'est à peine si elle retrouva la voix pour répondre:

— Vous réclamez quoi? Un branchement sur le cœur de l'ordinateur? Mais avez-vous perdu la tête? Vous savez très bien que l'on ne peut obtenir un tel branchement. Le soleil de la Terre aurait-il perturbé votre cerveau? Tout le monde sait que seul Krash-Ka a le privilège de se brancher sur le cœur de l'ordinateur.

Baissant la voix d'une octave, avec un soupçon d'humilité, elle avoua :

— Même moi, je n'y ai accès que très rarement.

L'agent évalua avec précision le niveau d'arrogance qu'il pouvait se permettre face à sa supérieure. Ce type de manipulation des individus était sa spécialité. Il n'était tout de même pas un des meilleurs agents de surface sans raison. Simulant une colère bien contrôlée, colorée d'une touche de fanatisme, il leva le ton, juste au bon niveau.

— Mon cerveau est en très bon état, conseillère. On m'a donné pour mission de trouver rapidement l'origine des envahisseurs et de découvrir leurs intentions. Pour un tel travail, j'ai besoin de toute la puissance logistique et informatique disponible. Cette mission est urgente et sauf le respect que je vous dois, conseillère, pour le bien de l'empire et la satisfaction de notre bien-aimé souverain, j'exige d'être branché rapidement au cœur de l'ordinateur de Trogol.

Devant tant d'aplomb et de férocité, la conseillère impériale accepta à contrecœur d'enregistrer la demande, mais elle prévint toutefois l'agent :

— Un tel branchement est exceptionnel et n'a jamais été effectué auparavant. Le raccordement demandera donc une autorisation impériale et quelques heures de préparation.

Sygrill était satisfait. Il profiterait du délai pour réaliser un autre petit travail qui ne pouvait attendre. Avant de couper la communication, la conseillère souligna d'un air méchant :

— Naturellement, votre demande inhabituelle et le ton employé seront communiqués au Krash-Ka. Une demande qui peut vous coûter cher si les résultats attendus ne sont pas à la hauteur de la faveur qui vous sera octroyée.

Et sur un ton ironique, elle ajouta :

— Je vous souhaite bonne chance, agent Sygrill. Vous en aurez besoin.

***

L'appartement de Nadia et surtout son aménagement intérieur n'avaient jamais été conçus pour accueillir une adulte, une adolescente et un jeune garçon turbulent. Le mobilier étonnait par sa sobriété, mais décorait avec goût ce petit logement de trois pièces situé dans un quartier semi-résidentiel du sud de la ville. Sur une table à café traînait un journal avec la photo de Caroline en première page. Au-dessus de la photographie, un titre accrocheur retenait l'attention : « Une jeune héritière kidnappée ».

Dans cet espace restreint, chacun s'occupait à sa façon. Nadia butinait à la cuisine et préparait le dîner. Caroline, dans la chambre qu'elle partageait avec Nadia, terminait de se coiffer devant un miroir sur pied. Plus ou moins satisfaite du résultat, elle fit la moue et bougea des hanches et des épaules afin de vérifier sa tenue. Dans un coin de la salle à dîner servant également de salon, Steven venait de découvrir l'ordinateur portable de Nadia et explorait allègrement Internet.

— B... I... T... Voilà, TechniBit. Voyons ce que ça donne.

L'ordinateur ronronna quelques secondes et Steven émit un sifflement. Sur le petit écran à cristaux liquides se dessinait une carte du monde illustrant l'emplacement des différentes usines de la compagnie multinationale. Quelques touches supplémentaires sur le clavier et Steven faillit en échapper l'appareil.

— Chiffre d'affaires annuel : plus de 800 millions de dollars ! s'exclama-t-il. TechniBit, une belle passe pour les deux vieux crapauds ! C'est plus qu'une bonne raison d'enfermer la fille.

Nadia se glissa dans l'embrasure de la cuisine.

— Caroline, c'est à ton tour de préparer les légumes.

L'interpellée, toujours devant son miroir, répondit sur un ton distrait :

— Je suis occupée, pourquoi Steven ne le ferait pas ?

Le garçon releva précipitamment la tête et apparut derrière son écran. Il lança en bougonnant :

— Parce que Steven l'a fait hier. Aujourd'hui, je m'occupe de la table et j'ai terminé.

Par dépit, Caroline baissa les bras et sur un ton de victime, annonça :

— D'accord, j'arrive.

— Riche mais détestable, soupira Steven pour lui-même avant de replonger sur son clavier.

Passant près de la table de la salle à dîner, Caroline jeta un coup d'œil distrait à la disposition des ustensiles et ne put s'empêcher de remarquer :

— La fourchette à dessert se place à l'intérieur. Ton savoir-vivre est vraiment déficient.

Steven garda son nez sur l'écran. Il ne prit pas la peine de le relever pour répliquer :

— Savoir-vivre déficient ! J'en connais une qui est déficiente tout court.

En réponse, Steven eut droit à un « peuh ! » dédaigneux de la part de la jeune fille.

— Nadia, ce garçon n'a aucune éducation. Sommes-nous vraiment obligées de tolérer sa présence en ces lieux ? demanda-t-elle en retournant dans la chambre.

Réfléchissant à voix haute pour être bien entendu, Steven se demanda :

— Quand je pense que j'ai risqué ma vie pour lui éviter la maison des cinglés ! À quoi j'ai pensé ?

Nadia sortit de la cuisine, une soupière fumante dans les mains.

— Caroline et toi, c'est ce qu'on appelle le choc des cultures.

— Et qu'est-ce que je fais en attendant ?

— En attendant, tu attends, répondit-elle en souriant.

Plus sérieusement, elle ajouta :

— Tu fais comme nous. Tu attends la venue de Guidor. Caroline, les légumes t'attendent…

— Guidor ! répéta Steven en haussant les épaules, peu impressionné par la réponse.

— Dans ton rêve, il t'a précisé quand il viendrait ? s'informa Caroline en sortant enfin de la chambre.

Après avoir déposé la soupière au centre de la table, Nadia répondit :

— Pas exactement, mais il faut avoir confiance.

Perdant patience, Steven ferma l'écran de l'ordinateur et pointa son nez derrière la table.

— J'en ai assez ! Ça fait trois jours qu'on est collés ici. J'ai besoin de bouger.

Tâtant les coussins, il ajouta :

— Si au moins le divan était confortable !

Tâtant de nouveau le divan, il fit la moue et déclara sur un ton méditatif :

— Le centre d'accueil, c'était pas si mal.

***

Il était là, debout au milieu du grand salon, à quelques mètres du magnifique piano à queue. Il balaya du regard la pièce richement meublée et s'arrêta sur le couple. Chez les tuteurs de Caroline, cette visite revêtait un caractère très inopportun. Elle les rendait nerveux, très nerveux. Augustin Lamarre ne put s'empêcher de déclarer :

— Monsieur Trog, c'est de la folie d'être venu ce soir sans nous prévenir.

Le visiteur n'était pas du genre à se laisser impressionner et la nervosité évidente de ses hôtes le laissa totalement indifférent. Il prit le temps de déposer son porte-documents sur l'épais tapis persan avant de demander sur un ton faussement surpris :

— Vous prévenir ? Mais nous avons convenu de cette rencontre il y a plus de deux semaines.

L'homme se tortilla sur place avant d'avouer :

— Oui, je sais. Nous avions oublié.

— Oublié ? s'étonna le visiteur. Un rendez-vous qui doit vous rapporter plus de cent trente-deux millions de dollars ; vous n'êtes pas sérieux, monsieur Lamarre ?

Voyant son mari paralysé par la peur, la femme tenta de venir à son secours, mais elle ne put que répéter :

— Nous sommes sérieux, très sérieux, monsieur.

Se méprenant totalement sur les intentions du couple, l'inconnu proposa :

— D'accord, j'ai compris. Je vous fais un chiffre rond. J'ajoute trois millions de dollars et vous me cédez dès ce soir, tel que convenu, tous les titres de la TechniBit, la compagnie mère ainsi que ses filiales européennes.

L'homme hésitait à répondre. Discrètement, son regard glissa vers sa femme. Celle-ci, les lèvres pincées et les yeux fixant délibérément les poils du tapis, se massait nerveusement les mains. D'un léger signe de tête, elle lui répondit par la négative. Malgré le souffle bruyant et menaçant de son interlocuteur, il trouva la force de formuler une objection :

— Non, ce soir c'est impossible... Et demain aussi. Il nous faut un peu plus de temps.

Le visiteur plissa les yeux, prit une longue respiration et roula des épaules, geste qui lui donna une allure encore plus imposante.

— Mon temps est précieux. Je n'ai pas l'habitude de le perdre en vaines discussions.

— Je sais, monsieur, répondit l'homme, mais un événement grave s'est produit.

— Caroline a disparu, elle a été kidnappée, précisa la femme dans un seul souffle.

— Caroline ?

— La fille de mon cousin, répondit Augustin Lamarre.

Sa femme ramassa sur une table le journal où figurait, en première page, la photo de Caroline. Elle le tendit au visiteur et se sentit obligée d'ajouter :

— C'est elle, la véritable propriétaire de cet empire financier.

Le tuteur de Caroline avait repris un peu d'assurance. C'est sur un ton presque normal qu'il expliqua :

— Voilà pourquoi il faut retarder la transaction. Nous n'avons pas le choix. La police effectue présentement une enquête très serrée. Ce n'est vraiment pas le moment de faire des vagues ou de se faire remarquer.

Le visiteur avait à peine jeté un coup d'œil au journal que tenait toujours la femme. Il ne semblait pas non plus avoir entendu les explications de l'oncle, comme si les préoccupations des simples mortels devenaient dérisoires en comparaison de ses propres activités. Sur un ton arrogant, il annonça :

— Votre cousin à qui appartenait la compagnie, ainsi que bien d'autres choses, n'a pas compris à temps où était son intérêt. Cela lui a coûté la vie, je crois. À lui et à sa femme. Les accidents d'avion pardonnent rarement et vous êtes bien placés pour le savoir.

— Où voulez-vous en venir ? demanda l'oncle, devenu sur ses gardes.

— J'ai déjà trop investi dans cette histoire pour laisser deux vieux gâteux saboter mes projets. Débrouillez-vous ! Et réglez vos problèmes… familiaux rapidement. Je veux une signature d'ici la fin du mois. Pas un jour de plus.

— Mais nous ne pouvons garantir…

— Si, vous le pouvez, coupa le visiteur. Souvenez-vous qu'il n'y a pas que les accidents d'avion qui soient fatals.

Avançant d'un pas, il ajouta :

— Si vous me décevez, vous risquez de connaître une fin aussi tragique que celle des parents de cette… Caroline.

L'oncle, insulté par cet ultimatum, réagit violemment. Malgré sa nervosité, le vieil homme n'était pas du genre à se laisser bousculer sans réagir. Les sous-entendus du visiteur éveillèrent en lui une agressivité de jeunesse légèrement atrophiée avec les années.

— Comment ! Vous nous menacez !

Il décocha subitement son poing sur la mâchoire de l'étranger qui fut momentanément surpris par la vitalité du vieil homme.

Ce dernier, déséquilibré par la vigueur de son geste, alla s'écraser sur le coin d'une petite table de service. Celle-ci glissa sur plus d'un mètre et heurta une lampe sur pied. Énervée par tout ce tumulte, la vieille dame poussa de petits cris stridents en s'élançant au secours de son mari.

Malgré son âge, le vieil homme avait fait preuve d'une importante force de frappe et Sygrill Trog en ressentit une réelle douleur, qui momentanément le déconcentra et eut des conséquences néfastes sur son image. Face à lui, la femme tentait toujours d'aider son mari à se relever lorsqu'elle jeta un coup d'œil vers l'étranger. Ce qu'elle vit lui glaça le sang. Elle poussa un cri perçant en laissant retomber son mari sur le sol. Ce dernier, croyant sa femme attaquée, se releva prestement, et sans vraiment regarder devant lui, s'élança vers Sygrill. Mais il s'arrêta net lorsqu'il aperçut l'aspect réel de son visiteur.

La vision n'avait duré qu'une demi-seconde, mais cela avait été suffisant pour que l'homme remarque la physionomie monstrueuse du visiteur. Déjà, le Trogolien retrouvait tous ses sens et sa concentration. L'hologramme fonctionnait de nouveau. Il redevenait de nouveau l'homme d'affaires terrien… ou presque.

L'étranger porta la main à sa mâchoire comme pour en vérifier la position et le bon fonctionnement. Quatre griffes acérées éraflèrent son menton. Sygrill regarda son bras et eut un sourire amusé. Un petit effort de concentration supplémentaire et les griffes se transformèrent en cinq doigts bien disposés. Son expression devint encore plus menaçante lorsque son regard se porta sur le couple paralysé de peur.

Avec un sourire sadique, le visiteur releva sa manche droite. Un appareil ovoïde glissé à son poignet s'activa et projeta au centre du salon un autre type d'images holographiques très révélatrices.

— Qu'est-ce que c'est que ça? demanda l'homme.

— Une garantie supplémentaire, répondit le visiteur. Elle m'assure que vous marcherez droit et demeurerez discrets.

Sur l'écran improvisé défilaient à toute vitesse des images des plus incriminantes. Horrifié, le vieux couple ne put détacher les yeux de la projection. On les voyait penchés sur une table, étudiant une carte de navigation. Une autre série d'images présentait l'homme plaçant discrètement un mystérieux colis dans la soute d'un petit avion à réacteur. Sur une des ailes, on lisait facilement le numéro d'immatriculation de l'appareil.

Sygrill souriait et s'amusait des visages défaits du couple d'escrocs. Afin d'accentuer l'effet dramatique de la projection, il précisa :

— J'ai fourni la bombe, mais c'est vous qui l'avez placée dans l'avion. C'est vous qui avez tué les parents de Caroline.

En quelques secondes, l'oncle se sentit vieux, très vieux. D'une voix éteinte, il demanda :

— Que voulez-vous de nous ?

— À l'aide de ces images, je pourrais vous soutirer la compagnie pour une bouchée de pain. Mais je serai beau joueur et je payerai la somme convenue.

Sygrill coupa la projection et fit quelques pas dans le salon. Derrière le couple pétrifié, il s'arrêta et leur murmura à l'oreille :

— Mais attention, si la transaction n'est pas effectuée dans un délai raisonnable, ou si par hasard vous deveniez bavards ou qu'il m'arrivait malheur, un exemplaire de cet enregistrement serait remis automatiquement à la police.

***

La radio cracha sa courte litanie.

— Voiture 44, ici le poste 2. Ça bouge à la porte principale.

— Ici voiture 44. Message reçu.

Dans une banale camionnette de livraison garée en face de la demeure de Caroline, le lieutenant Satoba laissa tomber le microphone sur ses genoux. Devant lui, quatre écrans lui donnaient des images très claires de la maison et de ses environs. Il manipula quelques commandes. Une caméra, dissimulée dans un arbre, pivota sur son axe et donna une image précise de la porte principale.

On y voyait un homme grand et costaud portant un imperméable et, fait inusité, chaussant des bottes en peau de crocodile. Il discutait sur le seuil de la porte et tenait un porte-documents de la main gauche. L'inconnu semblait sûr de lui et du genre à donner des ordres. Ce nouveau venu peu souriant intrigua l'inspecteur.

— Tiens, tiens, une nouvelle tête. Et à première vue, pas très sympathique. Il n'est sûrement pas venu leur vendre de l'assurance, remarqua le lieutenant.

Il se tourna vers son assistant.

— Tirez-moi une épreuve de cette image. Avec une tête aussi honnête, il est peut-être fiché dans nos dossiers.

***

La nuit s'annonçait chaude et humide. Steven, assis à cheval sur le cadre de la fenêtre, écoutait monter les bruits de la basse ville, sa ville. Avec ses ruelles sombres, ses passages étroits, ses portes dérobées, Steven y retrouvait tous les mystères de son univers. La voix de Nadia le sortit de sa rêverie.

— Tu fais ton mouvement trop rapidement, Caroline. Tout est calme et harmonie. Tu dois faire les cent huit positions dans la douceur.

Au centre du petit salon, les deux femmes évoluaient dans un ballet silencieux. Tout en vérifiant les mouvements de Caroline, Nadia surveillait du coin de l'œil les réactions du jeune garçon. Elle le trouvait agité, agressif et surtout dangereusement perché à la fenêtre.

— Steven, pourquoi ne viens-tu pas pratiquer avec nous? Le tai-chi est un très bon exercice de méditation active. Cela crée un vide cérébral et ça procure une grande relaxation.

— Y a mieux que ça pour me calmer les nerfs, marmonna le garçon.

Sur ces mots, il quitta la fenêtre et marcha résolument vers la porte.

— Ton Guidor, tu y diras bonjour à ma place.

Il eut à peine le temps de toucher la poignée de la porte. Une voix masculine, ferme mais douce à la fois, l'arrêta dans son élan.

— Nadia a raison, mon garçon. Le tai-chi est un très bon exercice.

Surpris, Steven se retourna rapidement, ses réflexes de jeune voyou subitement éveillés. Aux aguets, il balaya la pièce. Nadia et Caroline, tout aussi surprises, étaient demeurées figées sur place. En temps normal, Steven aurait éclaté de rire en voyant les positions grotesques empruntées par les deux femmes. Mais pour le moment, le garçon n'avait pas le goût de rigoler et cherchait l'origine de la voix.

Assis sur le cadre de la fenêtre, à l'endroit précis que Steven venait de quitter, un homme les regardait en souriant.

— Bonsoir, dit-il en se levant. Je suis Guidor. Je vous remercie de votre patience ainsi que d'avoir accepté de me rencontrer.

Se sentant pris en faute, Steven baissa les yeux. Ne voulant pas perdre la face, il passa à l'offensive.

— Par où t'es passé?

Sur un ton faussement innocent, Guidor répondit:

— Par la fenêtre. C'est beaucoup plus intéressant que de monter les escaliers. Tu en sais quelque chose, ajouta-t-il sur un ton complice.

— On est au troisième étage, souligna le garçon.

Guidor fit la moue.

— Chez Caroline, tu es bien entré par une fenêtre du deuxième? On ne va pas ergoter pour un étage?

Du regard, Steven explora l'ensemble de la pièce.

— T'es tout seul?

— Pas vraiment, avec vous trois, nous sommes quatre.

— Ha! Ha! fit le garçon qui n'appréciait pas vraiment la plaisanterie.

Sans perdre son sourire, Guidor marcha en direction des deux femmes. Nadia avait déjà fait un pas vers l'homme.

— C'est vous qui m'avez contactée?

— Pourquoi nous avez-vous réunis? ajouta Caroline.

— Tu es un extraterrestre? compléta Steven, suspicieux.

Calmement, l'homme répondit par un sourire.

— En réponse à la première question, oui Nadia, c'est moi qui t'ai contactée. Les autres réponses viendront plus tard. Pour le moment, j'ai besoin de toute votre attention. Venez vous asseoir et détendez-vous. Vous allez faire un merveilleux voyage, un voyage dans le temps.

***

L'univers de Nadia bascula en quelques secondes. Un paysage champêtre où flottait un doux parfum de lavande s'étendait maintenant à perte de vue dans la direction du soleil couchant. Un peu plus loin sur la gauche, une imposante construction délimitait le domaine réservé à la prière et à la méditation. Un monde où des centaines de serviteurs et servantes du cristal sacré vaquaient quotidiennement à leurs activités. À l'est, c'était un océan sans fin où l'écume bouillonnante des vagues se fracassait sur les rochers d'un îlot piquant les flots bleus. Un étroit pont en pierres reliait la terre ferme au récif. Couvrant la presque totalité de l'îlot, un modeste temple en pierres taillées, coiffé d'une coupole cuivrée, brisait l'illusion d'un coin perdu. Au centre de la rotonde, entre les sept piliers protégeant l'autel central, brillait une flamme éblouissante.

Une jeune femme aux traits délicats, revêtue d'une longue tunique de soie blanche, se tenait debout, bien droite devant la grande gerbe de feu cosmique. Lentement, elle releva la tête et ouvrit les yeux. Ils exprimaient une profonde tristesse. Elle plaça sa main droite sur sa poitrine. De la main gauche, elle pointa son index au centre de son front avant de reculer de trois pas. Elle contourna la stèle centrale d'où rayonnait, en son cœur, la longue colonne de lumière, une lumière éclatante qui semblait briller depuis l'éternité.

La dame, grande prêtresse des lieux, pénétra ensuite dans le jardin intérieur. Elle fit encore quelques pas et vint s'asseoir sur la margelle de marbre d'une petite fontaine. Une jeune fille, à peine sortie de l'adolescence, s'approcha de la dame et demanda d'une voix douce :

— Vous semblez triste, grande prêtresse.

Cette dernière effleura du bout des doigts l'onde du bassin avant de répondre dans un soupir :

— En effet, Galia. Dans un rêve, le puits de la lumière éternelle m'a révélé des événements tragiques pour notre monde.

— Des événements tragiques ? répéta la jeune servante. Que peut craindre le monde de l'Atlantide ? Aucun peuple sur la terre n'oserait nous défier.

— Aucun peuple sur la terre, tu as raison, Galia. Mais sous la terre...

Un bruit de tonnerre interrompit la prêtresse. Le sol frémit. Une pluie de gravats s'abattit sur les deux femmes. De nouvelles détonations éclatèrent et cette fois-ci, des éclats de pierre tombèrent autour d'elles. Des craquements sourds résonnèrent dans l'enceinte. Au-dessus, la coupole cuivrée montra des signes de faiblesse. Instinctivement, la grande prêtresse saisit sa servante par les épaules et l'entraîna avec elle près de la fontaine. Hors de leur vue, les portes du temple s'ouvrirent en claquant bruyamment.

Cinq hommes en armes entrèrent brusquement en ne témoignant aucun respect pour le lieu sacré. Sur leur poitrine était piqué un écusson étrange : un carré noir sur lequel se découpait un triangle rouge. Deux gardes du temple se ruèrent sur les profanateurs, mais leurs lances se révélèrent bien inutiles contre les pistolets éclateurs des assaillants. La grande prêtresse et sa servante, étendues sur le sol et masquées par le muret du bassin, furent épargnées par ces derniers. Mais ce répit ne leur fut accordé que pour assister, impuissantes, à l'ultime sacrilège. Un des assaillants monta rapidement les marches menant à la stèle centrale et lança une poignée de billes métalliques dans le puits de lumière. La colonne lumineuse s'amplifia durant quelques secondes, puis, telle une tige de verre, se brisa en mille feux. La terre trembla de nouveau. Plusieurs murs du temple se lézardèrent, d'autres s'écroulèrent avec fracas. Au loin, un grondement sourd annonça une nouvelle épreuve. Une immense vague créée dans les profondeurs de l'océan déferla sur le temple, submergeant tout sur son passage : la prêtresse, sa servante et ses agresseurs.

***

La conscience de Caroline glissa au cœur d'un palais, à une époque que même les prêtres de l'ancienne Égypte avaient oubliée, d'où nous parvenaient encore aujourd'hui les échos d'un enseignement millénaire. Une jeune fille, habillée d'une longue robe azur brodée de fils d'or, écoutait silencieusement les paroles de son père, Pharaon.

— Phyassap, en tant que ma fille, tu as tout appris sur les sons développant l'harmonie de ton corps. Maintenant, tu dois également maîtriser les vibrations ainsi que les sons qui favorisent l'épanouissement de ton âme.

Le pharaon prit une grande inspiration. En même temps, il leva les bras en dessinant deux demi-cercles de chaque côté de son corps. Lentement, il baissa les bras dans le sens inverse en expirant et en prononçant le mot mélodieux.

— Khéééé-iiii.

Il recommença le même exercice, cette fois-ci accompagné de sa fille.

— Khéééé-iiii.

Le pharaon lui sourit et dit :

— C'est très bien, Phyassap. Reprenons encore une fois.

Une porte dérobée sous une arche s'ouvrit. Un vieux prêtre entra en titubant. La bouche ouverte, les yeux ronds, il marchait plus difficilement qu'à l'accoutumée. Le pharaon, heureux de cette visite, s'adressa au vieil homme.

— Bonjour, Yothepsa, tu viens constater les progrès de ma fille ?

Le vieil homme n'eut pas la force de répondre. Au pied du pharaon, il s'effondra mollement, dévoilant une grande tache de sang maculant le dos de sa tunique.

— Ho, père ! s'exclama la jeune fille en portant ses mains à son visage.

Le pharaon mit un genou par terre et délicatement, posa sa main sur la tête de l'homme. Sur un ton attristé, teinté de colère, il demanda inutilement :

— Yothepsa, mon vieil ami, qui a osé s'en prendre à toi ?

En réponse, une sourde vibration ébranla le palais. Sans réfléchir, la princesse Phyassap courut vers la porte et quitta le temple intérieur. Le pharaon, levant la tête, ordonna :

— Phyassap, attends-moi.

Traversant la grande salle des colonnades, la jeune princesse atteignit les immenses portes du temple extérieur. Le spectacle qui l'attendait sur la terrasse la fit frémir d'horreur. Plusieurs édifices étaient déjà la proie des flammes. Une épaisse fumée âcre piqua la gorge de la princesse. Les murs frémirent de nouveau. Elle faillit perdre pied, mais son père la rattrapa solidement par le bras.

Un sifflement aigu terrorisa l'enfant qui trouva refuge dans les bras de son père. Au-dessus de leur tête, un étrange appareil déchira le ciel et piqua vers la vallée des Rois, la direction de la pyramide sacrée.

L'édifice se démarquait des autres bâtiments par sa forme et sa texture. Contrairement aux autres constructions, la pierre en était absente. On aurait dit une immense pièce de métal poli, sans joint ni ouverture. Mais c'est le sommet de la pyramide surtout qui commandait le respect et l'admiration. Aux quatre cinquièmes de sa hauteur, la pointe de la pyramide flottait à une distance équivalente à deux fois sa hauteur. Entre les deux segments de la pyramide, une colonne de lumière blanche semblait soutenir le sommet.

Deux nouveaux appareils sifflèrent au-dessus du temple. La princesse, levant les yeux, remarqua l'étrange symbole dessiné sous les ailes de l'appareil. Un triangle rouge sur un carré noir.

— Père, d'où viennent ces grands oiseaux?

Pharaon, les yeux au ciel, avait bien reconnu l'étrange inscription, mais il ne dit mot. La princesse découvrit de la tristesse dans le regard de son père.

Les trois vaisseaux firent un premier tour de la pyramide. Se plaçant ensuite en position stationnaire, ils formèrent un triangle au-dessus de la construction. Après quoi, ils ouvrirent le feu tous ensemble sur la colonne de lumière.

Le faisceau lumineux explosa en une gerbe éblouissante, entraînant la chute du sommet de la pyramide. L'ensemble de la construction vibra sur sa base. Telle une pièce de métal chauffée à blanc, les immenses surfaces polies brillèrent d'un éclat aveuglant jusqu'au moment où elles se fractionnèrent en une multitude de facettes triangulaires, projetées par le souffle de l'explosion dans toutes les directions.

La déflagration ébranla le temple. Derrière la princesse et le pharaon, un bruit de tonnerre retentit. Une immense colonne de granit perdit ses assises et roula dans leur direction.

✳✳✳

Assis sur une chaise droite, Guidor observait, impassible, les réactions de ses nouveaux protégés. Caroline avait les traits tendus. Dans un mouvement brusque de la tête, la jeune fille sembla vouloir éviter une catastrophe. Toujours endormie, elle tourna la tête vers Steven.

Le jeune garçon, habituellement si turbulent, affichait pour le moment un calme désarmant. Sur son visage, un large sourire trahissait un voyage enchanteur.

***

Dans les hautes vallées des Andes, à une époque où cet immense territoire n'avait pas encore donné naissance à la puissante civilisation inca, une douce mélodie de flûte traversait les champs de pâturage. Plus haut dans la montagne, une famille de paysans guidait ses trois lamas vers de nouvelles sources de nourriture. Ils traversèrent, sans s'y attarder, un sentier pavé étrangement bien entretenu.

Ce sentier menant au temple solaire, ils le connaissaient bien, mais l'empruntaient rarement. Ce n'était pas encore le temps de la fête. Lorsqu'ils seraient invités à pénétrer dans l'enceinte du temple, le temps des semailles viendrait à peine de se terminer. Ce serait alors l'occasion d'offrir un présent au dieu Soleil. Si le présent plaisait au dieu, le grand disque solaire féconderait la terre, mère nourricière des hommes. Mais pour le moment, le sentier demeurait désert. Plusieurs mois s'écouleraient avant le retour de la grande fête des offrandes.

Le temple formait un ensemble de bâtiments construits en pierres de taille aux dimensions imposantes. Au cœur de ce complexe religieux s'étendait un vaste tertre de terre battue, coiffé d'une pyramide tronquée haute de quatre mètres. Garnie d'un large escalier composé de dix-huit marches, elle servait de base à un autel où officiaient les membres du culte lors de la présentation des offrandes provenant des fidèles.

Cette grande surface sacrée était bordée à l'est par une plaine qui s'enfonçait progressivement dans une forêt marécageuse dense et humide. Au nord, des falaises abruptes interdisaient toute sortie. En contrepartie, le côté ouest donnait accès à un escalier taillé à même le roc. Ce dernier rejoignait le sentier menant aux prairies en labour. Le côté sud révélait le cœur véritable du temple. Adossé au pan rocheux, le vaste bâtiment se fondait dans la montagne et se prolongeait profondément dans la masse de granit.

Loin dans les profondeurs du temple, la lueur de quelques torches dévoilait un étroit passage. Ce dernier menait à une chapelle abritant un petit autel. Derrière celui-ci, à moins de deux mètres de distance, trônait un immense disque de pierre encastré sur un socle de granit, lui-même déposé sur une tribune comptant douze marches. Devant l'escalier, au pied de la première marche, se tenait immobile un célébrant aux habits richement décorés. Dans sa position légèrement inclinée, il aurait été difficile de lui donner un âge. Son visage, caché derrière un masque d'or finement ciselé, demeurait inaccessible. Ce n'est qu'au moment où il gravit les premiers degrés menant au disque solaire que l'on put deviner une légère hésitation, une certaine lenteur dans ses gestes. L'homme était vieux, très vieux.

À sa gauche, légèrement en retrait, un jeune desservant l'accompagnait. Il tenait dans ses mains un coussin bleu nuit sur lequel reposait une dague de cristal aux reflets scintillants. Le jeune homme calqua ses pas sur ceux du grand prêtre. Lentement, les deux serviteurs du dieu solaire montèrent les marches menant au grand disque de pierre.

Ils étaient à mi-chemin dans le grand escalier lorsque le silence religieux du temple fut tout à coup brisé. Une série de coups de feu éclatèrent. Des bruits de pas durs et sourds retentirent dans un couloir. Sous une arche de pierre s'arrêtèrent cinq hommes en armes. À leur tête, un officier légèrement rondelet donnait ses ordres. Un sourire méchant crevassa son visage. De sa main droite, il caressa sa petite barbe pointue avec délicatesse. Une bague au motif étrange ornait son majeur : un triangle de rubis monté sur un carré d'onyx.

Sa main poursuivit son activité lorsqu'il ordonna froidement :

— Abattez ces sauvages.

Un soldat épaula et visa. Une détonation claqua. Touché au dos, le vieux prêtre tomba aux pieds du jeune desservant. Le vieil homme, dans un suprême effort, réussit tout de même à relever la tête. Son index se déplia, mais il ne put faire mieux. Dans un dernier souffle, il articula :

— La dague, protège la dague...

Une seconde détonation se fit entendre. Un trait lumineux frôla l'oreille du garçon. L'adolescent monta les marches en courant pour tenter de trouver protection derrière les pieds massifs de l'autel de pierre. De nouveau, deux traits sifflèrent à ses oreilles. Le troisième atteignit son but. À quelques pas du disque solaire, le garçon fut paralysé dans sa course. Il s'effondra au pied de la grande pierre. Le coussin qu'il tenait si précieusement tomba tout près de sa tête. Levant les yeux, il vit la dague quitter son écrin et rouler sur la dalle. Dans un geste désespéré, le garçon allongea le bras et tenta de la saisir.

L'officier clama de nouvelles instructions :

— Vérifiez qu'ils sont bien morts et rapportez-moi la dague.

Deux hommes en armes firent un salut de la tête. Sans vraiment montrer d'empressement, ils gravirent lentement les marches en direction du vieux prêtre.

Se sentant momentanément négligé par les profanateurs, le jeune garçon réussit à bouger discrètement une jambe. Près du vieux prêtre, un des soldats mit un genou par terre et arracha, tout excité, le masque du célébrant. Sur un ton impatient, l'officier ordonna :

— Oubliez ce masque, je vous ai dit de m'apporter la dague de cristal.

— Mais capitaine, c'est de l'or ! s'écria le garde.

— De l'or pur, précisa le second soldat.

Perdant alors patience, l'officier aboya :

— Je me fiche de cet or, je veux la dague sur-le-champ ou je vous fais exécuter.

Profitant de l'altercation et de l'autel faisant écran, le jeune desservant rampa lentement sur plus d'un mètre. Ses doigts allaient atteindre le pommeau de la dague lorsque celle-ci sembla soudain prendre vie. Dans un balancement chaotique, elle s'éleva de quelques centimètres. Puis, avec assurance, elle s'élança rapidement en direction du cœur du disque solaire. Le capitaine venait tout juste de remarquer le manège du garçon lorsqu'il eut un pressentiment.

— La dague, saisissez-vous de la dague ou vous êtes des hommes morts!

Au centre du grand disque, la tache sombre qui aurait pu ressembler, de loin, à un motif sculpté dans la pierre était en réalité l'ouverture d'une niche profonde creusée au cœur du monument. Dans un effort ultime, le garçon fixa le cœur du disque. Un dernier éclat jaillit du cristal et l'objet tant convoité s'engouffra dans la niche de pierre.

Un grondement sourd monta alors des profondeurs du temple. Le grand disque solaire vibra sur sa base. Il venait de se mettre en mouvement. Lentement au début, il glissa dans une ouverture découpée à même le socle.

— La dague, il me faut la dague! Récupérez-la! cria le capitaine.

Sur ces paroles, il se mit à gravir les marches deux par deux. Soufflant et râlant, il se jeta sur le sol et tendit la main vers l'ouverture. Mais il était déjà trop tard: en quelques secondes, l'accès à la niche disparut dans les entrailles du temple.

***

Un doux rayon de lune traversa le store vertical du grand bureau du trente-deuxième étage. N'ayant aucune tendance au romantisme, Sygrill se désintéressait totalement du phénomène. Devant ses écrans au plasma, l'agent trogolien demeurait stupéfait. Il marcha de long en large, incapable de se contrôler. Il revint aux écrans où défilaient à toute allure des montagnes de chiffres.

— Ce n'est pas possible, cet ordinateur déraille, finit-il par conclure.

Par acquit de conscience, il jeta de nouveau un coup d'œil incrédule aux écrans.

— Et pourtant les chiffres semblent exacts, concéda l'agent.

Il appuya sur une touche. Le symbole trogolien apparut sur un écran.

— J'ai hâte de voir la tête de l'empereur lorsque je vais lui annoncer ma découverte.

Il y eut soudain un déclic dans la tête de l'agent. D'un geste brusque, il coupa rapidement la communication.

— Minute! Soyons prudent et méthodique. L'empereur est un sombre crétin, mais si je me suis trompé, il est capable de me faire désintégrer. Mieux vaut tout vérifier de nouveau.

Cela dit, il s'installa de nouveau devant son clavier.

***

Le trio reprenait progressivement conscience. Guidor, assis sur une chaise droite de la cuisinette, les observait silencieusement. Caroline fut la première à s'exprimer.

— Quel rêve extraordinaire! Tout était en couleur, je ressentais la chaleur, les vibrations. Je reconnaissais même des odeurs.

— En plus, y avait de l'action. C'était… comme si on y était! C'était plus excitant qu'un film à la télévision, ajouta Steven, emballé par cette expérience inusitée.

Songeuse, Nadia précisa:

— Il y avait même des émotions.

Regardant Guidor droit dans les yeux cette fois-ci, elle demanda:

— Mais était-ce vraiment un rêve?

Guidor laissa filtrer un sourire amusé plein de candeur. Sur un ton qui se voulait mi-sérieux, il avoua:

— C'était plus qu'un rêve... Mais c'est suffisant pour ce soir. Il se fait tard. Il serait bon que vous preniez un peu de repos. En temps et lieu, je vous donnerai toutes les explications que vous désirez. En attendant, je vous souhaite une bonne nuit.

Sans faire un geste, devant les yeux ébahis du trio, Guidor se dissipa tel un nuage dans un tourbillon lumineux. Steven, fixant la chaise vide, déclara :

— Comment on peut dormir après avoir vu un truc pareil ?

***

— Des explications, j'exige des explications sur-le-champ ! aboya l'empereur.

Sur sa ligne privée, l'empereur avait pris la peine d'appeler personnellement l'agent Sygrill, en poste sur la Terre. Un geste exceptionnel annonçant les plus grands honneurs ou une disgrâce présageant une exécution sommaire à court terme.

Tout agent régulier aurait défailli devant un tel appel, mais Sygrill, bien installé dans son bureau du centre-ville, prit la communication avec un grain de sel. Il écouta calmement les clameurs de l'empereur.

— Comment avez-vous osé demander à la grande conseillère un branchement sur le cœur de l'ordinateur ?

Très sûr de lui, l'agent ne quitta pas l'écran des yeux.

— Une requête que vous avez acceptée, mon seigneur. Et je vous en suis très reconnaissant.

— Au diable la reconnaissance, je veux maintenant des explications et surtout des résultats.

Malgré le ton menaçant de son souverain, Sygrill demeura calme et serein. Il n'en fut pas surpris, mais un peu déçu. Comment se pouvait-il que plus d'un milliard de ses concitoyens plient l'échine devant un tel pantin d'opérette ? Toujours aussi impassible, il annonça calmement :

— Je sais maintenant d'où proviennent les envahisseurs.

Le Krash-Ka se préparait déjà à verser un nouveau flot d'injures lorsqu'il prit soudain conscience de la réponse insolite de l'agent. Il demeura sans voix. Quelques écailles frémirent sur ses tempes. Son maxillaire inférieur demeura bloqué à mi-course.

Sygrill fit une pause et savoura la surprise non dissimulée sur le visage de l'empereur.

— Grâce à l'accélérateur ultrasonique, poursuivit-il, j'espère déterminer les raisons de leur venue.

Mi-impressionné, mi-amusé, l'empereur se cala dans son fauteuil et dit :

— Je vous écoute, agent Sygrill.

L'agent demeura imperturbable face à l'ironie à peine voilée de l'empereur. D'un air détaché, il résuma :

— Depuis des millénaires, nous, les Trogoliens, nous sillonnons et contrôlons tous les coins de cette galaxie et jamais nous n'avons découvert l'existence d'une civilisation se déplaçant dans des sphères de lumière.

L'empereur n'avait pas l'habitude de patienter. De plus, l'arrogance que laissait transparaître cet agent de surface le rendait de plus en plus antipathique aux yeux de Krash-Ka. Ses griffes écorchèrent l'accoudoir de son fauteuil. Sur un ton glacial, il répondit :

— C'est exact. Je suppose, à votre assurance, que vous en connaissez la raison.

Sygrill répondit sans attendre :

— La raison est bien simple et elle saute aux yeux, Votre Grandeur. Les sphères de lumière ne proviennent pas de l'autre bout de la galaxie. En fait, elles proviennent de la porte d'à côté. De ce système solaire. Plus précisément, de la planète Vénus.

Krash-Ka ne put en entendre davantage. Il ouvrit de grands yeux amusés. Sa bonne humeur était revenue. Il y aurait bientôt dans l'air une odeur de chair calcinée. Il savourait d'avance le plaisir d'annoncer la désintégration moléculaire de cet insolent. Après avoir entendu une telle ineptie de la part d'un sujet si prétentieux, l'empereur considéra qu'il était temps de remettre l'agent à sa place. Sur un ton condescendant, il répliqua :

— Vénus ? Mais mon pauvre ami, la planète Vénus a été explorée de fond en comble, il y a de cela des siècles déjà. Aucune présence vivante n'y a jamais été décelée.

L'agent ne perdit pas une once de son mordant. Cette fois-ci, il oublia le décorum et s'adressa au Krash-Ka sur un ton frisant l'insolence.

— Ce qui signifie que ces recherches ont été bâclées, Votre Grandeur. Ces sphères possèdent peut-être une conscience, mais rien nous dit qu'elles sont vivantes au sens où nous l'entendons. Vérifiez mes données et tirez-en vos propres conclusions. Il me reste maintenant à trouver les intentions de ces étrangers, qui menacent peut-être notre empire. Pour vous donner la réponse que vous attendez, j'ai besoin de l'accélérateur ultrasonique.

Devant autant d'aplomb, l'empereur se sentit démuni. Après quelques secondes de réflexion, il annonça :

— J'accepte votre demande, mais retenez bien ceci : si votre mission est un succès, elle sera récompensée à sa juste mesure, mais si toute cette histoire se révèle une blague de mauvais goût, vous regretterez d'être né.

L'agent ne releva pas la menace et sur un ton neutre, il termina :

— Merci, mon seigneur, pour cette grande marque de confiance. Vous ne serez pas déçu. Mes respects, Krash-Ka.

Sur ce, l'empereur coupa la communication.

— Que pensez-vous de cet individu et de ses idées ? demanda l'empereur.

Durant l'entretien, dame Haziella était restée au côté de Krash-Ka tout en demeurant à l'extérieur du champ de vision de la caméra.

— S'il se trompe, il est un agent dangereux. S'il a raison, il est encore plus dangereux.

Krash-Ka interrogea la conseillère du regard. Haziella poursuivit :

— Je vous souligne que cet agent s'est permis de vous donner un ordre. Comme s'il se prenait pour Krash-Ka... ou plutôt comme s'il se prenait déjà pour le futur empereur !

Un regard de méfiance apparut dans les yeux du souverain. Il serra les poings.

***

L'inspecteur McGraw récupéra la photo couleur de l'imprimante. Sans attendre, il l'épingla sur le tableau des personnes disparues et retira la photo monochrome de Caroline. Le lieutenant Satoba, assis sur le coin d'un bureau, avala une gorgée de café. Il se désintéressa ensuite de la photo et ramassa le journal du matin traînant sur le bureau. Il jeta un regard exaspéré sur les manchettes imprimées en gros caractères.

« Toujours sans nouvelles de la jeune Caroline ».

Et comme pour le narguer personnellement, on pouvait lire dans un caractère plus petit :

« La police piétine, aucune nouvelle piste en vue ».

Le policier lança rageusement le journal sur la table de travail.

— Si au moins les ravisseurs donnaient signe de vie ! Aucune rançon n'a encore été demandée. Pourquoi ?

McGraw fit craquer le dossier de sa chaise et haussa les épaules, impuissant.

— Par ici, madame, dit une voix sur le seuil de la porte.

— Et je ne parlerai qu'à un officier responsable, rien de moins, jeune homme, répondit une voix aigrelette.

Les deux policiers tournèrent la tête vers la porte. Un officier en uniforme venait d'entrer, accompagné d'une vieille dame portant un large chapeau rouge. À ses pieds, une petite boule de laine trottinait allègrement. L'officier avança tout souriant vers son supérieur et se permit de répondre :

— J'ai peut-être la réponse à votre question, monsieur.

***

Dans le bureau du lieutenant Satoba, ce dernier et l'inspecteur McGraw attendaient patiemment les déclarations de la dame. Celle-ci finit de siroter son café. Elle déposa alors délicatement sa tasse sur la soucoupe qu'elle tenait de l'autre main et replaça son chapeau avant de croiser le regard du lieutenant. Sur un ton légèrement pincé, elle narra son aventure.

— Ils étaient deux, monsieur l'inspecteur, une femme et un jeune complice. La jeune femme semblait distinguée, bien coiffée, les cheveux châtains. Mais le garçon...

Elle haussa les épaules avec dédain et poursuivit :

— Un garçon d'environ douze ans. Un vrai voyou. Sale, exubérant, bref, aucune éducation.

Sans vraiment y croire, McGraw esquissa un demi-sourire et déclara :

— La description colle assez bien avec le portrait de Steven.

— Steven ! Oui, c'est ça ! s'exclama la dame tout excitée, sa tasse dansant sur la soucoupe. Ça me revient maintenant. La jeune femme l'a interpellé et elle a bien dit Steven.

Le lieutenant Satoba échangea un regard avec son collègue, mais demeura silencieux. Pensive, la dame au chapeau rouge porta la tasse à ses lèvres et se rendit compte qu'elle était vide. Elle la déposa sur la soucoupe et confirma :

— Oui, c'est bien ça... Steven.

Après le départ de la dame, McGraw poursuivit ses déductions.

— S'il s'agit bien de notre Steven, vous avez peut-être une idée sur l'identité de la femme.

Son interlocuteur tenta d'esquiver la question. Le lieutenant contourna le bureau. Toujours silencieux, il retira ses lunettes. Se frottant le visage de la main, Satoba finit par avouer :

— J'ai un nom en tête, mais ça me semble inconcevable.

— Vous pensez à Nadia ? suggéra McGraw.

— Hum, grogna le lieutenant en hochant légèrement la tête.

— Mais qu'est-ce que Nadia gagnerait à s'impliquer dans une telle histoire?

Le lieutenant Satoba demeura silencieux. Il connaissait Nadia depuis des années. Et pourtant, il ne parvenait pas à répondre à cette question.

CHAPITRE IV

Malgré la porte close, il était facile de deviner, par les éclats de voix, que ce n'était vraiment pas le moment de rendre visite au lieutenant Satoba. Après une légère accalmie, les vitres tremblèrent une nouvelle fois.

— Non, je n'ai rien de plus à dire aux journalistes, aboya-t-il dans le combiné.

— …

— Faux, nous n'avons aucune nouvelle piste sérieuse.

— …

— La jeune femme? Quelle jeune femme?

On se risqua à frapper à la porte. Le lieutenant lança: «Entrez» avant de retourner à son appel.

— … Si nous devons écouter toutes les rumeurs, maintenant… Bon d'accord, demain neuf heures, je leur parlerai, mais d'ici là, aucune déclaration, le silence total.

Durant ce dernier échange, le sergent McGraw s'était glissé discrètement jusqu'au bureau de son supérieur. Il déposa devant celui-ci quelques feuillets dans une chemise de carton. Le lieutenant raccrocha et demanda laconiquement:

— C'est quoi?

— Les photos de notre visiteur d'hier soir. Notre bonhomme n'est pas fiché… mais l'ordinateur a hésité à plusieurs reprises.

— Il a hésité? Ça veut dire quoi? demanda Satoba en prenant une première photographie.

— Je ne sais pas, chef, mais la deuxième photo contient peut-être une partie de la réponse.

L'inspecteur prit le temps d'étudier la première photographie. On reconnaissait sans difficulté, sous le porche de l'entrée principale, le visiteur de la veille en plan rapproché. Un détail, cependant, attira l'attention de l'inspecteur. Sans quitter la photographie des yeux, il ouvrit un petit tiroir. Il en extirpa une puissante loupe carrée et examina attentivement le visage de l'inconnu.

— Avec une tête pareille, l'ordinateur aurait dû l'identifier facilement.

Il passa à la deuxième photographie et fronça les sourcils.

— Mais qu'est-ce que ça veut dire? Il n'y a personne sur cette photo. C'est l'homme invisible ou tu me fais une blague?

— Cette photo a été prise à l'infrarouge avec une pellicule sensible à la chaleur... Si nous ne voyons rien, c'est que notre homme ne dégage aucune chaleur.

À la réaction d'incrédulité de son supérieur, le sergent McGraw sentit le besoin de poursuivre son explication.

— Tous les humains dégagent de la chaleur. Regardez la dernière photo prise à l'infrarouge. L'oncle de Caroline y est présent. On voit bien son halo de chaleur mais pas celui du visiteur. Notre homme, il est froid comme un lézard... et encore!

Le lieutenant prit le temps de s'asseoir. Il se cala nerveusement dans sa chaise et se frotta le visage de ses deux mains en disant:

— Un lézard... Voilà qu'on nage à présent en pleine science-fiction.

Remarquant une enveloppe près des photos, il ajouta:

— Et ça, qu'est-ce que c'est?

— Le mandat que vous avez demandé pour la perquisition à l'appartement de Nadia.

Devant l'air défait de son patron, il ajouta:

— Si vous le désirez, je peux y aller à votre place.

Malgré son poids, l'inspecteur se leva prestement et ramassa le mandat.

— Pas question. Je connais trop bien Nadia. Elle collabore à nos enquêtes depuis des années et je sais pertinemment qu'elle n'est pas une criminelle. Si elle est mêlée à cette histoire d'enlèvement, il y a sûrement une bonne raison et je veux l'entendre de vive voix.

***

Nadia étudiait attentivement la liste.

— Bon, qu'est-ce qui nous manque? ... Des chandails chauds.

Elle repartit d'un pas alerte vers la chambre. Caroline, un carton de lait à la main, sortit de la cuisine. Elle entra dans le salon et s'arrêta près du divan où dormait Steven, l'ordinateur portatif sur le ventre. Aux bruits provenant de la chambre, elle devina la présence de Nadia. Silencieusement, elle recula de quelques pas et se retrouva tout près de Steven. Les petits yeux malicieux de la jeune fille observèrent le garçon. Il semblait si détendu… Caroline lança alors d'une voix forte :

— Nadia, qu'est-ce que je fais du litre de lait?

Du coup, Steven se leva en sursaut. Nadia apparut dans le cadre de la porte tandis que Caroline faisait celle qui n'avait rien vu.

— Il est inutile de l'apporter. Tu le jettes. Nous ne reviendrons pas ici avant un bon moment.

Steven reprenait ses esprits lentement. Se frottant les yeux, il observa le remue-ménage et demanda :

— Qu'est-ce qui se passe ici? C'est la guerre? Guidor est venu?

Caroline s'arrêta sur le seuil de la porte de la cuisine. Sans se retourner, elle répondit :

— C'est bien possible, mais il est reparti. Guidor n'était plus là lorsque nous nous sommes éveillées ce matin, mais il nous a laissé un message.

Encore endormi, Steven ramassa en bâillant le feuillet traînant sur la table à café. À la lecture du message, son visage s'illumina.

— Un chalet! Super! On va à la campagne... On va faire un pique-nique? J'adore les pique-niques.

Il jeta un coup d'œil à Caroline et remarqua ses souliers.

— Tu ne vas pas garder ces souliers pour aller à la campagne?

Avec un petit air hautain, Caroline pivota sur ses escarpins et répondit:

— C'est la seule paire que je possède. D'ailleurs, ce sont mes préférés. J'ai bien l'intention de les conserver.

Se désintéressant du sujet, Steven haussa les épaules et revint à sa préoccupation majeure.

— La nature, la marche en forêt, tu sais ce que ça veut dire?

Levant les bras au ciel, la jeune fille déclara sur un ton faussement solennel:

— Que ton cœur d'indien va s'harmoniser avec l'esprit de la terre de tes ancêtres?

— De quoi tu parles? La marche en forêt, ça creuse l'appétit. Qu'est-ce qu'on va bouffer?

— Manger, il ne pense qu'à ça, manger, lança Caroline en retournant rapidement dans la cuisine.

Nadia déposa son sac à dos près de la porte en s'abstenant de tout commentaire. Levant les yeux au ciel, elle ne put s'empêcher de repenser à certaines remarques du lieutenant Satoba. C'est vrai, elle n'avait jamais eu d'enfant et ne possédait aucune expérience avec des jeunes. De plus, elle avait toujours vécu seule et elle devait se l'avouer, elle avait toujours apprécié ses grandes soirées de silence. Déjà, demander la garde de Steven défiait toutes les lois de la tolérance. Accepter la présence de Caroline devenait presque une tentative de suicide psychologique. Autant approcher une allumette enflammée d'un baril de poudre...

— Trois heures de route, il faut que je pense à apporter les cachets d'aspirine.

D'un geste de la main, elle désigna les sacs de papier brun déposés sur la table. À l'intention de Steven, elle précisa tout de même :

— Seulement de bonnes choses. Voici les provisions.

Steven, les yeux gourmands, explora les sacs avidement. Dépité par sa découverte, il protesta en les repoussant du revers de la main.

— C'est pas sérieux. Des noix, des fruits séchés, des bananes et de l'eau minérale. Tout ça, c'est pour le dessert, mais le vrai repas, c'est quoi ?

— C'est ça, résuma Nadia.

Steven, désespéré, s'exclama :

— Mais pour un vrai pique-nique, y faut... Du pain, du saucisson à l'ail ou du salami, du jambon... et du poulet... avec de la sauce épicée.

C'était au tour de Caroline de mettre son grain de sel.

— Nadia n'a pas prévu de poulet ni de salami, ni de... Et il y a les valises à préparer. Tu peux nous aider quand tu auras terminé de saliver sur le tapis ?

Le garçon n'écoutait déjà plus. Après une courte mais profonde réflexion culinaire, Steven déclara très sérieusement :

— Je sais comment je peux vous aider. Donnez-moi vingt minutes. Je sais où je peux piquer un super poulet rôti bien dodu.

En chœur, ce fut l'indignation des deux femmes. « Steven ! »

— Bien quoi, vous n'aimez pas le poulet ? demanda-t-il innocemment.

Nadia se sentit obligée de faire une mise au point. Calmement, elle déposa une pile de chandails sur le dossier du divan.

— Steven, il n'est pas question de sortir et encore moins de « piquer » un poulet. Nous terminons les valises, nous mangeons légèrement et nous partons tôt cet après-midi. Si tu veux te rendre utile, vérifie les fenêtres et verrouille la porte arrière.

Caroline déposa un gros sac de voyage près de la porte et dit :

— Nadia, tu crois que Guidor va nous rejoindre au chalet ?

— Je ne sais pas, mais je l'espère bien. Je dois t'avouer que je me sens un peu dépassée par les événements.

En réponse, Caroline la gratifia d'un franc sourire de sympathie.

Dans la cuisine, Steven engagea sans enthousiasme le verrou de la porte arrière, mais il ne lâcha pas le loquet. Une idée venait de germer dans sa tête. Discrètement, il jeta un coup d'œil vers le salon. Les femmes ne s'occupaient pas de lui. Délicatement, il retira le verrou, vérifia de nouveau l'absence des deux femmes et ouvrit légèrement la porte. Sur la pointe des pieds, il se glissa dans l'ouverture et referma la porte tout aussi discrètement.

Le balcon étroit embrassait une large surface du mur donnant sur la ruelle. Tout comme l'escalier en colimaçon, il était fabriqué de lattes métalliques ajourées et se terminait à une quinzaine de centimètres du coin de l'édifice.

Le garçon avait à peine mis le pied sur la deuxième marche qu'une activité singulière attira son attention. Une voiture de police freina brusquement dans l'ouverture de la ruelle et disparut derrière l'édifice voisin. Le rugissement d'un deuxième moteur, le claquement de plusieurs portières lui firent sentir un mauvais présage. Il remonta rapidement sur le balcon et se rendit à son extrémité donnant sur la rue. Grimpant sur la rampe d'acier, il s'étira le cou vers le coin de l'édifice et risqua un œil. Horrifié, il reconnut immédiatement, près de l'une des voitures, le physique massif du lieutenant Satoba.

Nadia venait tout juste de fermer sa valise lorsque Steven arriva en trombe dans le salon.

— Nadia, les flics arrivent, pis le gros Satoba est avec eux.

Nadia serra les poings.

— La ruelle, elle est libre?

— Oui, c'est pas des flics de la télé. Y ont pas pensé à cerner la maison, déclara Steven.

— Alors il n'y a pas une minute à perdre. On ne prend que les valises. Caroline, oublie les provisions et cours à la cuisine.

Les bras déjà chargés, Caroline passa rapidement près de la table à café du salon sans toucher à quoi que ce soit. Derrière elle, une main ramassa prestement la carte et les instructions menant au chalet. Sur le visage de Steven, on put lire toute la considération qu'il portait à la jeune fille. Après une seconde d'hésitation, il se pencha de nouveau et ramassa l'ordinateur portatif traînant sur le divan.

✶✶✶

Dans l'escalier aux marches de métal ajourées, Nadia ouvrait le cortège, suivie de Caroline et du garçon. Brusquement, Caroline coupa son élan et Steven dut s'accrocher prestement à la rampe pour ne pas basculer par-dessus l'épaule de la jeune fille.

— Caroline, on n'a pas le temps d'admirer le décor, souffla-t-il nerveusement. Descends, ça presse.

— Donne-moi une minute, je suis coincée, gémit la jeune fille en se tortillant la jambe.

Steven examina le pied de la jeune fille. Le talon fin de sa chaussure s'était coincé entre deux lamelles de métal.

— Nadia, je ne peux plus avancer.

Steven, perdant patience, suggéra :

— Enlève ton soulier.

— Il n'est pas question de m'en séparer.

Sans ménagement, le garçon donna un coup de pied sur le côté du soulier récalcitrant. Dans un bruit sec, le talon céda légèrement. Déséquilibrée, Caroline bascula vers l'avant et brisa, cette fois-ci définitivement, son talon. Elle lança un «ho» de désolation avant de poursuivre sa descente en clopinant.

✶✶✶

Une porte discrète glissa sans bruit dans le bureau de Krash-Ka. À petits pas, dame Haziella fit son entrée et rejoignit l'empereur occupé à étudier une imposante carte murale. Comme à l'accoutumée, elle plia légèrement les genoux avant d'annoncer :

— Votre grandeur, l'observateur spécial envoyé en surface est de retour. Tenez-vous à le rencontrer ?

Sans quitter la carte des yeux, Krash-Ka demanda :

— Il vous a déjà fait son rapport ?

— Oui, Votre Grandeur.

— Alors résumez-moi la situation.

— Le résumé sera très bref. Il n'y a rien de particulier à signaler dans le monde des Terriens.

L'empereur se retourna brusquement vers son interlocutrice.

— Comment ça, rien ? Aucune agitation, aucune nouvelle révolution ?

— Les bourses de New York et de Tokyo sont très calmes. Aucune fluctuation importante.

— Et chez les gouvernements, pas d'état d'alerte ?

— Aucun gouvernement ne semble avoir été contacté par les envahisseurs, répondit laconiquement la conseillère.

Reportant son attention vers la carte panoramique, Krash-Ka déclara sans vraiment y croire :

— Alors, tout va pour le mieux ?

La conseillère fit quelques pas hésitants en direction de son souverain.

— Peut-être pas, Votre Grandeur. Le Globulus demeure très inquiet. D'ailleurs, il a sollicité une audience.

Sans dire un mot, Krash-Ka contourna son fauteuil et pressa quelques touches. L'image synthétique du Globulus apparut sur l'écran tridimensionnel.

— Mes respects, Krash-Ka.

— Tu as demandé à me parler. Quelque chose te tracasse, Globulus ?

— En effet, Votre Grandeur. Depuis quelques heures, je ressens, tout autour de la planète, des vagues de vibrations de haut niveau. Des ondes puissantes d'amour et d'harmonie.

— D'amour et d'harmonie, répéta l'empereur, incrédule.

— Je comprends votre étonnement, Votre Grandeur. C'est une situation anormale pour cette planète où une bonne proportion des humains ne pensent qu'à s'entretuer. Je n'avais pas ressenti de telles vibrations sur la Terre depuis plusieurs siècles et encore, à un niveau beaucoup plus faible.

Krash-Ka commença à s'intéresser au sujet. Il recula de quelques pas et se laissa glisser dans son fauteuil. Il chercha une position confortable, puis demanda :

— Et ces ondes te semblent dangereuses ?

— Peut-être bien, mon seigneur. Toute notre économie est basée sur la haine et la cupidité que se portent mutuellement les humains. Si ces derniers ne se font plus la guerre et réduisent leur consommation de biens matériels, nos industries vont s'effondrer. Si les Terriens commencent à s'aimer, nos usines d'armement vont faire faillite.

Krash-Ka se redressa :

— Nos usines, faire faillite ?

S'appuyant sur sa table de travail, il ajouta :

— Tu as raison. Ces vibrations peuvent être très dangereuses. Tu es certain que ces manifestations sont reliées à la venue des envahisseurs ?

— Rien de formel, mon seigneur… sauf que les deux phénomènes sont apparus pratiquement au même moment.

— Il devient vraiment urgent d'identifier les intentions de ces nouveaux arrivants.

Et pour lui-même, il murmura :

— Des vibrations d'amour… c'est ridicule !

***

L'air chaud et sec de cette fin d'après-midi de mi-juillet fouettait allègrement le visage des deux jeunes femmes. Les cheveux au vent, elles profitaient avec délice de ce précieux moment de liberté. Sur la banquette arrière, Steven s'était approprié tout l'espace disponible. Étendu sur le dos, le bas des mollets appuyé sur le châssis de la fenêtre, le garçon comptait les nuages. Lorsque le ciel devenait bleu limpide, il écartait les orteils, et les yeux mi-clos, il tentait de les utiliser comme ligne de mire sur les poteaux téléphoniques.

Nadia ralentit, tourna à droite et emprunta un chemin de gravier. Après avoir traversé un pont couvert surplombant une rivière où ne coulait qu'un mince filet d'eau, le chemin se réduisit rapidement à un simple sentier où l'on devinait à peine les vestiges d'une trace carrossable. Se guidant plus facilement sur les quelques poteaux de clôture bordant la piste, Nadia s'arrêta lorsque le dernier piquet disparut dans les hautes herbes.

Sans attendre une invitation, Steven fut le premier à sauter de voiture.

— Y était temps qu'on s'arrête! J'en avais assez de respirer de la poussière.

Caroline sortit à son tour en secouant sa blouse.

— Et c'est sans compter tout ce qui nous colle à la peau! J'ai hâte d'arriver et de me laver. Vivement une bonne douche!

Regardant autour d'elle, elle ajouta sur un ton suspicieux:

— Si nous sommes au bon endroit.

Nadia, appuyée à la portière, consulta à nouveau sa carte routière. Elle compara minutieusement les données à celles inscrites sur le feuillet d'instructions.

— Pas d'erreur, ici commence la Vallée du silence. Nous devrions trouver une affiche et un petit sentier sur la droite.

Steven, un bras appuyé sur un piquet, arracha une touffe de mauvaises herbes. Les vestiges d'une affiche, jadis fort jolie, apparurent. Fièrement, Steven annonça:

— Il est ici, votre sentier.

Caroline prit tout de même le temps de lire l'inscription délavée.

— La Vallée du silence, quel joli nom pour un lieu de repos.

— La Vallée du silence, répéta Steven en se frappant le cou.

Pas si silencieuse que ça, avec tous ces moustiques qui nous sifflent dans les oreilles.

***

Envahi par les hautes herbes folles et les jeunes pousses d'arbres, le sentier démontrait bien l'isolement des lieux. Depuis une dizaine de minutes déjà, le trio progressait malgré tout à un bon rythme. Steven, portant un sac à dos, ouvrait la marche. À l'aide d'un long bâton lui servant de machette improvisée, il éloignait consciencieusement les branches trop envahissantes. Suivait Caroline portant une valise encombrante ; avec des souliers de course un peu trop grands, prêtés par Nadia, elle avançait d'un pas moins assuré. Enfin, Nadia fermait la marche en tenant d'une main deux sacs à provisions et de l'autre, un volumineux sac de plastique, fruit d'une razzia éclair dans un supermarché.

Au bout d'une centaine de mètres, le sentier les mena dans un sous-bois où l'ombre végétale fut la bienvenue.

Caroline apprécia cette fraîcheur relative et prit l'initiative de commander un arrêt.

— On peut souffler quelques minutes ?

Sans attendre de réponse, elle déposa sa valise et s'assit dessus. Dans un grand « ha » de soulagement, elle enleva ses souliers et massa ses pieds endoloris. Nadia en profita pour déposer ses sacs et jeta un coup d'œil au feuillet d'instructions.

— Si l'échelle est respectée, nous avons fait plus des trois-quarts du trajet.

Attentivement, elle examina le paysage et pointa un affleurement rocheux de la main.

— Vous voyez ce gros rocher là-bas ? Le sentier le contourne et ensuite, nous devrions découvrir le chalet.

Steven, chez qui le manque d'aventure commençait à peser lourd, proposa avec enthousiasme :

— Je vais aller vérifier, en éclaireur.

— Non, Steven, lança la jeune femme. Tant que nous ne serons pas familiers avec les lieux, nous demeurons ensemble.

Déçu, Steven brisa son élan. Il prit son mal en patience en fouettant les hautes herbes du bout de son bâton. Caroline, se massant toujours les pieds, ferma les yeux et se mit à rêver.

— J'ai hâte d'arriver au chalet et de prendre un bon bain chaud.

Rêveuse, elle poursuivit:

— Je me rappelle le chalet de mes parents dans les Alpes françaises. On y allait tous les ans, lors des vacances de Noël. Après une belle journée de ski, je m'étendais sur une grande peau d'ours, devant un immense foyer en pierres des champs, et je me laissais réchauffer par les flammes dansantes.

Nadia écoutait avec plaisir la narration de Caroline. Son sourire s'accentua lorsqu'elle remarqua le jeu de Steven. Le garçon, utilisant son bâton tel un archet sur un violon imaginaire, accompagnait les propos de Caroline d'une sérénade silencieuse. Caroline, n'ayant pas remarqué son jeu, poursuivit:

— En été, on se rendait sur la côte méditerranéenne. Mon père louait une maison de campagne près de Nice, une station balnéaire des plus agréable avec sa marina, ses boutiques, ses centres culturels.

Steven, écœuré par un tel étalage de luxe, imita les allures de Caroline. Se donnant un air faussement rêveur, il parodia:

— Moi aussi, j'ai passé de beaux Noëls à la station Rosemont.

— La station Rosemont? répéta Caroline, intriguée. C'est sur la côte d'Azur?

— Non, sur la côte Berri. Juste à côté de la grille de ventilation de la station de métro Rosemont.

Caroline se rendit compte de la moquerie. Elle perdit son sourire et remit ses souliers en passant un commentaire très bref:

— Idiot!

Pour sa part, Nadia réprima difficilement un sourire qu'elle tenta de rendre le plus discret possible, puis elle ramassa ses sacs.

Ce fut le signal. Le trio se remit en marche et la suite de la promenade devint des plus animée.

— Il y avait également la station Laurier...

— Idiot.

— ... et la station Sherbrooke...

— Triple idiot.

— ... et pour le côté culturel, je me payais la station Place-des-Arts.

— Idiot, idiot, idiot, résuma Caroline.

***

La tante de Caroline examina l'objet et confirma :

— Oui, inspecteur, c'est bien le talon d'un soulier de Caroline.

— Vous en êtes bien certaine ? insista Satoba.

Comme si c'était une évidence, la vieille dame pointa l'objet du doigt.

— Le motif sur la face antérieure du talon, c'est la signature de l'artiste : Gordini. Vous avez entre les mains le talon d'un soulier italien fait sur mesure pour Caroline. D'ailleurs, tous les souliers de cette chère enfant sont des exclusivités.

L'inspecteur ne contesta pas l'autorité de la dame dans le domaine des importations. Il tendit la main afin de récupérer l'objet. La tante de Caroline le lui rendit. Il le glissa négligemment dans la poche de son imperméable tout en faisant posément quelques pas dans le grand salon. Il sortit un calepin et inscrivit une note. Augustin Lamarre, jusque-là plutôt discret, interpella l'inspecteur.

— Maintenant que nous avons bien identifié cet objet appartenant à Caroline, vous avez la preuve de la présence de Caroline auprès de cette femme. Étant donné que vous connaissez déjà cette personne, j'ose espérer que vous arrêterez cette criminelle dans les plus brefs délais et que vous nous ramènerez notre chère Caroline saine et sauve le plus tôt possible.

Le lieutenant Satoba n'était pas du genre à se laisser dicter sa façon de mener une enquête. Il prit le temps de ranger son carnet dans la poche intérieure de son veston. Avec un calme détachement, il précisa :

— Au moment où je vous parle, cette dame n'est toujours pas considérée comme une criminelle, mais plutôt comme un simple témoin important dans cette affaire. Un témoin auquel nous poserons éventuellement quelques questions.

— Comment ? s'exclama l'oncle. Vous n'allez pas l'arrêter ?

— Et pourquoi le ferais-je ?

La tante de Caroline ne put s'empêcher de demander :

— Mais, inspecteur, que vous faut-il de plus ?

— Un mobile, madame, une raison logique expliquant un tel geste, précisa le lieutenant.

L'oncle était de plus en plus irrité par le manque apparent d'initiative du policier. Maîtrisant mal sa nervosité, il éclata.

— Mais c'est l'évidence même, inspecteur. Quand on enlève une enfant très riche, c'est toujours en vue de demander une rançon. Le voilà, votre mobile !

— Caroline est portée disparue depuis quatre jours, rappela le lieutenant. Avez-vous reçu une demande de rançon ?

— Pas encore, avoua le tuteur. Mais ça ne prouve rien, ajouta-t-il sèchement.

— Dans les cas de demande de rançon, on n'attend pas quatre jours. De plus, je connais bien cette personne. Les enlèvements, ce n'est pas son genre. Sachez qu'elle est une femme exceptionnelle. Si elle est mêlée à cette affaire, il y a une bonne raison. Et avec elle, Caroline ne court aucun danger. Je serais même tenté de dire qu'elle serait plutôt du genre à la protéger.

— La protéger ? Mais de qui, grand dieu ? demanda la tante, légèrement sur la défensive.

— C'est bien ce que j'ai l'intention de découvrir. Merci de votre accueil.

Le policier marcha jusqu'à la porte, s'arrêta sur le seuil et utilisa la bonne vieille technique de son héros télé préféré.

— Ho! À propos, votre visiteur d'hier soir, c'est un parent, un membre de la famille?

Le visage de la femme devint livide. Elle aurait souhaité modérer sa réaction, mais le souvenir de cette horrible rencontre était encore si présent qu'elle s'exclama à regret:

— Oh grand dieu, non!

L'oncle tenta d'atténuer le coup. Embarrassé, il répondit:

— Monsieur... Trog est un conseiller financier de la famille.

L'inspecteur fit celui qui accepte toutes les réponses et referma la porte derrière lui. Sur le perron de granit, il alluma sa pipe en marmonnant pour lui-même:

— Trog... Après les requins de la finance, voilà les lézards des affaires.

***

— Malheureusement, mon cher monsieur, il m'est impossible de vous accorder un délai. Les travaux commencent à la fin du mois et notre échéancier est très serré.

— ...

— C'est bien ça, le montant doit être versé directement dans mon compte numéroté personnel en Suisse.

— ...

Assis à son bureau du centre-ville, Sygrill écartait momentanément ses préoccupations de l'empire et poursuivait ses activités lucratives d'homme d'affaires terrien. Détendu, il tenait nonchalamment un cellulaire et écoutait d'une oreille distraite les propos de son interlocuteur. Depuis maintenant plus de sept ans, il poursuivait sa double activité. Officiellement, chez les humains, on le reconnaissait comme un homme d'affaires très coriace. Pour les Trogoliens, il demeurait un agent de surface très efficace. Pour lui-même, et c'est tout ce qui comptait vraiment à ses yeux, il était sur le point de devenir l'individu le plus riche de la planète.

— Votre secrétaire possède déjà le numéro.

Chez les centaines de fournisseurs en quête de contrats avantageux, les questions variaient peu et les réponses, encore moins.

— …

Sygrill prit le temps de se redresser, trouva une nouvelle position plus confortable et déclara sur un ton définitif:

— Votre opinion m'importe peu. Si vous tenez à ce que votre entreprise obtienne ce contrat de sous-traitance, vous me versez les 500 000 dollars d'ici vendredi. Sinon le contrat sera lundi sur le bureau de votre compétiteur.

— …

— Non. Il est inutile de me rappeler. Ma banque me confirmera vendredi votre dépôt. Au revoir, monsieur.

Il raccrocha en maugréant:

— Ah! Ces humains, il devient de plus en plus désagréable de conclure des affaires avec eux.

Un signal sonore se fit entendre et l'image de la conseillère Haziella apparut sur un écran vidéo.

— Mes respects, grande conseillère.

Celle-ci attaqua sans préambule.

— Je n'ai encore rien reçu sur l'enquête concernant les envahisseurs.

— Il y a eu peu de développement, ces derniers jours.

— Même en étant branché sur le cœur de l'ordinateur de Trogol? À l'aide d'un accélérateur ultrasonique, précisa Haziella avec une pointe d'ironie.

L'agent nota un certain sarcasme dans la question, mais il ne prit pas la peine de le relever.

— Un ordinateur, c'est utile, mais ça ne fait pas de miracle.

— Eh bien! Il serait temps que vous en fassiez, un miracle. L'empereur n'a toujours pas apprécié votre demande de branchement sur le cœur de l'ordinateur.

— Mais il n'a pas refusé.

— En effet, concéda dame Haziella. Cette enquête est une priorité majeure et notre vénérable souverain s'attend à des résultats rapidement. Avec les outils dont vous disposez, notre empereur n'a pas l'intention de patienter très longtemps.

— Mais cette enquête demande du temps.

— Vous en avez, du temps. Jusqu'à vendredi, selon votre calendrier.

— Vendredi? C'est court.

— C'est plus que suffisant, répondit calmement la conseillère.

Sur un ton tout aussi calme, elle ajouta :

— Si je n'ai pas vendredi, sur mon bureau, un rapport complet sur cette affaire, un rapport apportant des réponses précises, l'enquête sera confiée lundi à un agent plus compétent.

— Dame Haziella…

— En moins de vingt-quatre heures, vous vous retrouverez derrière un bureau, au cœur de la planète, à discuter avec des sang-mêlé.

L'agent n'eut pas le temps de répliquer. La grande conseillère coupa prestement la communication. Le souvenir d'une désagréable odeur de transpiration chatouilla la mémoire de l'agent. Sygrill fit la grimace.

∗∗∗

Demeurant à une dizaine d'enjambées devant les deux femmes, Steven ouvrait toujours la marche à l'aide de son bâton de pèlerin. Soudain, il s'arrêta, surpris par la vision se dévoilant à ses yeux. Avec un léger sourire aigre-doux, il annonça à haute voix :

— Mesdames, je pense qu'on est arrivés.

Caroline rejoignit le garçon d'un pas rapide, le sourire aux lèvres, heureuse d'être enfin à destination. Toutefois, elle perdit subitement sa bonne humeur devant la triste image qu'elle découvrit.

— C'est pas vrai, gémit-elle.

Tous les rêves de Caroline s'évanouirent en une fraction de seconde. Dans une éclaircie jadis dégagée se devinaient les restes d'une habitation. Elle avait probablement offert de délicieux moments à ses heureux propriétaires vers le milieu du siècle passé, mais le temps avait fait son oeuvre et il fallait aujourd'hui une bonne dose d'imagination et de toupet pour accoler le titre de «chalet» à cette construction d'une autre époque. Caroline, toujours incrédule, se tourna vers Nadia :

— Tu es certaine que nous avons pris le bon chemin?

Nadia, un peu prise au dépourvu, consulta nerveusement son feuillet. Après une hésitation, elle confirma :

— Nous avons emprunté le bon chemin et nous sommes au bon endroit. Enfin je le crois.

— Et nous allons entrer là-dedans? demanda Caroline, sceptique.

Steven, toujours aussi prosaïque, suggéra :

— Y faut être prudent. Y a pas de chance à prendre. Il y a peut-être un ours ou des serpents à sonnettes dans la cabane.

— Tu dis ça pour me rassurer? lança Caroline.

— Non, pour te rendre service, déclara le garçon sur un ton faussement sérieux.

Nadia comprit qu'il était temps de prendre la situation en main.

— Du calme, les enfants. J'ai besoin d'un peu de silence.

Nadia ferma les yeux et releva légèrement la tête. Steven, intrigué, demanda :

— Qu'est-ce qu'elle fait? C'est pas le temps de dormir.

— Chut! Elle se concentre, réprimanda Caroline.

Au bout de quelques secondes, sur le visage de Nadia apparut un sourire. Elle semblait soulagée. Elle ouvrit les yeux et dit aux enfants :

— Vous ne bougez pas d'ici.

Nadia avança d'un pas assuré et sonda la porte qui offrit peu de résistance. Résolument, dans un grincement de pentures usées, elle entra dans le chalet.

Caroline réprima un frisson.

***

Sygrill ne tenait plus sur sa chaise.

— Trois jours, il ne me reste que trois jours, répétait-il inlassablement en martelant le dessus de son bureau.

Depuis le dernier message de dame Haziella, l'image des bas-fonds de la capitale hantait l'esprit de l'agent. Devant un tel ultimatum, il avait vu et revu chacune des hypothèses, de la plus folle à la plus audacieuse.

— Des indices, il me faut des indices. Et le plus grand cerveau électronique de la planète ne réussit pas à me les donner.

Un signal sonore interrompit ses cogitations. Sygrill pressa rageusement un bouton de l'interphone.

— Madame Andrew, j'ai bien demandé de ne pas être dérangé.

— Je m'excuse, monsieur. C'est un appel d'Europe, de cette firme d'ingénieurs français qui vous a proposé de construire une ville sous globe au fond de l'Atlantique. Je sais que le projet vous intéresse et je...

— Sous globe! s'exclama l'agent.

Un éclair de génie traversa son esprit.

— Prenez le message. Je ne suis là pour personne.

— Bien, monsieur.

— Le Globulus... Pourquoi pas? J'ai consulté le plus grand cerveau électronique de la planète sans résultat, mais le plus grand cerveau biologique me donnera peut-être la réponse.

***

Toujours assise sur sa valise, les coudes sur les genoux, le menton dans les mains, Caroline lorgnait la construction en décrépitude et semblait découragée par la vie.

— J'ai déjà vu des remises de jardin plus accueillantes, murmura-t-elle dans un soupir.

Pour sa part, Steven conservait le moral. Entre lui et les moustiques, c'était la guerre, une guerre à finir et il venait tout juste de réussir à tuer un ennemi ailé.

— Et un de moins !

Nadia apparut sur le seuil de la porte. Elle ressortit intriguée. Caroline, toujours aussi anxieuse, demanda :

— Alors, ça ne va pas ? Qu'est-ce que tu as ?

Pleine d'espoir, elle suggéra :

— On va se trouver un motel ?

Songeuse, Nadia n'écoutait pas. Elle rejoignit les enfants, prit un certain recul et examina de nouveau le chalet.

— C'est curieux. L'extérieur de la construction est dans un triste état, mais à l'intérieur, tout est bien rangé et en bon ordre. Comme si quelqu'un l'entretenait régulièrement. Il y a même quelques bûches près du poêle.

Toujours aussi touche-à-tout, Steven approcha du chalet et s'appuya sur un des barreaux de la galerie. Il faillit perdre l'équilibre lorsque ce dernier lui resta dans la main. Il fit la moue.

— En tout cas, ce quelqu'un n'est pas doué pour le bricolage. Qu'est-ce qu'on fait si le toit nous tombe sur la tête ?

— Tu n'as rien à craindre, rassura Nadia. Ça manque peut-être de peinture, mais l'ensemble de la structure est solide. De toute façon, Guidor ne nous aurait pas amenés ici pour risquer notre vie.

Caroline fit la grimace :

— Tu crois vraiment que l'on peut vivre dans un tel endroit ?

— Pourquoi pas ? J'ai connu pire, déclara le garçon. Au poste 16, les cellules étaient si petites... et je te parle pas des toilettes : ha !

Sur ces paroles encourageantes, Steven prit l'initiative. Il sonda la première marche. Elle gémit, mais ne céda pas. Rassuré, il gravit résolument les trois dernières marches et attendit sur le seuil de la porte. Du geste de la main, Nadia invita Caroline à en faire autant. Telle une condamnée à mort montant vers l'échafaud, la jeune fille se leva lentement et marcha sur les traces du garçon.

La main sur la poignée de la porte à moustiquaire, Steven se retourna brusquement.

— T'es certaine qu'y a pas d'ours ni de serpents?

La question brisa l'élan de Caroline. Nadia leva les yeux au ciel.

— Pas d'ours, pas de serpents et aucun trou de souris. Allez! Ne traînons pas. Il faut tout déballer avant la nuit.

Donnant l'exemple, elle ramassa ses sacs et rejoignit Steven sur le petit perron.

— Tiens, prends celui-ci et dépose-le sur la table de la cuisine.

Le garçon n'avait plus le choix. Il entra à son tour en examinant discrètement le dessous des meubles à la recherche de locataires indésirables.

Sur le seuil de la porte, Caroline demeurait indécise. D'un air suspicieux, elle examina l'intérieur. L'entrée donnait sur une cuisine rudimentaire. Près du comptoir où s'activait déjà Nadia, un gros poêle à bois émaillé permettait d'imaginer les gros chaudrons de soupe qu'on avait dû y préparer. Au centre de la pièce, deux longs bancs de bois encadraient une table de cuisine recouverte d'une nappe cirée fleurie. L'aire ouverte se prolongeait en une salle de séjour. Près des deux grandes fenêtres à moustiquaire, un divan au velours usé suggérait encore un certain confort. Face à ce dernier, une chaise droite, un tabouret, une minuscule table basse et une berçante complétaient l'ameublement. Sur le mur opposé aux fenêtres, la salle de séjour donnait accès à trois chambres exemptes de porte. De simples rideaux défraîchis, glissés sur des tringles de métal, offraient un semblant d'intimité.

Après une visite complète des lieux, les derniers espoirs de Caroline s'évanouirent totalement. Elle rejoignit Nadia dans la pièce commune servant de cuisine et de salon. Déprimée, elle se laissa choir dans la vieille chaise berçante.

— C'est terrible. Il n'y a ni bain ni douche. Près du cabinet de toilette, il y a un minuscule lavabo, mais aucun robinet. Ce n'est pas normal.

Nadia termina de ranger les provisions dans une armoire. Tout en poursuivant ses activités, elle tenta d'encourager la jeune fille.

— Commençons par nous installer, Caroline. Nous réglerons les problèmes un à un.

— Alors, la priorité, c'est de trouver un miroir !

— Et ça ? Qu'est-ce que c'est ? demanda Nadia en pointant le carreau de verre épinglé près de l'évier.

— Mais il est beaucoup trop petit et tout dépoli, critiqua la jeune fille. Impossible de me brosser les cheveux devant cette horreur !

Les coudes sur les cuisses, la tête appuyée dans les mains, Caroline poursuivit ses lamentations.

— Dans ma chambre, le lit est tout petit, la commode est ridicule et il n'y a qu'une chaise droite. Avec aussi peu de confort, je me demande comment des gens pouvaient avoir du plaisir à vivre dans un tel endroit. C'est peut-être pour ça qu'ils sont partis ?

Ne percevant aucune réaction chez Nadia, après une courte pause, Caroline suggéra timidement :

— On devrait peut-être en faire autant ?

Nadia, toujours concentrée sur ses activités, répliqua :

— Peut-être, Caroline, mais sûrement pas avant d'avoir rencontré Guidor.

— J'espère que notre séjour dans ce chalet sera bref. Si je devais y rester plus d'une semaine, je ferais sûrement une dépression.

Steven entra dans le chalet en claquant la porte à ressort.

— C'est supeeer !

La prononciation était un peu déformée. Steven, la bouche pleine et mâchant sans discrétion, annonça triomphalement :

— Regardez ce que j'ai trouvé. Des fraises sauvages.

Il déposa son butin sur la table et précisa :

— Y en a plein, derrière la cabane.

Nadia y goûta.

— Hum, elles sont délicieuses. Tu devrais y goûter, Caroline.

— Vas-y. Y a pas de poison dessus, rassura Steven.

— Évidemment, pour toi la vie est belle, maugréa la jeune fille. Tant qu'il est question de manger, tu es partant.

Joignant le geste à la parole, Caroline goûta les fruits. Le goût agréable et sucré fit apparaître un léger sourire sur ses lèvres. Nadia profita de ce regain d'optimisme pour l'occuper.

— Caroline, enlevons un peu de poussière, rangeons nos affaires et ensuite, nous irons tous nous cueillir un dessert pour le dîner. Après le repas, nous ferons le tri de nos derniers achats.

Caroline prit le temps de manger distraitement deux ou trois fraises avant de demander :

— Crois-tu qu'il y ait un aspirateur ici ?

Appuyé sur un antique vaisselier, Steven demanda avec humour :

— Et qu'est-ce que tu en ferais ? Y a pas de prise de courant.

— Pas de prise de courant ! s'exclama la jeune fille. Comment ça ?

Prenant l'air découragé de celui qui explique une évidence :

— Parce qu'ici, y a pas d'électricité.

Il lança à la jeune fille un balai usé appuyé au mur. Caroline prit le temps de considérer longuement l'instrument. Steven se permit un commentaire.

— Désolé, j'ai pas trouvé le mode d'emploi. Tu cherches comment t'en servir ?

Avec un certain sourire sans mesquinerie, elle répliqua en se donnant un air faussement hautain :

— Non. Pas du tout. Je cherche l'interrupteur. C'est peut-être un balai à piles.

Steven ne s'attendait pas à ce genre de blague de la part de cette jeune fille hautaine. Il demeura la bouche ouverte, interdit. Sa réaction déclencha une cascade de rires chez les deux femmes. Steven, acceptant la situation de bon cœur, partagea leur bonne humeur. Caroline donna quelques coups de balai avant d'ajouter gaiement :

— Dire qu'à la maison, j'ai une domestique attitrée au ménage de ma chambre.

Sur un ton lyrique, Steven déclama :

— Le plaisir de travailler de ses mains, la satisfaction du travail bien fait, c'est ça, le secret du bonheur.

— Je suis bien heureuse de t'entendre parler ainsi, car toi aussi, tu vas profiter du secret du bonheur, en allant pomper de l'eau et en me rapportant du bois pour la cuisson.

Steven fit la grimace. Caroline ne put se retenir :

— Alors, on ne croit plus aux vertus du travail manuel ?

— Ho ça ! Y a pas de problème. Mais dehors, y a les moustiques...
Grrr !

***

Vlan ! Le journal s'abattit violemment sur le bureau du lieutenant.

— Je vais finir par t'avoir ! s'écria l'inspecteur en regardant tout autour de lui.

McGraw apparut dans le cadre de la porte.

— Des problèmes, patron ?

— Il y a une mouche qui tourne dans mon bureau depuis trois jours et elle commence à m'énerver.

Le sergent fit quelques pas vers le bureau de son supérieur.

— Y a pas seulement la mouche qui vous énerve, hein lieutenant ?

Satoba résuma sa réponse par un grognement. McGraw se permit d'ajouter :

— L'enquête sur Nadia vous préoccupe également.

Le lieutenant prit le temps de s'asseoir et laissa tomber le journal sur son bureau. Dans un soupir, il avoua :

— C'est vrai... Toute cette histoire impliquant Nadia n'a ni queue ni tête. Nous connaissons tous les deux Nadia depuis des années. À mon avis, c'est peut-être la personne la plus intègre que nous connaissions.

McGraw acquiesça d'un signe de tête et tira une chaise vers lui.

— Tu voulais me parler ? Y a du nouveau ? s'enquit Satoba.

— Je crois que vous étiez sur la bonne piste, patron, lorsque vous supposiez que Nadia protégeait peut-être la jeune Caroline.

— Comment ça ?

— Le jour où Nadia a « enlevé » Caroline, les tuteurs de la jeune fille devaient faire interner la petite dans une clinique psychiatrique. Le genre d'endroit d'où l'on sort rarement.

Le lieutenant, méditatif, fit craquer le dossier de son fauteuil. Lentement, il se leva. Le coussin de sa chaise laissa échapper un long soupir. Marchant vers la fenêtre, Satoba prit quelques secondes de réflexion avant de poser une question dont il connaissait partiellement la réponse. En se retournant vers son collègue, il demanda :

— Depuis le décès de ses parents dans ce terrible accident d'avion, la petite Caroline est devenue une héritière très riche ?

— Environ cinquante millions de dollars et des poussières en argent sonnant, sans compter des montagnes d'actions dans différentes entreprises, avança le sergent.

Le lieutenant ne put retenir un sifflement.

— Le tout généreusement administré par son oncle et sa charmante tante, ajouta le lieutenant.

— Hum, hum, confirma le sergent avec un sourire en coin.

Le lieutenant Satoba, son index droit sur sa lèvre inférieure, plissa les yeux. Il fit une courte pause avant d'énoncer :

— Peut-être y a-t-il un lien entre les deux affaires ? Trouvez-moi le rapport de cet accident d'avion. Nous allons reprendre cette enquête à zéro.

CHAPITRE V

Dans les hautes terres arides et glaciales de l'Asie centrale, un soleil pâle jouait à cache-cache entre les pics rocheux. Au cœur des montagnes longeant les frontières tibétaines, sous ces sommets aux neiges éternelles se déroulait une assemblée empreinte d'une grande sérénité. Aucune route visible ne permettait d'accéder à ce lieu sacré. Il était impossible au voyageur profane d'y découvrir un chemin. Seul l'initié au cœur pur, guidé par la lumière de la sagesse, parvenait à destination par le sentier de l'esprit.

Les sept grands Maîtres de lumière étaient présents et discutaient avec l'invité de l'heure, Guidor. Discuter n'était pas vraiment le terme approprié, car aucun son ne fut émis durant les échanges. Chacun des participants émettait simplement une pensée, captée immédiatement par les autres membres du groupe.

— Alors, Guidor ? Quelle est ton opinion ?

Celui qui venait de s'exprimer semblait aussi vieux que les montagnes qui l'abritaient. Une petite barbe blanche garnissait son menton et lui donnait un air encore plus vénérable. Guidor l'écouta posément. Demeurant debout devant les sept grands, il répondit :

— J'ai toute confiance dans la sagesse des maîtres de Shangrila.

Une femme prit la parole :

— Mais tu connais mieux que nous ces mortels. Peut-on vraiment agir sans risque ?

Guidor fit quelques pas vers le centre de la pièce et s'adressa à la femme :

— Il peut être dangereux d'éveiller trop rapidement des souvenirs cachés depuis plusieurs millénaires. L'esprit de ces humains demeure encore très fragile.

L'homme à la barbe blanche précisa :

— Nous en sommes tous bien conscients, Guidor, malheureusement, le temps joue contre nous.

— Nous savons que les Trogoliens, ou petits-gris comme certains les appellent, préparent une offensive. Il nous faudra être prêts très bientôt, ajouta un nouveau participant tout en rondeur.

— Nous n'avons donc pas le choix, conclut la femme. Nous devons accélérer le développement du potentiel psychique chez ces trois humains. Peut-on y parvenir sans mettre leur vie en péril ?

Guidor afficha un léger sourire rassurant.

— Il y a peut-être un moyen, mais j'aurai besoin de votre aide.

***

C'était une belle fin d'avant-midi. Un soleil chaud et radieux inondait la Vallée du silence. Cette douce lumière, tamisée par un feuillage verdoyant, rendait presque accueillant le petit chalet isolé à l'allure délabrée. Caroline apparut dans le cadre de la porte. Bien protégée derrière la moustiquaire, elle cria :

— Alors Steven, cette eau, ça vient ?

— Ouais ! Ouais, répondit l'interpellé, de plus en plus impatient.

Steven se frappa violemment la nuque avant de s'attaquer de nouveau à la pompe. Comme si les moustiques n'étaient pas suffisants, Caroline le piqua à son tour.

— Si je n'ai pas d'eau pour le dîner, tu trouveras la sauce épaisse.

Le garçon lâcha le manche de la pompe et prit le temps de reprendre son souffle. Entre deux claques sur une cuisse et une autre sur un bras, il répliqua, les dents serrées :

— Avec tous ces maudits moustiques, pas facile de se concentrer sur cette fichue pompe à eau.

Battant l'air de ses deux bras, il cria à ses agresseurs :

— Fichez-moi la paix, bande de vampires ! Allez jouer ailleurs, suceurs de sang, sauvages !

Derrière lui, une voix puissante énonça avec douceur :

— Ce n'est pas en leur lançant des noms vulgaires que tu obtiendras leur collaboration.

Steven avait reconnu cette voix unique. Un sourire se dessina sur son visage. Il se retourna rapidement.

— Guidor !

Le nouveau venu lui rendit son sourire et précisa :

— Tu ferais mieux de demander l'aide du déva des insectes.

— Le déva des insectes ? répéta le garçon.

Steven n'eut pas droit à une réponse. Déjà Caroline était apparue sur le perron du chalet, et à travers la porte à moustiquaire, elle lança joyeusement à l'intention de Nadia :

— C'est Guidor ! Nadia, Guidor est de retour !

Le guide de lumière fit quelques pas dans la direction de la jeune fille. Caroline dévala les marches de la petite galerie et courut à sa rencontre.

— Bonjour, Caroline.

— Allô, répondit Caroline, un peu gênée par cet homme aux yeux bleus si impressionnants.

Steven, toujours sur ses traces, insista :

— C'est quoi, un déva des insectes ?

Cette fois-ci, c'est Nadia qui retint l'attention de l'homme. D'un pas rapide et assuré, la jeune femme arriva à sa hauteur et lui serra la main.

— Bonjour, Guidor. Nous sommes bien contents de te revoir.

— J'en suis très heureux également. Avez-vous terminé de vous installer ?

— Il nous reste un peu de rangement à faire, mais tout rentre dans l'ordre, assura Nadia.

— Tant mieux, déclara Guidor. Puisque vous allez passer tout l'été ici, installez-vous le plus confortablement possible.

Caroline perdit son sourire et s'écria d'une voix éteinte :

— Tout l'été !

Sur un ton où pointait l'impatience, Steven lança d'une voix forte :

— Un déva, c'est quoi ?

Comme s'il n'avait pas remarqué l'impatience du jeune garçon, Guidor se tourna calmement vers ce dernier et expliqua :

— Un déva, c'est un esprit. Il y en a une multitude pour les différents règnes existant sur la Terre.

Les deux femmes se rapprochèrent, toutes deux intéressées par ce nouveau sujet inusité. À l'intention de tout le groupe, Guidor poursuivit :

— Il y a très longtemps, les anciens peuples savaient communiquer avec les dévas. Les Indiens d'Amérique ont une tradition orale très importante à ce sujet.

— Comme lorsque les vieux de la réserve parlent de l'esprit de la montagne ou de la forêt ? demanda Steven en se rappelant les histoires racontées par les anciens.

— En effet, répondit Guidor.

— C'était sérieux ? Ils parlaient des dévas ?

— Des dévas et de bien d'autres choses…

— Y aurait pas un déva pour les moustiques ? demanda le garçon, mi-sérieux.

— Il y a un déva régissant leurs activités, précisa l'homme.

— Pour les moustiques ! s'exclama Steven, un peu dépassé par la réponse.

— Et ces dévas… Nous pouvons communiquer avec eux ?

— Bien sûr, Caroline.

— Par Internet haute vitesse, peut-être, suggéra Steven d'un air malicieux.

— Mieux que ça… Par la pensée. C'est encore plus rapide.

Un murmure d'intérêt flotta parmi le groupe. Guidor laissa les esprits se calmer.

— Étant donné que vous n'êtes pas encore préparés à ce genre de communication, cette fois-ci, je vais le faire pour vous.

Guidor ferma les yeux quelques secondes, les ouvrit de nouveau et déclara avec un petit sourire :

— C'est fait.

— C'est tout ? demanda Steven, un peu déçu par la démonstration et demeurant sceptique.

Guidor confirma simplement par un signe de tête. Steven, les yeux grands ouverts, les oreilles aux aguets, demeura immobile quelques secondes avant de s'exclamer :

— Wow, c'est super ! Y sont passés où ?

— Ils sont partis ailleurs, piquer d'autres victimes.

— Et ils ne reviendront pas ? s'enquit Caroline.

— J'ai demandé au déva de vous retirer, tous les trois, de leur menu quotidien pour une semaine. Tant que vous demeurerez sur cette colline et ne dépasserez pas les limites de la vallée, vous serez protégés.

— Et pourquoi une semaine seulement ? demanda Nadia.

— C'est vrai. Pourquoi pas tout l'été ? ajouta Steven.

— Pour deux raisons, Steven. Premièrement ces moustiques ont une raison d'exister.

— Oui, pour nous piquer et nous rendre la vie impossible, grimaça le garçon.

— Les moustiques te piquent pour se nourrir, mais ils servent également eux-mêmes de nourriture à certains oiseaux.

— Tiens, c'est vrai ça, déclara Caroline, toute songeuse.

— Si les insectes disparaissaient pour toujours de ce secteur, après un certain temps, ce sont les oiseaux de l'endroit qui quitteraient ou disparaîtraient à leur tour de la Vallée du silence.

— Ce serait bien dommage, avoua Nadia.

— Et la deuxième raison ? insista Steven sans se démonter.

— Dans une semaine, vous aurez à renouveler votre demande auprès du déva des insectes.

— Et s'il ne nous écoute pas ? s'informa Steven.

— Tu auras alors besoin d'une très bonne protection contre les moustiques, répondit Guidor en riant.

Un sourire flotta dans le groupe. Pleinement rassurée par la réponse de Guidor, Caroline se tourna vers Steven.

— Maintenant, si tu nous pompais de l'eau pour le repas?

Avec un salut militaire, le garçon répondit :

— Tout de suite, madame. Un plein baril.

***

Au bec de la pompe se présenta une seule et unique goutte d'eau qui s'étira, s'étira, mais refusa tout net de quitter le col de la pompe.

— Hein, hein... Qu'est-ce qu'y faut pas faire pour une goutte d'eau?

Steven lâcha le manche de la pompe. Plié en deux, les mains sur les genoux, il prit le temps de retrouver son souffle.

— J'me demande si y a un déva pour les pompes à eau.

Toute idée folle méritant un temps de réflexion, selon les critères de Steven, le garçon entreprit une étude approfondie du sujet. Il fit lentement le tour de la pompe et s'arrêta devant le goulot. Il se pencha alors et y jeta un coup d'œil avant de crier dans le tuyau :

— Hé! Le déva des pompes à eau... j'ai besoin d'eau.

Au même moment, Caroline apparut sur le perron du chalet avec un gros bocal de verre.

— Steven, il faudra également emplir ce pot.

Tout occupé à sa communication avec le monde invisible, le garçon ne sembla pas avoir entendu la demande de la jeune fille. Suspendu sous le bec en se tenant par les mains au goulot de la pompe, Steven avait maintenant une vue directe sur l'orifice. Collant pratiquement sa bouche sur l'ouverture, il cria de nouveau :

— Hou hou, le déva, tu dors?

Blasée par les pitreries du garçon, Caroline le rejoignit en silence et déposa son contenant près du seau, déjà sous la pompe. Intriguée par cet outil d'une autre époque, elle appuya machinalement sur le manche de la pompe. Ce dernier bascula sans résistance. Un léger gargouillis se fit entendre.

— Déva, déva… J'ai besoin…

Une phrase dont personne ne connut la fin. Steven cria, hurla, toussa, cracha. Surpris par le torrent vomi par la pompe, il avait lâché prise et s'était retrouvé rapidement les fesses coincées dans le vieux bac de tôle galvanisée.

Amusée par la position grotesque du garçon, Caroline éclata de rire.

— Quand t'auras fini de rigoler, tu pourras peut-être m'aider?

Devant l'inaction de la jeune fille, Steven décida de se prendre en main. Dans un mouvement de balancement, il se laissa tomber sur le côté.

Nadia, alertée par tant de vacarme, jeta un coup d'œil par la fenêtre et s'esclaffa à son tour. Trempé de la tête aux pieds, toujours coincé dans le seau, le garçon progressait lentement en se maintenant sur les mains et la pointe des pieds. Demeurant insensible à l'hilarité des jeunes femmes, il poursuivit sa méditation. C'était confirmé, il existait bel et bien un déva des pompes à eau.

***

La journée risquait de se terminer comme elle avait commencé: grise, terne, déprimante. À la fenêtre de son bureau, le lieutenant Satoba observait distraitement les gouttes d'eau tambouriner sur la vitre. De temps à autre, un éclair illuminait le visage renfrogné du policier.

Des éclats de voix provenant de la salle de travail des enquêteurs le tirèrent de ses sombres réflexions. Curieux, il marcha vers la porte de son bureau.

Dans la grande salle, deux inspecteurs riaient de bon cœur lorsqu'une voix puissante ébranla la pièce.

— Messieurs! Ce n'est vraiment pas le moment de rire et de s'amuser!

Sous l'effet de la surprise, le sergent McGraw faillit renverser le contenu de sa tasse à café sur sa chemise. Les deux hommes perdirent leur sourire. McGraw jeta un coup d'œil dans la direction de la voix. Le lieutenant Satoba, sur le seuil de la porte de son bureau, emplissait l'encadrement.

— Vous avez des enquêtes à régler, alors réglez-les, ordonna ce dernier.

Le téléphone sonna. Satoba eut un soupir d'espoir. Il entra dans son bureau en refermant la porte violemment. Dans la grande salle, les deux policiers eurent également un soupir... de soulagement, en voyant disparaître le lieutenant derrière les stores vénitiens baissés.

Derrière la porte close, l'humeur de l'inspecteur passa de maussade à massacrante et l'homme ne chercha pas à le cacher.

— Mais avec une tête pareille, il est sûrement fiché quelque part!

Après quelques secondes d'écoute, il ajouta:

— Alors, cherchez encore!

Ramassant, près du téléphone, la photo du visiteur des tuteurs de Caroline, il maugréa:

— Ce type n'est pas un fantôme, on doit pouvoir retrouver sa trace.

Il raccrocha nerveusement le combiné et laissa tomber la photographie sur son bureau.

— Ce n'est tout de même pas l'homme invisible! Tous les hommes laissent une trace et cette tête, on va la retrouver.

***

L'ascenseur menant au continent creux filait à vive allure. Par le plafond translucide, Sygrill jeta un dernier coup d'œil vers cette lumière provenant de la surface de la planète. Maintenant régnait dans la cabine une lumière blafarde, rougeâtre, dispensée par les trois anneaux lumineux ceinturant l'appareil.

Profitant de ce moment de répit, l'agent de l'empire relâcha sa concentration, pressa un bouton à sa ceinture et délaissa son image holographique terrienne, découvrant ainsi son vrai visage de Trogolien. Dans une grimace qui se voulait un sourire de satisfaction, il prit une grande respiration. Une légère pression sur la paroi de la cabine dégagea un panneau dissimulant un miroir en pied. D'un rapide coup d'œil, il vérifia sa tenue. Son uniforme d'officier, aux lignes sévères, demeurait impeccable. Seul accroc à l'ensemble, ses bottes : il portait toujours ses bottes en peau de crocodile, adaptées à sa véritable physionomie. Une légère pression sur le bouton à sa ceinture et ses bottes d'officier au fini ciré complétèrent rapidement le tableau.

Utilisant ensuite un glisseur public, Sygrill traversa une grotte de jonction et quelques agglomérations du continent creux sans s'y arrêter. Il prit à peine le temps de jeter un coup d'œil au décor ainsi qu'à l'architecture des immeubles, si différente des constructions de surface. Ici, ni bourrasque de vent ni tempête de neige. Les Trogoliens s'étaient limités à une architecture de service fonctionnelle, uniforme et sans éclat dans tout l'empire, avec sa température contrôlée en permanence et son éclairage artificiel tamisé.

Une décélération à peine perceptible tira l'agent de ses réflexions. Son périple prit fin sur un quai peu fréquenté. En moins de cinq minutes de marche, il déboucha finalement sur un passage pratiquement désert où bien peu de ses congénères souhaitaient se promener. L'agent sauta sur un tapis de transport et le quitta devant un immense disque d'acier.

De chaque côté de la porte, un double faisceau lumineux le balaya. L'examen sembla satisfaisant. Dans un léger chuintement, le grand disque d'acier s'ouvrit en son milieu. En deux enjambées, il en franchit le seuil.

— Entrez, agent Sygrill. C'est un plaisir de vous rencontrer.

Malgré son visage peu expressif, l'agent ne put cacher une certaine surprise. Il ne s'était pas annoncé et pourtant…

D'un coup d'œil de professionnel, il fit rapidement l'inventaire de l'immense rotonde composée de roc et d'acier. D'un pas assuré sans toutefois paraître arrogant, l'agent progressa dans l'antre du Globulus. Derrière lui, il sentit les épaisses portes protégeant son hôte se refermer discrètement. Lorsqu'elles se rejoignirent, un son sourd mourut dans un jeu d'échos se perdant dans la rotonde.

Sygrill n'était pas du genre à se laisser impressionner, mais dans le moment présent, il devait avouer que tout ce qu'il voyait dépassait ce qu'il avait imaginé. Bien sûr, depuis son enfance, il avait souvent eu l'occasion de voir des illustrations et quelques documentaires de propagande sur l'infrastructure technique de cette créature, mais de se retrouver devant elle en personne ordonnait une toute nouvelle vision des choses.

Il y avait cette légère odeur piquante flottant dans l'air, un effluve que l'agent n'eut aucune difficulté à reconnaître. De l'ozone, probablement produit par les fameuses pompes telluriques dont il était fait mention dans plusieurs rapports confidentiels, mais qui, pour le moment, brillaient par leur absence. Il y avait également ce discret gargouillis incessant qui accompagnait les bouillonnements passagers sous le grand globe de verre. Et il y avait enfin cette masse grisâtre flottant dans une substance colorée que l'agent ne tenta pas d'identifier.

Aucune photo, aucune vidéo ne pouvait rendre justice à cette réalité vivante. Sygrill s'était toujours considéré comme un être à part, plus malin, plus brillant que ses congénères, mais devant ce cerveau couvrant près de la moitié de son champ de vision, son ego devait entreprendre un sérieux travail de réadaptation. Comment Krash-Ka, cette caricature d'empereur, pouvait-il prétendre ordonner quoi que ce soit à cette créature ? Et comment le Globulus pouvait-il accepter des ordres et se soumettre à ce souverain d'opérette ? L'agent de surface en était là de ses considérations lorsqu'il prit conscience de son immobilité. C'est donc avec un respect non simulé qu'il aborda son hôte.

— Mes salutations, Globulus. C'est un grand honneur que vous me faites en acceptant de me recevoir.

— Je n'ai pas accepté de vous recevoir, agent Sygrill. Je vous attendais, précisa le cerveau sous globe.

— Vous m'attendiez?

— En effet. J'étais curieux de rencontrer celui qui a eu l'audace de réclamer un accélérateur ultrasonique, branché sur le cœur de l'ordinateur central. Il faut de l'audace et une bonne dose de courage… et peut-être également un soupçon de témérité suicidaire.

L'agent, demeurant quelque peu sur la défensive, mais conservant néanmoins un ton respectueux, expliqua:

— Cette demande était pleinement justifiée. Il me fallait toutes les informations disponibles sur la planète afin de progresser dans mon enquête.

— Et pourtant, vous n'avez rien trouvé de très intéressant dans le plus grand ordinateur électronique de la planète...

— Disons... pas tout ce que je cherchais, avoua l'agent.

— Et vous avez alors pensé au plus grand ordinateur biologique de la planète.

— Comment avez-vous deviné? demanda l'agent, de plus en plus impressionné.

— Je ne devine pas. Je déduis. Vous êtes un des meilleurs agents de surface. Votre talent et votre intelligence sont reconnus par certains esprits brillants de ce monde.

Énoncé par un tel cerveau, l'agent ne pouvait qu'en convenir.

— Merci, Globulus...

— De plus, vous avez un pouvoir de concentration assez exceptionnel.

— Vous croyez?

— Porter de telles bottes terriennes demande un bel effort.

— Mes bottes?

— Oui, celles en peau de crocodile que vous masquez sous une image holographique. De si jolies bottes, c'est dommage de les cacher. Allez, détendez-vous, nous sommes… entre amis.

Sygrill hésita une fraction de seconde. Il détestait se sentir pris en faute et encore plus devoir l'avouer. Mais refuser l'invitation du Globulus, c'était refuser son «amitié». Il ne pouvait se permettre un tel affront. Sygrill relâcha sa concentration. L'image holographique de ses bottes militaires disparut. Le Globulus avait raison. Elles étaient très jolies, ses bottes en crocodile.

— Bien peu de vos congénères se permettraient une telle dose de concentration aussi… ininterrompue.

— Cela demande un surcroît de concentration et d'énergie, j'en conviens. J'en suis capable et c'est ma force, ajouta-t-il avec fierté.

— Mais tout cela ne sera pas suffisant pour réussir votre mission. Je possède certaines informations inconnues du gouvernement. Des informations capitales et peut-être même indispensables pour le succès de votre enquête.

Le côté mystérieux de cette déclaration aiguisa l'intérêt de l'agent. Sur un ton prudent, il demanda :

— Ces informations, vous allez me les communiquer ?

— Quelques-unes. Et vous serez le SEUL à les connaître.

L'agent, intrigué par cette marque de confiance, mais conscient d'une certaine forme d'avertissement, déclara sur un ton neutre :

— Je suis prêt à vous écouter.

— C'est une longue histoire. Prenez un siège.

Tandis que Sygrill s'exécutait, une deuxième série de portes étanches se refermèrent derrière l'agent.

***

C'était au tour de Caroline de faire le service. En d'autres temps, en d'autres lieux, elle en aurait fait toute une histoire, mais ce soir, en présence d'un invité de marque, elle tentait de faire bonne figure. La peau moite, ses longs cheveux blonds collés au visage, elle déposa au centre de la table le lourd plat de grès contenant les légumes, puis, avec le peu de noblesse qu'elle pouvait encore démontrer, elle se glissa sur le long banc de bois auprès de Nadia. Tout le monde semblait satisfait du dîner, sauf Steven qui jouait nonchalamment dans son assiette sans vraiment terminer son repas.

— Alors, tu ne manges pas? demanda Guidor. Cette salade me semble pourtant très appétissante.

— Si ç'a l'air si bon, pourquoi t'as pas d'assiette? T'es à la diète? répliqua Steven, sur un ton maussade.

— Steven! échappa Nadia.

Guidor ne put retenir un sourire.

— Non, je ne suis pas à la diète. C'est simplement que je n'ai pas besoin de manger.

Steven ouvrit de grands yeux ronds:

— Pas besoin de manger! Comment ça?

— Ce serait assez long à expliquer. Disons que je puise mon énergie autrement que dans les aliments terrestres.

— Ben moi, gémit le garçon, j'aurais aimé puiser mon énergie dans une belle grosse cuisse de poulet terrestre.

Nadia tenta une diversion:

— Tu avais promis de nous expliquer les rêves que nous avons faits.

L'homme aux yeux azur acquiesça d'un signe de tête.

— Il faut que vous sachiez en premier que ces rêves n'étaient pas le fruit de votre imagination. Ces événements, vous les avez vraiment vécus. Par le rêve, vous avez tout simplement ramené de très anciens souvenirs provenant d'un lointain passé, d'une vie antérieure.

Steven trouva l'explication passionnante.

— Une vie antérieure! Tu veux dire une vie que j'ai vécue avant de vivre la vie que je vis maintenant?

— Ouf! laissa échapper Caroline, fortement impressionnée par la maîtrise de la syntaxe du garçon.

Guidor prit quelques secondes afin de bien saisir le sens de la phrase.

— C'est bien cela.

— Alors, j'ai vécu dans un temple sacré et on m'a tiré dessus, pour vrai?

— Oui, Steven, confirma Guidor en souriant. Je vous ai permis de revivre ces événements parce qu'ils ont été des points tournants dans vos existences respectives. De plus, bien que ces événements se soient déroulés dans des endroits très différents, ils ont tous un point en commun... ou disons plutôt, une personne en commun.

— Une personne en commun? répéta Caroline.

— Je ne vois pas, avoua Nadia. Tu peux nous donner un indice?

— Oui, très bientôt. Pour le moment, je vais vous laisser terminer votre repas. Ensuite, je vous donnerai d'autres explications.

— Ha! Pourquoi pas tout de suite? se lamenta Steven.

— Après les explications, je vous ferai vivre une nouvelle expérience très intéressante. Mais c'est une expérience qui demande de l'énergie, beaucoup d'énergie. Ce repas est donc très important. Après le dîner, nous en reparlerons.

Steven regarda son assiette, hésita une seconde et se mit à en dévorer le contenu.

***

L'imposante salle des communications du continent creux bourdonnait d'activité. De son poste d'observation surplombant la salle, Krash-Ka faisait les cent pas. À quelques mètres en retrait de son souverain, dame Haziella demeurait en constante communication avec un des officiers du plancher, situé cinq mètres plus bas.

— Merci, capitaine, je vais en aviser l'empereur.

La conseillère coupa le contact et rejoignit son maître.

— Votre Grandeur...

Sans se retourner, d'un signe de la main, Krash-Ka autorisa l'intrusion. La conseillère poursuivit.

— On m'informe à l'instant que le nombre de sphères n'a pas augmenté depuis 24 heures.

— Et c'est une bonne nouvelle? maugréa l'empereur.

Prudemment, la conseillère répondit:

— L'invasion semble terminée. Par contre, elles se déplacent lentement comme si elles cherchaient des positions bien précises.

— Elles se positionnent pour une attaque concertée?

La conseillère demeura silencieuse.

— Alors ces sphères lumineuses, elles servent à quoi? rugit l'empereur.

Baissant les yeux, dame Haziella dut avouer:

— Nul ne le sait encore, Votre Grandeur.

— Et votre agent de surface, ce super-agent si arrogant, qu'attend-il pour nous donner des réponses?

— Je vais me renseigner, Votre Grandeur.

— Alors, faites-le sur-le-champ. Je sens que ces sphères sont une menace pour notre empire. Il nous faut rapidement des informations sur ces envahisseurs.

— Il sera fait selon vos ordres, mon seigneur.

Progressant à reculons, la tête baissée, la conseillère se dirigea rapidement vers la sortie, trop heureuse de ne pas avoir à subir plus longtemps l'impatience et la colère de Krash-Ka.

***

Le repas terminé, Guidor invita le groupe à le suivre jusqu'à une petite clairière surplombant un lac, niché au cœur de la vallée. Maintenant assis en demi-cercle à même le sol, le trio faisait face au guide de lumière. Guidor prit la parole.

— Vous allez vivre dans quelques minutes une expérience fort particulière.

— Nous allons encore faire un rêve ? s'enquit Caroline.

— J'ai hâte de voir où j'vais me retrouver, gloussa Steven.

Guidor laissa les enfants se calmer et poursuivit ses explications.

— Cette fois-ci, ce sera différent. Chacun à tour de rôle, vous revivrez une partie de votre rêve précédent et le plus intéressant, c'est que tous les membres du groupe pourront y participer à titre d'observateurs. Le rêve sera commun pour tous les trois.

— Je vais voir Nadia en prêtresse ? demanda Steven, tout excité.

— En effet, répondit Guidor, et Caroline en princesse.

Caroline ne put réprimer un léger sourire de satisfaction et avec une petite pointe de snobisme, elle se permit d'ajouter :

— Et Steven en jeune serviteur.

Un léger ton rosé colora les joues et les oreilles du garçon, mais Guidor ne lui laissa pas le temps de répliquer. Il désamorça la situation en précisant sur un ton enjoué :

— Je te précise, Caroline, que ce jeune serviteur se préparait à devenir le futur grand prêtre du temple.

— C'est vrai ? dit Caroline.

Tournant légèrement la tête vers le garçon, elle ajouta, à mi-voix, sur un ton neutre :

— Excuse-moi, Steven.

Guidor, satisfait de la tournure des événements, poursuivit son enseignement.

— Toute recherche intérieure, toute recherche qui vient du cœur doit se faire dans la quiétude et la sérénité. On ne peut rien découvrir en vivant des émotions négatives. Cette petite altercation entre Caroline et Steven n'a pas de conséquences très graves, mais afin de purifier toutes les vibrations, il serait bon pour tous de pratiquer un exercice de relaxation avant de commencer notre voyage dans le rêve.

— Un exercice de relaxation ? Va-t-on encore dormir ? demanda Caroline.

— Pas du tout, répondit Guidor. Au contraire. Tu seras encore plus consciente qu'à l'accoutumée.

S'adressant au groupe, il ajouta :

— À l'aide de respirations contrôlées, vous allez prendre conscience de chaque partie de votre corps, de la pointe des pieds jusqu'à la tête.

Suivant les consignes de Guidor, Nadia, Caroline et Steven s'étendirent sur le sol, les pieds orientés vers leur guide. Ce dernier, assis dans la position du lotus, prodigua de nouvelles explications.

— Afin de vivre sereinement cette expérience, nous devons harmoniser nos vibrations. Pour ce faire, vous devez augmenter la puissance énergétique de votre corps. Gardez les yeux fermés et écoutez ma voix.

Guidor laissa les esprits se calmer, puis suggéra :

— Inspirez profondément par le nez et retenez votre respiration quelques secondes. En même temps, concentrez-vous sur l'énergie qui se dégage de vos pieds… Poursuivez vos inspirations et lorsque vous éprouverez une sensation de fourmillement, concentrez-vous alors sur vos chevilles, ensuite sur vos jambes, vos genoux, vos cuisses et ainsi de suite sur toutes les parties de votre corps.

***

Dans la salle d'audience du continent creux, Krash-Ka observait attentivement ses écrans. Il devenait de plus en plus impatient et sélectionnait rageusement, sur un clavier intégré à sa table de travail, ses sources d'information. Sur différents écrans, incrustés dans le mur, apparaissait le contour des continents de surface ainsi que la position des sphères de lumière. Dans un autre cadre défilaient à toute allure des informations numériques.

— Des hypothèses, ce ne sont que des hypothèses ! Je veux des faits ! hurla-t-il en écrasant de son poing griffu le tableau de commande.

Un feulement attira l'attention de Krash-Ka. Sur le seuil d'une porte dérobée apparut la conseillère, visiblement mal à l'aise. Elle fit un pas hésitant et la porte se referma derrière elle. Krash-Ka s'en détourna. Il fit mine de s'intéresser à ses écrans.

— Alors? grogna-t-il.

La conseillère prit une grande respiration. Se préparant à affronter la fureur de son maître, elle avança vers ce dernier à pas feutrés. Sur un ton qui se voulait le plus neutre possible, elle annonça prudemment:

— Il semblerait que notre agent de surface soit de retour.

— Il était temps! Toute cette affaire commençait à m'énerver sérieusement. Annoncez-lui que je lui accorde une audience.

La grande conseillère, gênée, demeura sur place. Krash-Ka s'en aperçut et la fusilla du regard.

— Quoi encore…?

Cette dernière se sentit obligée d'avouer :

— Notre agent n'a pas demandé d'audience, Votre Grandeur.

Toujours aussi mal à l'aise, elle poursuivit:

— D'après les sources que nous possédons, il semblerait qu'il se soit rendu directement chez le Globulus.

— Chez le Globulus? Et pour quelle raison?

— Nous n'en savons rien, Votre Grandeur. Le plus étrange est que, dès l'arrivée de son visiteur, le Globulus a mis en place les doubles cloisons étanches de son domaine.

— Une rencontre secrète et privée? suggéra l'empereur.

— Cela en a toutes les apparences, Votre Grandeur. Dois-je le convoquer sur ordre impérial?

— Non, répondit l'empereur après quelques secondes de réflexion. Un interrogatoire officiel serait inutile. C'est un agent très intelligent et il n'aurait aucune peine à nous dissimuler des informations.

— Comme il vous plaira, Votre Grandeur.

— Donnons-lui plutôt le bénéfice du doute. Cette rencontre avec le Globulus n'est peut-être qu'une vérification de données avant de nous faire son rapport...

— C'est possible, déclara dame Haziella sur un ton dubitatif.

— Mais soyons tout de même prudents, ajouta le Krash-Ka. Programmez une surveillance discrète de cet agent et tenez-moi au courant.

Avec un léger sourire complice, la grande conseillère inclina la tête et sortit.

***

Ils étaient sept à progresser lentement dans l'étroit passage creusé à même le roc. Leurs pieds touchaient à peine le sol, leur corps diaphane émettait une légère aura bleutée. Un à un, ils pénétrèrent au cœur de la grotte blottie dans les profondeurs d'un pic enneigé du Tibet. Posément, ils firent un cercle autour d'une estrade de pierre où reposait un imposant cristal lumineux. D'une hauteur de près de trois mètres, le monolithe rayonnait dans toutes les directions et dispensait une douce lumière fluctuant dans différents tons de turquoise. Après une courte pause, le groupe des sept, à l'unisson, entonna une douce mélopée. Progressivement, la lumière du cristal vira au bleu azur et devint éblouissante.

***

La mélodie traversa l'espace et atteignit l'esprit de Guidor. Ce dernier ouvrit les yeux et sourit. La communion des âmes avait atteint ses protégés. La période de relaxation terminée, Guidor amena délicatement le trio dans le rêve de Nadia.

— Continuez à respirer lentement. Sans ouvrir les yeux, vous imaginez un grand écran, comme un écran de cinéma. Vous allez voir apparaître des images, mais ne faites pas d'efforts. Vous n'avez pas à créer ces images. Elles viendront à vous une à une. Vous n'avez qu'à les regarder. Par la pensée, je serai avec vous à tout moment et je vous guiderai dans ce fantastique voyage.

Le trio plongea alors dans le rêve de Nadia. Ils y retrouvèrent Guidor à bord d'un petit voilier. Leur guide avait fière allure dans sa toge finement brodée. Un pied sur le bastingage, une main agrippée à un cordage, l'homme observait calmement l'océan. À la proue du navire, une étrange sculpture composée de deux visages souriants fendait la brise. La voix de Guidor s'imposa au bruit des vagues et déferla dans l'esprit des trois témoins de la scène. Avec douceur, il situa l'action dans le temps.

« À l'époque de l'Atlantide, il y a de cela plus de huit mille ans, j'étais connu comme un marchand prospère faisant commerce entre les différentes cités de la côte africaine. Au retour de chacun de mes voyages, je m'arrêtais au temple de la lumière céleste. »

Sur les écrans mentaux se dessina un rivage. Près d'une petite rotonde, une jeune fille faisait des signes de la main.

— Prêtresse, prêtresse ! Regardez qui nous arrive !

Sur ces mots, la jeune fille gravit un vieil escalier de pierre et rejoignit sa maîtresse. Plus haut, au cœur des colonnades, une jeune femme, alertée par les cris joyeux de sa servante, leva la tête et scruta l'océan. Quand elle reconnut les bannières du marchand, un large sourire se dessina sur son visage.

« À la fin de chacun de mes périples, je rendais grâce pour ma bonne fortune en remettant à la grande prêtresse un don, destiné à remercier les dieux de m'avoir permis de faire un excellent voyage. J'étais en vue du temple lorsque survint le tragique événement. »

Soudain, les images basculèrent. Venue des profondeurs de l'océan, une gigantesque vague déferla vers le rivage. Nadia, dans son image de prêtresse, fut submergée par les flots. Le navire, ballotté en tous sens, plongeait entre deux crêtes d'écume. Guidor le marchand se tenait péniblement aux cordages de son navire. Son attention fut alors attirée par un cri : « À l'aide ! »

Il chercha dans les lames d'écume, mais ne distingua rien. Il assura sa prise aux cordages et scruta de nouveau les flots agités. Le bras d'une femme apparut dans le creux d'une vague. Le marchand plongea et nagea vers la prêtresse en détresse. Cette dernière refit surface quelques secondes et demanda à nouveau de l'aide. L'homme redoubla d'ardeur. La femme coulait à pic. L'homme plongea et la ramena à la surface, mais elle était maintenant inconsciente.

Un hurlement couvrit le bruit des vagues. L'homme leva la tête : haut dans le ciel, trois oiseaux menaçants laissèrent échapper un trait de craie dans le ciel azuré.

Nageant d'un seul bras, l'homme chercha son embarcation. Mais le navire laissé à lui-même, ballotté par les flots, chavira au passage d'une grande vague. L'homme se tourna alors vers la berge. Il tenta bien d'atteindre le rivage, mais au moment où tous les espoirs étaient permis, un grondement sourd secoua la terre. Il assista alors, impuissant, à l'engloutissement du continent de l'Atlantide. Une vague déferla sur le couple, qui disparut à tout jamais dans les flots.

***

Couchés sur le sol, Nadia, Caroline et Steven s'agitèrent. Guidor observa sur leur visage une grande tension. Dans un arc de cercle, il dirigea la paume de sa main droite vers le visage des trois Terriens.

***

Au cœur du domaine de Shangrila, le grand cristal rayonnait maintenant de mille feux. À l'unisson, les sept sages entonnèrent une série de sons composés de voyelles, une octave plus bas que le do central.

***

Dans la Vallée du silence, les traits crispés de Nadia, Caroline et Steven se détendirent lentement.

Le trio plongea alors dans le rêve de Caroline, où ils reconnurent immédiatement Guidor, sur le rempart d'un temple, marchant en compagnie de Pharaon. Au loin, on devinait les silhouettes de deux pyramides dont l'une semblait encore en construction.

Guidor reprit mentalement la parole et situa de nouveau l'action dans le temps.

«En des temps très lointains, inconnus des historiens d'aujourd'hui, existait la toute première et la plus importante civilisation égyptienne. Déjà, un pharaon régnait sur cet empire. Ce pharaon avait un frère.»

Sur les écrans mentaux des trois voyageurs se dessina le visage de Guidor. Il était debout dans l'un des temples intérieurs du palais, parmi les prêtres et les ouvriers vaquant à leurs tâches respectives. S'affairant à donner des instructions à un serviteur, il ne remarqua pas immédiatement le long sillage de feu déchirant le ciel. Et soudain, ce fut l'attaque.

Guidor déposa son écritoire de cire sur un banc de marbre et marcha d'un pas rapide entre les grandes colonnades menant au cœur du palais. Par une ouverture, il vit soudain passer la princesse Phyassap courant à toute allure. Il reconnut par la suite la voix du pharaon criant le nom de la princesse. Guidor venait à peine d'obliquer dans leur direction lorsqu'une puissante explosion ébranla les fondations du temple. Sur les appuis des colonnes, les travées de calcaire surplombant la cour intérieure devinrent instables et commencèrent à se fissurer. Une pluie de pierres s'abattit sur Guidor. Évitant de justesse les plus gros éclats, il se rua vers l'ouverture. Au même moment passa, sur les traces de la princesse, le pharaon se protégeant la tête.

Sur une saillie débordant la cour intérieure, la princesse demeurait maintenant immobile et apeurée. Le pharaon la rejoignit et la prit dans ses bras en tentant de la rassurer. Au-dessus de leur tête, un appareil mystérieux traversa le ciel en crachant un jet de feu dans un bruit de tonnerre. Un grondement retentit et une colonne monumentale du temple s'écroula dans la direction du père et de sa fille. Un bras puissant projeta le couple par terre. C'était Guidor qui venait de se jeter sur eux afin de les protéger.

«Lorsque la poussière retomba, je me rendis compte avec bonheur que le pharaon, mon frère, était sain et sauf. Malheureusement, la jeune princesse n'avait pas eu autant de chance. Témoin impuissant, je regardai le pharaon pleurer sur le corps de sa fille.»

***

Sur la colline du silence, les traits crispés des trois voyageurs oniriques trahissaient une grande anxiété. Chez Caroline, le souffle était court. Une larme perla sur sa joue.

***

Toujours réunis en cercle parfait, les sept sages poursuivaient leur étrange rituel. Au centre du cercle, le grand cristal rayonnait maintenant d'une teinte rosée. Tous ensemble, ils entonnèrent une nouvelle série de sons composés de voyelles, à présent sur l'octave du do central.

***

Face à Guidor, les trois êtres en méditation retrouvaient lentement leur état de quiétude.

Le trio plongea cette fois-ci dans le rêve de Steven. Sur les écrans mentaux se matérialisa l'intérieur d'un temple donnant accès à une petite chapelle. Un peu en retrait, un homme priait aux pieds d'un gradin menant à un petit autel.

Guidor reprit mentalement la parole et situa de nouveau l'action dans le temps.

« Durant des millénaires, aux quatre coins de la Terre, des hommes et des femmes se sont préparés, dans des temples sacrés, à servir, au nom de leur foi, un être suprême. Afin de les aider dans leur cheminement spirituel, des guides supervisaient la démarche de ces postulants en leur prodiguant une formation toute particulière. Sur un territoire de l'hémisphère sud, bien avant l'avènement de l'empire inca, je fus l'un de ces guides. »

Douze torches disposées de chaque côté d'un grand escalier de pierre éclairaient un petit autel situé à son sommet. Derrière cet autel, un grand disque de pierre, gravé de dizaines de symboles sacrés, trônait majestueusement. Au pied du grand escalier, un jeune garçon attendait un peu à l'écart. Il tenait sur ses bras un coussin finement décoré. Sur ce dernier reposait une dague de cristal miroitant sous la lueur des torches. Guidor, responsable de la formation du garçon, hocha discrètement la tête. À ce signal, le garçon marcha vers l'escalier menant à l'autel sacré. Il s'arrêta près du grand prêtre et jeta un coup d'œil dans la direction de Guidor. D'un nouveau signe de tête, celui-ci lui confirma que tout se passait bien. Sur le visage du garçon rassuré se dessina un léger sourire.

Soudain, un grondement violent résonna dans le temple. Le garçon, apeuré, se tourna vers son instructeur. De la main, Guidor le calma et lui fit signe de demeurer sur place. Il quitta ensuite le temple par une petite porte latérale. Le jeune servant ne quitta pas la petite porte des yeux jusqu'au moment où son attention fut attirée par un geste du vieux prêtre. Le célébrant commença à gravir les marches menant au grand disque solaire. Le garçon emboîta le pas.

« Il me sembla n'avoir quitté le temple que quelques minutes, avoua Guidor, mais mon absence fut plus longue que je l'avais cru. À mon retour dans le temple, une triste vision m'attendait. »

La petite porte s'ouvrit. Guidor apparut, une épée à la main. Tombant à genoux, il découvrit, avec horreur, le prêtre et le garçon assassinés.

« Durant un instant, j'ai craint pour la sécurité de la dague sacrée, mais lorsque j'ai vu que le disque solaire était redescendu dans sa niche et que le garçon était étendu près de celle-ci, j'ai compris que la dague était de nouveau en lieu sûr. Le jeune servant venait d'accomplir le geste le plus important de sa courte vie. »

***

Sur la colline du silence, Nadia et Caroline présentaient des visages crispés. Chez Steven apparut un masque de colère qui se transforma en tristesse. Lentement, il serra les poings.

***

Dans le domaine de Shangrila, les sept sages entonnèrent une série de sons composés de voyelles sur l'octave au-dessus du do central.

***

Nadia et Caroline reprirent lentement un air décontracté. Steven desserra lentement les poings. Les trois membres du groupe ouvrirent les yeux en même temps. Steven fut le premier à s'exprimer. Toujours assis sur le sol, appuyé sur les coudes, il lança :

— Wow ! C'était super !

— Cela t'a plu ? demanda Guidor.

— Tu parles ! s'exclama le garçon. C'est beaucoup plus excitant que le cinéma 3D !

— Avec de la pratique, des exercices de méditation et un guide pour baliser le chemin, vous pourrez bientôt refaire ce genre d'expérience.

— Quand ? Demain, suggéra Steven emballé.

Caroline, déjà debout, demanda, intriguée :

— Guidor, tous ces soldats portaient bien le même genre de médaillon ?

— En effet, admit Guidor.

— Un médaillon très étrange, ajouta Nadia, méditative. Il contient un dessin qui me rappelle vaguement quelque chose.

À l'aide d'une brindille, Caroline, à genoux, appuyée sur ses talons, reproduisit le symbole sur la terre battue et précisa :

— Et le même dessin se retrouvait gravé sur le vaisseau qui a attaqué le temple de l'Atlantide et la pyramide. Un triangle dans un carré. Il y a un lien entre tout ça ?

— En effet, confirma Guidor, il y en a un, mais c'est une très, très longue histoire.

CHAPITRE VI

La Vallée du silence portait bien son nom, mais on aurait pu tout aussi bien lui en donner un autre, celui de Vallée de la paix. Ici, tout respirait la quiétude et l'harmonie. Les conifères et les fleurs sauvages mariaient leurs odeurs dans un doux bouquet de parfums apaisants. Les feuillus, les cascades et les ruisseaux composaient une mélodie à laquelle les oiseaux chanteurs et les insectes musiciens ne pouvaient résister. Tous participaient à l'unisson à cet hymne dédié à la nature, porté par la brise légère aux quatre coins de la vallée. La Vallée du silence était un endroit vraiment merveilleux... avant l'arrivée de Steven.

— Ta-ta-ta-ta-ta-ta-ta !

Adossé à un arbre, Steven mitraillait une armada de vaisseaux ennemis imaginaires. Les pieds calés entre les grosses racines d'une vieille souche, le garçon se servait de cette dernière comme support à sa mitraillette taillée dans une longue branche. Près de lui, accroché à un arbre, pendait l'ordinateur portable de Nadia. Sur son écran, on devinait un dessin grossier du symbole ennemi. Coiffé d'un seau en fer blanc en guise de casque protecteur, il lança victorieusement :

— Et un autre vaisseau ennemi descendu !

— Tu ne pourrais pas descendre tes vaisseaux en faisant moins de bruit ? suggéra Caroline.

Depuis la disparition des moustiques, la jeune fille profitait de tous ses moments libres pour se faire bronzer sous les chauds rayons d'été. Dans son maillot deux-pièces improvisé, sa peau déjà dorée se découpait joliment sur la grande serviette blanche déposée négligemment à même le sol.

Sans relâcher son attention et toujours à l'affût d'un nouvel ennemi, le jeune gardien du chalet déclara :

— C'est impossible. Mon canon est trop puissant.

Sur un ton ronflant, il ajouta :

— Et ça prend de la puissance pour détruire ces envahisseurs... Ha ! En voilà un autre ! Ta-ta-ta-ta-ta-ta... Zut ! Raté.

Exaspérée par un tel tapage, Caroline se releva sur un coude, ramassa une petite pierre, ajusta soigneusement son tir et visa le casque de fortune du garçon. Le projectile atteignit sa cible. Un « bong » sonore résonna entre les oreilles de Steven qui ouvrit de grands yeux. Pris par son jeu, il hurla :

— Ha ! Malédiction, je suis touché !

Dans un grand geste pathétique, il déclama :

— ...mais pas touché mortellement et j'aurai la peau de tous ces salauds. Ta-ta-ta-ta-ta-ta !

Ne voyant pas d'issue à cette confrontation, Caroline concéda la victoire. Elle se leva en ramassant sa serviette. Marchant en direction du chalet, elle passa près de Steven et fouetta l'épaule du garçon du bout de sa serviette.

— Tes fameux ennemis ont existé il y a plus de huit mille ans. Alors, reviens sur terre. Tu as peu de chance d'en rencontrer un aujourd'hui.

***

Le symbole trogolien était pourtant bien présent sur la navette glissant silencieusement dans les profondeurs du continent creux. Encore une fois, Sygrill avait rendez-vous avec le Globulus. Ayant atteint ce secteur peu fréquenté de l'empire, il quitta le tapis de transport et emprunta le corridor menant vers les grandes portes d'acier du domaine du Globulus. Mais cette fois-ci, il n'était pas seul dans ce passage habituellement désert. Derrière lui, une voix tranchante l'interpella.

— Vous êtes un agent secret vraiment... très secret. Vous n'êtes pas facile à rencontrer, agent Sygrill.

Du premier coup d'œil, l'agent reconnut la nouvelle venue. Sans perdre sa contenance et sur un ton faussement obligeant, Sygrill répondit simplement :

— Mes respects, grande conseillère.

Et il attendit la suite en prenant l'attitude de l'enfant qui vient de naître.

Dame Haziella était passée maître dans l'art de la dérobade. Elle sut donc apprécier à sa juste valeur la réaction de l'agent. La rencontre se transforma insensiblement en une confrontation opposant deux maîtres des échecs. En ce moment, l'agent portait son uniforme gris acier. Quant à elle, la conseillère cachait partiellement un chemisier blanc sous sa cape. On lui offrait donc de déplacer la première pièce. Elle fit quelques pas en direction de l'agent.

— L'empereur est un peu déçu et même... disons fort contrarié. Vous n'avez pas encore présenté votre rapport, à ce que je sache ?

— Je vous ai pourtant expédié, il y a quelques jours…

— Oui, je sais. Une fabulation sur des êtres provenant de Vénus… et quoi encore ? ajouta-t-elle en haussant les épaules.

— C'est pourtant une hypothèse de travail très documentée qu'il me semble important de vérifier, répliqua l'agent.

En l'absence de l'empereur, dame Haziella pouvait enfin profiter pleinement de sa stature. Le corps et les jambes bien droites, elle n'hésita pas à s'imposer physiquement à l'agent. Intentionnellement, les broderies de sa robe raclèrent le tissu râpeux de l'uniforme de l'agent, forçant l'attention de ce dernier vers elle. De sa hauteur, elle prévint Sygrill :

— Notre illustre empereur n'apprécie pas les contes de fée. Il désire un rapport complet contenant de vraies réponses. Inutile de vous préciser que ce rapport est très attendu et que notre souverain est peu patient.

— Vous m'en voyez désolé, grande conseillère, répondit Sygrill en demeurant sur ses gardes.

Haziella contourna lentement l'agent, obligeant ce dernier à pivoter sur lui-même.

— Un tel retard pourrait être interprété comme un manque de respect envers votre empereur.

— C'est de présenter un rapport incomplet qui serait un manque de respect, rétorqua l'agent.

— Vous n'avez donc encore rien trouvé?

— Au contraire, il y a des développements très intéressants. Et c'est pourquoi j'ai tenu à rencontrer le Globulus.

— Pour la troisième fois, souligna la conseillère.

Sans se démonter, l'agent Sygrill expliqua:

— Le Globulus est une très grande source de savoir et chaque rencontre me permet de vérifier mes hypothèses. Je lui en suis très reconnaissant.

— Je peux apprécier un tel souci d'exactitude, mais je crains que notre empereur ne partage pas ce sentiment. Il serait prudent de le rencontrer le plus tôt possible. Disons immédiatement.

Comprenant que la suggestion signifiait un ordre, l'agent déclara, sur le ton le plus naturel:

— Comme il vous plaira, grande conseillère.

— Naturellement, précisa cette dernière, il est inutile d'informer sa grandeur de la présente rencontre.

— Naturellement, confirma l'agent.

***

Avec l'aide de Caroline, Nadia déplaça vers le salon la longue table de cuisine.

— Nous allons profiter de cette journée grise pour développer tes talents refoulés.

Tout en rapprochant les deux grands bancs l'un en face de l'autre, elle ajouta :

— Premièrement, il faut que tu saches qu'il n'y a pas que le sang qui circule à travers tout le corps. Il y a également des énergies électromagnétiques.

Maintenant assises face à face, leurs mains se touchaient à peine du bout des doigts. Lentement, Nadia éloigna ses mains de quelques centimètres de celles de la jeune fille.

— Est-ce que tu ressens une certaine chaleur ou de légers picotements ?

— C'est vrai ! s'exclama Caroline, tout excitée par cette découverte.

— Malgré la distance qui nous sépare, l'énergie passe par l'extrémité de nos doigts.

— Et cette énergie, nous venons tout juste de l'activer ou est-ce que c'est permanent ?

— Nous émettons constamment des énergies par l'extrémité de nos doigts.

— Je ne m'en serais pas doutée, avoua la jeune fille.

— Est-ce que tu comprends mieux maintenant l'expression : « On ne pointe pas quelqu'un du doigt » ?

— On m'a toujours répété que ce n'était pas poli.

— Et pour certains, c'est même intolérable.

— À ce point ?

— Chez les personnes très sensibles aux énergies corporelles, c'est l'équivalent de leur postillonner au visage.

— Ouf ! À l'avenir, je vais garder mes mains dans mes poches, répondit-elle sur un ton rieur.

Ayant retrouvé son sérieux, Nadia poursuivit :

— Place maintenant tes mains l'une en face de l'autre.

La jeune femme donna l'exemple. Caroline imita le geste. Après quelques secondes, elle annonça joyeusement :

— Je ressens de nouveau de légers picotements et de la chaleur.

— Ton corps travaille un peu comme une pile électrique. L'énergie emmagasinée en toi passe par chacun de tes bras. Une de tes mains devient un pôle positif et l'autre, un pôle négatif. C'est le passage de l'énergie entre tes mains qui crée cette sensation de picotement.

— C'est amusant! C'est la première fois que je fais cette expérience.

— Le plus formidable est que nous pouvons tous tenter cette expérience et cela fonctionne pour tout le monde. Bon, passons à autre chose maintenant...

*
✱✱✱

Krash-Ka faisait les cent pas. Dame Haziella observait. L'agent Sygrill attendait.

Lorsque le souverain contourna l'imposant bureau impérial, ses gestes saccadés trahissaient son impatience et sa mauvaise humeur. Il s'arrêta enfin et se tourna vers l'agent.

— Et c'est tout ce que vous avez à me communiquer?

— C'est un dossier très complexe, Votre Grandeur, et l'information est difficile à obtenir, répondit Sygrill.

Sur un ton ironique, Krash-Ka précisa:

— Malgré un branchement sur le cœur de notre ordinateur?

— Hélas, oui.

Jetant un coup d'œil à la conseillère, il ajouta:

— J'ai même dû mettre à contribution la puissance et les connaissances du Globulus.

— Que sait-il de plus que notre ordinateur central?

Prudemment, l'agent répondit:

— Peu de choses. Sauf que c'est un cerveau biologique! Il peut donc faire des suggestions par intuition. C'est très profitable, Votre Grandeur.

Sans prendre la peine de regarder l'agent, Krash-Ka déclara froidement:

— Vous pouvez disposer.

— À votre service, Votre Grandeur.

Sygrill salua de la tête, fit trois pas à reculons, puis quitta la pièce. Après son départ, Krash-Ka se dirigea en grognant vers son fauteuil impérial, s'assit, réfléchit quelques secondes et confia à Haziella :

— Je sens qu'il nous cache quelque chose.

— C'est évident, mon seigneur. Et je suis certaine que c'est très gros.

— À ce point ?

— Le Globulus n'accepterait pas trois rencontres avec un modeste agent de surface sans une raison majeure. Ils ont une idée en tête et ça ne me plaît pas.

La conseillère fit quelques pas vers son maître, pointa la porte que l'agent venait tout juste d'utiliser et ajouta :

— J'ai dû insister pour le faire venir et je lui ai promis de ne pas vous le mentionner.

— Pourquoi cette promesse ?

— Pour gagner sa confiance. On ne sait jamais. Avec le temps, il me fera peut-être des confidences.

Et avec un sourire complice, elle ajouta en haussant malicieusement les épaules :

— Entre amis...

L'empereur éclata de rire.

— Vous êtes vraiment machiavélique... et j'aime ça.

***

Dans un buisson touffu, deux yeux malicieux surveillaient sournoisement la porte du chalet. Nadia en sortit la première. Appuyée à la rampe de la galerie, elle jeta un coup d'œil à la ronde et fit un appel discret.

— Steven !... Steven !

Caroline rejoignit la jeune femme.

— C'est étrange, nous n'avons pas vu Steven depuis le déjeuner, remarqua Nadia.

— Sois sans crainte, Nadia. Le connaissant, il va sûrement apparaître juste avant le prochain repas.

En partie rassurée, Nadia donna le signal du départ.

— Alors on y va seules. Dommage pour lui! Il ne pourra pas profiter de la magnifique talle de fraises des champs que j'ai découverte ce matin.

Les deux jeunes femmes n'avaient fait que quelques pas sur le terrain lorsqu'une surprise s'abattit sur eux.

— Ha... Mais qu'est-ce que c'est que ça? demanda Caroline.

Un immense filet artisanal enveloppa les deux femmes, rendant tout mouvement difficile. Steven sortit précipitamment de sa cachette en gesticulant et sautant de joie.

— Yé! Ça marche.

— Steven, peux-tu nous expliquer? demanda Nadia qui ne partageait visiblement pas l'euphorie du garçon.

— C'est mon nouveau piège pour capturer les ennemis au mystérieux symbole. C'est super, pas vrai?

— Ouais! Super! reconnut Caroline qui tentait, de façon malhabile, de se libérer du filet.

Avec des yeux horrifiés, Nadia examina Steven de la tête aux pieds.

— Steven! Où es-tu passé? Tu es tout sale!

— J'suis pas sale. C'est mon camouflage de commando. Je suis en mission spéciale.

— En mission spéciale, répéta Nadia tout en se dégageant du filet.

Caroline libéra une mèche de cheveux coincée dans une maille du filet et se frappa la nuque de la main.

— Si tu cherches une mission vraiment utile, tu pourrais peut-être tenter de communiquer avec le déva des moustiques. Je crois qu'ils sont revenus en force.

— Le déva des moustiques, grommela Steven en perdant son sourire. On n'est pas vraiment copains. Nadia aurait plus de chance que moi.

— Je n'ai pas le temps pour le moment. Nous allons cueillir le dessert de ce soir.

— Je peux y aller aussi ?

— Pas question, répondit Caroline sur un ton guindé. Avec ton... déguisement, tu ferais peur aux fraises.

***

Sygrill écoutait avec attention les précieuses explications du Globulus. Sur un immense écran mural, celui-ci fit apparaître le contour des cinq continents et commenta l'image.

— Tous les points brillants représentent la dernière position connue des sphères de lumière.

— Il y en a vraiment autant ?

— Oui. Et certains points sont doubles, voir triples.

— Si nous connaissons leur position, pourquoi ne pas les détruire tout simplement ?

— Parce que ce n'est pas aussi simple. Il semblerait que les sphères de lumière sont associées à des individus. De plus, ces sphères sont très difficiles à repérer puisqu'elles n'ont pas de densité matérielle. Elles sont pure énergie. Elles émettent des vibrations à des fréquences très élevées, celles de la pensée.

— La pensée, répéta l'agent. Certains Terriens prétendent communiquer à distance par la pensée, mais moi, je ne suis pas télépathe. Alors, en quoi puis-je vous être utile ?

— Vous êtes toujours responsable du secteur 777 ?

— En effet.

— Il y a un point lumineux dans ce secteur. Étudiez bien la carte.

L'image se brouilla et une nouvelle illustration plus détaillée apparut. Le Globulus poursuivit ses explications.

— Une sphère de lumière a été localisée dans le nord de votre secteur. Déjà, avant même l'arrivée des sphères de lumière, ce point coïncidait avec un nœud tellurique très puissant.

— Un nœud tellurique? Qu'est-ce que c'est encore?

— La surface de la planète est sillonnée de courants telluriques créés par les champs magnétiques enclavant l'enveloppe terrestre. Lorsque ces courants se croisent, ils forment une grille plus ou moins régulière. À la jonction de ces courants, il y a création de nœuds telluriques. Certains Terriens connaissent bien l'existence des courants telluriques. On les appelle souvent des sourciers.

— C'est un terme que j'ai déjà entendu. Les humains utilisent leurs services pour rechercher des sources d'eau potable, des rivières souterraines et trouver ainsi les meilleurs emplacements pour le forage d'un puits.

— C'est exact. Ces humains utilisent justement une baguette de sourcier ou travaillent avec un pendule.

L'agent s'approcha de la carte et se mit à l'examiner plus en détail.

— Et pourquoi ce triangle sur la carte?

— Depuis l'apparition des sphères, toute la région comprise à l'intérieur du triangle semble protégée par une énergie très particulière. Et dans le secteur nord, cette protection est encore plus considérable.

— Un tel déploiement d'énergie sous-entend sûrement des secrets importants à protéger, rétorqua Sygrill.

— C'est évident. Et c'est là que vous entrez en jeu, conclut le cerveau sous globe.

***

Telles des abeilles en quête de nectar, les deux jeunes femmes gambadaient d'une talle de fraises à l'autre. Elles s'en donnaient à cœur joie dans la petite clairière de la Vallée du silence. Nadia écarta du bout des doigts les petites feuilles dentelées et découvrit les jolis fruits rouges.

— Je suis émerveillée par tant de générosité.

— En effet, c'est vraiment formidable, ce que la nature nous donne gratuitement, ajouta Caroline en déposant quelques fruits dans un bol de plastique.

Nadia se pencha, cueillit de nouveau quelques fraises et ne put s'empêcher d'y goûter. Caroline imita son geste et en savoura quelques-unes à son tour.

— Et elles sont vraiment délici...

Caroline ne put en dire plus. Prise d'un vertige, elle soupira simplement : « Nadia » et se laissa choir sur le sol. Nadia enjamba son panier et rejoignit la jeune fille. Tout en se penchant vers le corps inerte, elle demanda :

— Caroline, ça ne va pas ?

L'adolescente ouvrit péniblement les yeux, une main sur le front.

— C'est ma première vision depuis que nous habitons la vallée. Habituellement, lors d'une crise, mon oncle me donnait un calmant.

Serrant Nadia dans ses bras, elle gémit :

— Nadia, j'ai peur.

D'un geste rassurant, la jeune femme caressa les cheveux de Caroline.

— Tu n'as rien à craindre et tu ne requiers aucun calmant ou médicament. Tes visions ne sont pas dues à une maladie ; au contraire, tu possèdes un don merveilleux.

Caroline releva la tête.

— Un don ? Tu le crois vraiment ?

— Si nous nous étions connues plus tôt, j'aurais pu t'aider à développer ton talent de façon beaucoup plus efficace.

— Mais voir toutes ces choses, ce n'est pas normal.

— Plus que tu le penses.

Nadia prit la main de Caroline et l'aida à se relever.

— Beaucoup d'enfants naissent avec ce merveilleux don de vision. Plusieurs parents bien intentionnés, mais ignorants des pouvoirs de l'esprit, étouffent ces dons en pleine croissance. Ils disent à leur enfant qu'il est menteur ou fabulateur, que tout ce qu'il voit est imaginaire.

— Et qu'est-ce qui se passe ensuite?

— L'enfant finit par croire ses parents ou du moins, il n'ose plus parler de ses visions. Progressivement, faute de pratique, il perd son don si précieux.

Caroline subit un nouvel étourdissement, sans toutefois perdre pied, cette fois-ci. Nadia demanda aussitôt:

— Qu'est-ce que tu as vu?

— Une grotte... ou plutôt une immense caverne et au centre, il y avait un immense dôme... Ho! C'était horrible!

***

Au centre de la caverne, le gigantesque cerveau, protégé par son épaisse bulle de verre, poursuivait ses explications, établissait sa stratégie.

— Si nous découvrons les raisons de leur présence, nous pourrons alors préparer un plan d'attaque efficace contre ces envahisseurs.

L'agent prit quelques secondes de réflexion avant de déclarer:

— On ne peut aborder une planète sans prendre contact avec certains de ses habitants.

— En effet. Et pour découvrir les intentions de ces visiteurs, il faut identifier les humains approchés ou contactés par les sphères de lumière.

— Il est peu probable que ces Terriens s'en vanteront publiquement. Comment les découvrir?

— Par la distorsion de la vie courante.

— La quoi?

— Tous ces contacts vont influencer ou modifier les agissements des Terriens touchés par les étrangers. Il sera donc important d'identifier des événements insolites ou des phénomènes inexplicables qui se sont produits ces derniers jours ou qui se produiront dans les prochaines semaines, les prochains mois.

— Quel genre de phénomènes insolites?

— Des gens qui disparaissent, des actions qui semblent illogiques. Bref, tout ce qui sort de l'ordinaire.

***

Sur une grosse souche, assis dans la position du lotus, Steven tentait de se concentrer et de communiquer avec le déva des moustiques, mais l'exercice ne fonctionnait pas très bien. Le garçon se frappa le visage et le corps en pestant contre ses agresseurs.

— Sales bêtes! Si je réussis à me faire entendre par le déva des moustiques, vous allez passer un mauvais quart d'heure!

Guidor sortit du chalet sur ces entrefaites, referma doucement la porte et fit une pause sur le petit perron. Pas très loin, Steven poursuivait, dans une série de mimiques grotesques, ses tentatives de concentration. Amusé par les grimaces du garçon, Guidor s'adossa au mur du chalet, croisa les bras et observa Steven quelques secondes. Le garçon, maintenant debout sur la souche, fouettait l'air à l'aide de sa casquette.

— Fichez-moi la paix cinq minutes! J'ai un déva à contacter.

Toujours adossé au mur du chalet, Guidor fit un pas et s'appuya sur la rampe du balcon.

— Comment espères-tu communiquer avec le déva en ami, lorsque tu traites les moustiques en ennemis?

— Mais c'est à cause des moustiques que je ne n'arrive pas à me concentrer. C'est la faute de ces vampires si je ne réussis pas à contacter le déva.

Guidor hocha la tête, descendit les trois marches du perron et marcha vers le garçon.

— Nous sommes toujours responsables de nos actes et de leurs conséquences. Il est rarement valable de blâmer les autres pour nos problèmes.

— Oui mais...

Steven ne trouva rien à ajouter et fit une grimace boudeuse. Guidor en profita pour clore la discussion :

— Nous allons bientôt préparer le dîner. Tu devrais réfléchir à la question en nous rapportant de l'eau.

Du coin de l'œil, Steven observa la pompe et sur un ton espiègle, il déclara :

— J'aurai peut-être plus de succès avec le déva des pompes.

***

Un timbre clair résonna dans la cabine. Les portes de l'ascenseur s'ouvrirent au trente-deuxième étage. Sygrill en sortit, emprunta le long corridor et tourna à droite devant la baie vitrée donnant accès à ses bureaux. L'endroit était tout illuminé, signe que sa secrétaire vaquait déjà à ses occupations. Il ne la vit pas, mais reconnut le bruit de la photocopieuse cachée dans un petit réduit. Sur le coin du bureau de la secrétaire, il ramassa au passage le journal du matin et poursuivit sa course jusqu'à son bureau. Sygrill referma la porte derrière lui. Il contourna sa table de travail et y lança le journal sans le regarder. Sur la première page du quotidien, on pouvait voir trois photographies : Caroline, la victime, ainsi que les photographies de deux suspects : Nadia et Steven.

L'agent s'installa devant son ordinateur, pianota quelques instructions sur le clavier, se cala ensuite dans son fauteuil et réfléchit à voix haute :

— Trouver des individus aux comportements bizarres et sans lien logique entre eux. Facile à dire !

Après un haussement d'épaules, il ajouta :

— Aussi bien chercher une aiguille dans une botte de foin.

Le départ de l'imprimante attira son attention. L'ordinateur lui cracha une longue liste de noms. Il détacha la dizaine de feuilles noircies par la machine et fit la grimace.

— Quel fouillis! Il faudra des semaines pour épurer et analyser tout ça.

Il se cala de nouveau dans son fauteuil et oublia l'ordinateur. Il porta alors son regard vers le journal déposé sur le bureau et lut distraitement les manchettes de la première page. Au-dessus des trois photos, un titre accrocheur attira son attention: «Kidnapping inexplicable» et dans un caractère un peu plus modeste, on résumait: «Les ravisseurs n'ont toujours pas donné signe de vie». La photo de Caroline retint son intérêt.

— Tiens, tiens, mais c'est la nièce de mon vieux cinglé.

Il ramassa le journal, relut le titre.

— Plus de détails à la page trois...

Il ouvrit le journal et fouilla l'article en question. Son intérêt grandit tout à coup. Il arrêta sa lecture et se permit quelques secondes de réflexion. Afin de bien assimiler l'information, il reprit à haute voix la lecture d'un paragraphe:

— Les principaux témoins recherchés dans cette affaire: un garçon de 13 ans prénommé Steven, bien connu des milieux policiers, ainsi qu'une jeune femme dans la trentaine, Nadia Duval, également connue par la police, mais à titre de collaboratrice des forces de l'ordre pour ses talents dans le domaine de la clairvoyance.

Laissant tomber le journal sur ses genoux, il résuma ses connaissances dans le domaine.

— La clairvoyance, la faculté de voir à distance par la pensée... La pensée!

L'agent fit immédiatement une relation avec les paroles prononcées par le Globulus. «Des vibrations de fréquences très élevées, celles de la pensée.»

Mettant son journal de côté, il retourna rapidement à son écran et consulta de nouveau sa liste informatique. Un sourire méchant apparut sur son visage holographique.

— Caroline, Nadia et Steven. Tous les trois sont sur la liste. Enfin une piste. Voilà peut-être les trois aiguilles dans ma botte de foin.

***

Dans une petite éclaircie, à moins de dix mètres du chalet, une nuée lumineuse scintilla entre les feuillages. Guidor se matérialisa silencieusement. Tout près, on pouvait entendre les récriminations de Steven, peinant sur la pompe, cette dernière ne lui concédant qu'un mince filet d'eau. Le garçon s'arrêta et reprit son souffle. Guidor apparut au coin du chalet et eut un sourire de compassion. Il se concentra à peine quelques secondes sur la pompe. Un torrent jaillit soudain de l'appareil archaïque, remplissant le seau à ras bord et éclaboussant du même coup le garçon.

Témoins de l'incident, Nadia et Caroline, qui s'activaient près d'une corde à linge improvisée, éclatèrent de rire. Revenu de sa surprise, Steven reconnut l'homme contournant un buisson.

— C'est toi qui as fait ça?

D'un large sourire accompagné d'un haussement d'épaules, l'homme avoua son geste.

— Ça alors! reprit le garçon en s'essuyant le visage à même la manche de son t-shirt. Guidor, on devrait te nommer ingénieur des pompes à eau.

Guidor partagea l'euphorie du groupe tout en marchant vers lui. Steven perdit soudain son sourire et lança :

— Non, Guidor, ne passe pas là!

L'avertissement vint trop tard. Guidor fit un deuxième pas et son pied droit accrocha une ficelle dissimulée dans les hautes herbes. Le bris de la ficelle déclencha une réaction en chaîne fort laborieuse qui se termina par l'érection du manche d'un vieux râteau. L'instrument monta vers Guidor et l'atteignit de plein fouet. Le trio osa à peine regarder les conséquences inévitables, mais ils en furent quittes pour une surprise : poursuivant sur sa lancée, le râteau ne rencontra aucune résistance. Il traversa le corps de Guidor d'un seul trait, ne laissant sur son passage qu'une longue traînée lumineuse.

Steven ne put contenir sa surprise et s'exclama :

— Eh ben, toi, t'es pas ordinaire!

Sans tenir compte de cette marque d'admiration, Guidor lui fit gentiment la leçon.

— Fais attention, Steven. Avec tous ces pièges, tu vas finir par blesser quelqu'un.

— Mais c'était pour attraper les méchants gris qu'on a vus dans tous nos rêves, se défendit le garçon.

Nadia, profitant de la brèche, demanda :

— Guidor, à propos de ces fameux voyages… Dans tous nos rêves, il y avait des agresseurs portant tous le même symbole, mais tu étais également présent lors de ces événements.

— C'est vrai.

— Ma question va peut-être te sembler ridicule, mais est-ce que tu étais notre ange gardien ?

— Peuh ! Les anges gardiens ! lança Steven avec ironie.

Mariant le geste à la parole, il ajouta :

— Avec des grandes ailes à plumes, moi, j'crois pas à ça.

— Tu as bien raison, Steven, répondit Guidor sur un ton des plus sérieux.

— Pour vrai ?

— Bien sûr ! Imagine… Si tous les humains avaient près d'eux un ange gardien portant de grandes ailes, tu t'imagines le mélange de plumes que l'on retrouverait dans le métro, lorsque c'est la cohue en fin de journée ?

— Tu te paies ma tête… ?

— Pas du tout ! En fait, pour répondre à la question de Nadia, non, je ne suis pas votre ange gardien… Disons que je suis un guide, une entité terrestre qui n'a plus à se réincarner sur la Terre et qui met ses connaissances au service des mortels.

Tout en ramassant le râteau, Steven jeta un regard en biais.

— Les mortels, c'est nous ?

Guidor acquiesça d'un simple haussement de sourcils.

— Ces guides, il y en a beaucoup ? demanda Caroline, tout en jetant négligemment une dernière serviette sur la corde.

— Énormément.

— Et d'où viennent-ils ?

— Entrons, proposa Guidor. Steven n'a pas encore réussi à communiquer avec le déva des insectes et il y a un peu trop de moustiques, ici.

***

Steven s'élança à travers la cuisine et atterrit sur le divan au velours usé en s'étirant sur toute sa longueur.

— Alors, insista Steven, y viennent d'où, les guides ?

L'interpellé laissa le temps aux jeunes femmes de prendre leurs aises. Caroline s'octroya la berçante et Nadia décida de partager le divan de velours après avoir fait signe au garçon d'en retirer ses pieds. Guidor s'appuya simplement au comptoir de la cuisine.

— À une époque, les guides étaient comme vous, des mortels qui se réincarnaient afin d'acquérir, dans chacune de leurs vies, de nouvelles connaissances, une plus grande tolérance ainsi qu'une plus grande sagesse. Lorsqu'ils eurent terminé cette étape, ils quittèrent le monde physique et poursuivirent leur tâche dans le monde de l'astral. Ils devinrent alors disponibles pour rendre service à des âmes qui n'avaient pas terminé leur périple sur la Terre.

— J'ai rien compris, bougonna Steven en simulant de se désintéresser du sujet.

— J'avoue que je suis également un peu perdue, Guidor, concéda Nadia.

— Disons que chacune de vos vies est un peu comme une année scolaire. Durant l'année, vous apprenez des choses. Vous avez ensuite des vacances. Si vous avez bien travaillé durant l'année précédente, vous retournez à l'école afin d'apprendre de nouvelles connaissances, dans une autre vie.

— Et si on manque trop de classe, on est recalé, précisa le garçon qui semblait bien connaître le sujet.

— Et c'est également valable pour vos réincarnations. C'est ce qu'on appelle le karma. Si, dans une certaine vie, vous deviez apprendre à pardonner et que vous n'avez pas réussi à le faire, vous revivrez, dans une prochaine vie, des situations pénibles qui mettront votre sens du pardon à rude épreuve.

— Et les guides dans tout ça…, dit Caroline.

— Lorsqu'ils ont terminé leurs incarnations sur la Terre, ils ont encore bien des choses à apprendre.

— Ce n'est pas terminé? souligna Nadia.

— Disons que sur la Terre, vous vivez présentement vos classes du primaire.

— Et ensuite, il y a un secondaire?

— En effet, Caroline, et même un cours universitaire, ajouta Guidor avec le sourire.

— Ça ne finit jamais…! s'exclama Steven.

Tel un mollusque, il se laissa glisser sur le tissu usé avant de choir sur le plancher.

— La quête de la connaissance absolue est un très long voyage qui demande beaucoup de travail, et c'est pourquoi les guides ont besoin de vous.

— Besoin de nous, mais je croyais qu'ils étaient à notre service? demanda Caroline.

— Ils ont justement besoin de vous afin d'apprendre à servir, de plusieurs façons.

— Pfff! laissa échapper le garçon.

— Je vais vous donner un exemple.

— Ça fera pas d'tort, marmonna Steven en s'intéressant de plus en plus aux fissures du plancher.

— Vous êtes à Paris et vous désirez vous rendre jusqu'à Pékin sans utiliser l'avion.

— Par voies terrestres, c'est tout un casse-tête, déclara Caroline, férue de voyages.

— Un casse-tête réalisable si vous utilisez les services d'un agent de voyage expérimenté. Il vous donnera les horaires des trains et des autobus, les correspondances, il réservera les hôtels où vous devrez loger, il vous renseignera sur les monnaies à utiliser et vous indiquera le nom des agents locaux à contacter. De plus, durant votre voyage, vous pourrez le rappeler afin de préciser des détails.

— C'est vrai qu'avec de l'aide, c'est plus facile, concéda la jeune fille.

— Cet agent de voyage devra posséder beaucoup d'expérience, une expérience acquise par des années de pratique.

Devant le mutisme de son auditoire, Guidor poursuivit:

— Certains de vos guides sont un peu comme des agents de voyage.

— Ils peuvent m'amener jusqu'au bout d'la terre? s'informa Steven.

— La Terre est ronde, Steven, souligna Caroline. Le bout de la terre est juste derrière toi.

— Toi, tu compliques tout.

— La boutade de Caroline contient une vérité. Vous pouvez tout demander à vos guides, à condition d'être précis dans vos demandes.

— Tu peux nous donner un exemple?

— Bien sûr, Nadia. Une jeune femme s'appelant Sophie demanda un jour à son guide de rencontrer l'homme de ses rêves. Il serait grand, athlétique et en parfaite santé. Il serait généreux, posséderait un bon sens de l'humour ainsi qu'une bonne éducation. Très responsable, il aurait un bon emploi stable et un excellent salaire.

— Les guides peuvent trouver ça? demanda Steven, incrédule.

— Pourquoi pas? Ils vous donnent tout ce que vous demandez. Évidemment, certaines demandes exigent du temps, des mois, peut-être des années. Il faut un peu de patience et savoir faire confiance à ses guides.

— Pourquoi c'est si long?

— Parce que les guides répondent à des demandes, mais ne font pas de miracles, mon garçon. Ils ne travaillent pas avec une baguette magique.

— Alors, comment y font?

— Ils travaillent comme les agents de voyage, avec un itinéraire à suivre. Ils créent des incidents de parcours afin d'accélérer ou de ralentir certains événements. Ils placent sur ton chemin des gens qui peuvent te renseigner ou t'aider à prendre des décisions. Ils peuvent même, à l'occasion, te souffler la réponse.

— Et la Sophie, elle fait quoi dans tout ça?

— Un peu de patience, Steven... Revenons donc à notre jeune femme cherchant à rencontrer l'homme de ses rêves.

— Si c'est valable pour tout le monde, j'ai hâte de connaître la suite, gloussa Caroline.

— Trois mois après avoir fait sa demande à son guide, une convention internationale est annoncée à Mexico. Le patron de la jeune femme ne peut se rendre à la convention, mais il lui vient à l'esprit de proposer à Sophie d'y aller à sa place. Sophie n'aime pas prendre l'avion. Elle hésite, mais finit par accepter comme sur un coup de tête, sans vraiment savoir pourquoi.

— Les guides... suggéra Caroline.

— Tu as tout deviné... Après avoir déballé ses affaires dans sa chambre d'hôtel à Mexico, Sophie prend l'ascenseur afin de se rendre à la salle à dîner. Elle se dépêche, car la salle à dîner sera bientôt bondée. Soudain, elle se rend compte qu'elle a oublié ses lunettes dans sa chambre. Comment a-t-elle pu être aussi distraite? Normalement, ses verres ne la quittent jamais! Elle remonte à sa chambre et cherche partout, pas de lunettes, elle les retrouve cachées dans le fond de son sac à main. Naturellement, lorsqu'elle arrive à la salle à dîner, il n'y a plus de table disponible. Le maître d'hôtel demande à un monsieur, seul à sa table, si la jeune femme peut y prendre place. L'homme accepte avec beaucoup de courtoisie.

— C'est l'homme de ses rêves?

— Tu en doutes, Caroline? Durant tout le dîner, ils échangent sur leur vie respective, leur travail, leurs goûts. La jeune femme est subjuguée. Cet homme est exactement celui dont elle rêve depuis des années... Et c'est alors qu'elle vit la plus grande déception de sa vie. L'homme lui annonce que c'est sa dernière soirée à Mexico. Il prend l'avion dans quelques heures. Il a bien hâte de retrouver son épouse qui lui manque beaucoup. De plus, il espère que l'avion n'aura pas de retard, car il ne veut absolument pas manquer, en soirée, la performance de sa petite fille jouant dans une pièce de théâtre de l'école, ni rater le premier match de base-ball de son garçon.

— Eh ben! Le guide en a fait une belle, résuma Steven en se laissant rouler sur le dos, la tête reposant dans le creux de ses mains.

— Elle avait confiance en son guide, souligna Nadia. Pourquoi lui a-t-il fait une telle blague?

— Ouais! C'est tout ce qu'elle a eu?

— C'est tout ce qu'elle a demandé.

— Comment ça?

— Souviens-toi, Steven. Elle avait demandé à «rencontrer» l'homme de ses rêves. Son guide a bien travaillé. Il a inspiré le patron de Sophie qui l'a envoyée au Mexique. Il a suggéré à Sophie de dépasser ses craintes de l'avion. Il a même créé une distraction afin qu'elle égare ses lunettes...

— ... afin de retarder son arrivée à la salle à dîner, compléta Caroline.

— Et l'homme à la table possédait toutes les qualités qu'elle avait demandées.

Devant le mutisme du trio, Guidor précisa:

— Elle avait simplement demandé de rencontrer... Sa demande a été exaucée. Elle a bien rencontré, durant une heure, l'homme de ses rêves, mais elle avait oublié un détail...

Du bout du pied, Caroline bloqua le balancement de la chaise. Elle réfléchit quelques secondes et tenta une réponse.

— Qu'il soit célibataire, libre et sans attache?

— En effet.

— Les guides sont des drôles de rigolos, conclut le garçon.

— Ils te donnent toujours ce que tu demandes et ne posent pas de questions.

— Il faut donc faire très attention à notre formulation, suggéra Nadia.

— Faire très attention à vos formulations et être très attentifs aux réponses que vous recevez.

— Parce qu'on a des réponses?

— L'offre du patron de Sophie était une réponse. Du moins une partie de la réponse à la demande de la jeune femme. Dans un sens, le guide de Sophie lui a offert indirectement un billet d'avion pour Mexico afin de rencontrer l'homme de ses rêves.

— Mais elle aurait pu refuser d'y aller… s'objecta Caroline.

— L'être humain possède le libre arbitre, répondit Guidor. Rien ne lui est imposé. Suite à une demande, les guides proposent des avenues, des directions à prendre, à vous ensuite de reconnaître les signes qui vous mèneront à la réalisation de votre demande.

— Des signes, des signes. Ça ressemble à quoi? demanda Steven, à qui l'inaction commençait à peser.

— Lorsque vous ressentez, au plus profond de vous, que vous devez poser un certain geste inhabituel sans vraiment savoir où cela vous mènera, fiez-vous à votre intuition. Prenez le risque d'aller de l'avant.

Steven haussa les épaules.

— Et les guides dans tout ça? Ça leur donne quoi?

— Dans un premier temps, le plaisir et la satisfaction d'aider des gens. En second lieu, pour reprendre l'exemple de Sophie, il faut beaucoup d'amour et de don de soi pour créer toutes les circonstances qui ont amené Sophie et l'homme de ses rêves à se rencontrer, dans un lieu précis, à un moment bien déterminé. Et tout ce travail mérite un petit mot…

— Dire merci, suggéra Steven.

— Ils n'en demandent pas plus. Après chaque demande, un merci sincère, venant du fond du cœur, est un gage de reconnaissance très apprécié.

— Et nous pouvons leur faire plusieurs demandes? s'enquit Nadia.

— Il n'y a pas de limite. Plus vous les invitez à vous aider, plus vous les aidez à se réaliser sur le plan spirituel.

— Eh ben, avoir su plus tôt, j'en aurais fait des tonnes, de demandes… J'pense au gros Satoba…

Nadia fronça les sourcils.

— Steven… Ta demande aurait-elle bien été positive?

— Eh… Ben sûr… J'aurais demandé à mes guides… de lui faire perdre du poids. Y a rien de mal là-dedans!

***

— Cette situation devient de plus en plus grotesque et j'exige des résultats!

Accompagné de la grande conseillère, Krash-Ka tentait d'en imposer à l'énorme cerveau sous verre. Les points sur les hanches, il poursuivit:

— Si d'ici une semaine, je n'ai pas…

Krash-Ka ne termina pas sa phrase et demeura la bouche grande ouverte, incapable d'ajouter un mot. Devant lui, le volumineux cerveau du Globulus s'était mis à palpiter étrangement. Une vibration sourde se fit sentir sous les pieds des deux dignitaires. L'éclairage des lieux vacilla à plusieurs reprises avant de se stabiliser. Retrouvant rapidement son aplomb, dame Haziella avança d'un pas et lança sur un ton autoritaire:

— Globulus, que faites-vous?

Bien que moins importante, la vibration continuait à se manifester tandis que le Globulus demeurait silencieux. La conseillère insista:

— Vous devez des explications à votre empereur. Que signifie cette ridicule démonstration? Tenteriez-vous d'intimider votre souverain?

— Toutes mes excuses, Votre Grandeur. Je vous rappelle que j'ai déjà entamé la première phase de mon val-thorik et que ce processus amène chez tous les Trogoliens des phénomènes physiques aux conséquences incontrôlables.

— Je sais, et alors ? répliqua le Krash-Ka, peu intéressé par les états d'âme de son hôte.

— Chez moi, cela provoque une sensibilité accrue aux manifestations psychiques. Je viens à l'instant de ressentir une très puissante vibration. Le plus étrange.... J'ai l'impression qu'elle ne m'est pas inconnue.

À peine avait-il terminé de donner ses explications qu'autour du globe de verre, de grandes structures bardées de tubulures scintillantes émergèrent du sol en libérant des jets de vapeur exhalant des émanations d'ozone. Tout autour de la rotonde, des appareils s'activèrent, des écrans s'illuminèrent. Krash-Ka jeta un regard désapprobateur vers cette quincaillerie inusitée.

— Qu'est-ce que vous faites ?

— J'active les pompes telluriques, mon seigneur, répondit le Globulus. Grâce au réseau tellurique, je vais sonder les quatre coins de la planète et je pourrai ainsi identifier, d'ici quelques heures, l'origine de cette vibration.

Krash-Ka retrouva peu à peu son assurance. Pointant du doigt les tours de verre, il déclara avec autorité :

— Soyez prudent avec ces pompes. Ce genre d'exercice peut amener des bouleversements géologiques importants à la surface de la planète. Cela pourrait perturber l'économie mondiale que je contrôle.

— Soyez sans crainte, Votre Grandeur, il n'y a aucun danger.

L'empereur contourna l'une des tours de verre en l'examinant d'un air réprobateur.

— Sachez que je ne partage pas votre optimisme. Lors de la dernière utilisation de ces pompes telluriques, la moitié de la ville de Mexico a été détruite. Il y eut beaucoup de morts et de blessés.

— Je ne savais pas que vous vous intéressiez autant au sort de ces humains, Votre Grandeur.

— Les humains? Ne soyez pas ridicule, Globulus! Je me fiche bien des humains et de leurs misères, s'exclama l'empereur. Mais une partie de ces blessés et de ces morts travaillaient dans mes usines. Nous avons dû fermer des entreprises, le temps de former du nouveau personnel compétent. Et tout ça coûte cher.

La grande conseillère murmura quelques mots à l'oreille de son maître et ce dernier ajouta à haute voix:

— Et c'est sans compter les dégâts matériels... Nous avons subi des pertes financières énormes.

Une nouvelle vibration du sol mit les deux visiteurs aux aguets. L'empereur jeta un coup d'œil vers le globe et demeura à l'affût de toute nouvelle palpitation du cerveau.

— Est-il vraiment sage d'utiliser ces pompes durant votre val-thorik?

— Soyez rassuré, Votre Grandeur, je serai très prudent.

— Je l'espère pour vous ou vous serez confiné à la dimension de ce bocal pour tout le prochain millénaire.

Sans attendre une réponse, Krash-Ka tourna les talons et, suivi de la conseillère, quitta la caverne. Le Globulus attendit la fermeture des portes étanches avant de déclarer à haute voix, sur un ton ironique:

— Nous avons subi des pertes financières énormes.

Reprenant un ton plus menaçant, il ajouta:

— Profite de ta puissance et de ta fortune dès à présent, empereur de carnaval, car un jour, tu n'auras plus rien et tu seras mon serviteur... Mon serviteur!

Soudain, le Globulus demeura interdit en prenant conscience de ses propos. Avait-il vraiment proféré de telles menaces envers son empereur? Était-ce une aberration, un délire conséquent à son val-thorik? Était-il en train de perdre l'esprit? Ou plutôt, était-ce au contraire l'émergence d'une nouvelle conscience, d'une nouvelle identité?

— Et pourquoi pas?

Un grand éclat de rire résonna dans l'immense caverne.

***

— Alors, Steven, qu'est-ce que tu fais? On t'attend pour commencer, gémit Caroline, impatiente.

— C'est pas ma faute. Moi, les longues histoires, ça me donne faim.

Dans la salle de séjour du chalet, les deux femmes attendaient fébrilement les explications de Guidor. Cette fois-ci, Nadia monopolisait le divan tandis que Caroline s'accaparait d'un petit tapis ovale déposé devant. Steven, quant à lui, se réserva deux chaises droites. Sur la première, il déposa une petite assiette contenant une montagne de biscuits «faits maison». Sur la deuxième, il s'installa à cheval, les bras pendants sur le dossier de la chaise. Après s'être assuré que chacun de ses balancements lui permettait d'atteindre son assiette, il donna le feu vert.

— Fous pouhez commencher, dit-il en postillonnant quelques miettes de biscuit.

Guidor, demeuré debout près du poêle, commença.

— Je vous ai déjà expliqué que l'être humain ne peut atteindre un haut niveau de sagesse en une seule vie. Notre âme immortelle accumule cette sagesse d'une vie à l'autre, en se donnant un nouveau corps à chaque fois.

— Alors c'est vraiment vrai? On a vraiment passé plusieurs vies sur la Terre, demanda Steven, toujours pas convaincu.

— En effet, mon garçon. Et le rêve que vous avez fait en est la preuve.

Caroline demeurait perplexe.

— Mais comment peut-on devenir plus sage d'une vie à l'autre?

Et elle ajouta rapidement sur un ton taquin:

— Surtout dans le cas de Steven!

— Ha! Ha! Ha… C'est à mourir de rire, laissa échapper le garçon en levant les bras au ciel.

Guidor échangea discrètement un sourire avec Nadia et poursuivit ses explications sans attendre.

— Dans une vie, vous pouvez avoir été centurion dans les armées romaines, un centurion arrogant et sans pitié pour ses hommes. Dans une autre vie, vous vous retrouvez simple soldat dans l'armée de Napoléon et vous apprenez ce qu'est la souffrance, la privation et l'humiliation.

— C'est pas drôle, grimaça Steven.

— C'est ce que l'on appelle la loi du karma, résuma Guidor.

— La loi du karma, répéta Caroline. Ou le principe d'être recalé à la fin de l'année, ajouta-t-elle dans un regard en biais vers le jeune garçon.

— Grâce à un karma positif, dans une prochaine vie, vous profiterez de toutes les bonnes actions réalisées dans cette vie-ci. Par contre, toutes les mauvaises actions devront également se payer un jour ou l'autre, dans cette vie ou dans une autre.

— Toutes les mauvaises actions, répéta Steven, visiblement ennuyé.

— Toutes. Sans exception, déclara Guidor.

— Même les toutes petites mauvaises actions et les toutes petites bêtises?

Guidor acquiesça de la tête en levant les sourcils et Steven perdit son sourire. Nadia tenta de le rassurer en lui disant sur un ton optimiste:

— Ne prends pas ça au tragique, Steven. Ce n'étaient que de toutes petites bêtises. Ton karma ne sera peut-être pas si terrible.

Steven ne sembla pas très rassuré. Nadia décida alors d'orienter la discussion dans une autre direction.

— Et pourquoi sommes-nous ici, ensemble, aujourd'hui?

— C'est une très longue histoire.

Sur ces paroles, Steven fit basculer sa chaise, prit un biscuit, hésita un peu et en ramassa un deuxième.

— Dans un lointain passé, vos destins se sont croisés à différentes époques et en différents lieux. Toi Nadia, Caroline et Steven, chacun de vous avez acquis, dans vos époques respectives, un haut niveau de sagesse, mais les événements tragiques que vous avez vécus ont paralysé cette évolution.

— On devine à cause de qui, commenta Steven.

— Hum, hum, fit Guidor. Et il vous a fallu par la suite plusieurs vies pour retrouver une partie des connaissances acquises, car dans ces autres vies, je n'étais pas toujours présent pour accélérer votre évolution.

— Mais cette fois-ci, tu es bien là. Tu es avec nous. Pourquoi est-ce différent ? demanda Caroline.

— Parce que nous entrons dans l'ère du Verseau, confia Guidor. L'humanité doit se préparer à vivre de grands bouleversements et vous avez tous les trois un rôle important à jouer.

— Un rôle important, déclara le groupe à l'unisson.

— Dans cette vie-ci, vous vous êtes retrouvés, tous les trois, à la même époque, dans des lieux peu éloignés les uns des autres. Je vous ai réunis afin que vous recouvriez vos pouvoirs oubliés.

— Moi aussi, j'ai des pouvoirs ? s'exclama Steven, un morceau de biscuit pendant au coin de sa bouche.

— Bien sûr, mais des pouvoirs en sommeil. Je suis là pour les éveiller. Toutefois, avant d'en arriver à cette étape, vous devrez recréer une harmonie entre votre corps et votre esprit. Sans cette harmonie, vous ne pourrez maîtriser la puissance de la dague de cristal.

— La dague de cristal ? Cela a un rapport avec le rêve de Steven ? demanda Caroline.

— En effet, confirma Guidor. Mais il est encore un peu tôt pour vous en révéler tous les détails.

Nadia étira le bras et attrapa une tablette de papier où figurait le symbole commun aux trois rêves, un triangle dans un carré.

— Mais ce symbole, tu peux nous l'expliquer ?

— Oui. Il est temps de vous donner des précisions sur le danger qu'il représente. Une menace qui pèse sur toute l'humanité.

Soudain, juste au moment où Guidor commençait à donner ses explications, l'assiette aux biscuits se mit à danser sur la chaise. Une légère secousse sismique secoua la vallée et atteignit le chalet.

***

Dans le monde creux, les pompes telluriques fonctionnaient à plein régime, remplissant la caverne de sifflements assourdissants. Le Globulus jubilait. Il avait enfin situé et identifié la source de la vibration. Il pouvait enfin prononcer ce nom maudit qui le hantait depuis des siècles :

— Guidor ! Je t'ai enfin retrouvé, et bientôt… je te détruirai !

CHAPITRE VII

Au centre-ville, l'agitation et le désarroi grandissaient dans les bureaux de la sûreté municipale. La disparition de Caroline faisait toujours la une des journaux et les éditorialistes se gargarisaient des piètres résultats de la police. Dans la salle des enquêteurs, les inspecteurs subissaient en silence la mauvaise humeur de leur chef. Derrière la porte close du bureau vitré, on entendait claire-ment les rugissements entrecoupés de lourds silences.

— C'est tout ce que vous avez à me dire, coupa sèchement le lieutenant.

Contenant difficilement son impatience, Satoba écouta son interlocuteur en grimaçant avant de lâcher :

— Alors, faites votre rapport et indiquez que vous n'avez rien trouvé.

Haussant les épaules, il ajouta sur un ton fataliste :

— Comme d'habitude !

Le lieutenant Satoba raccrocha sèchement. Sa main n'eut pas le temps de quitter l'appareil. Le timbre du téléphone résonna de nouveau. D'un geste impatient, il reprit nerveusement le combiné.

— Qu'est-ce qu'il y a encore ?

Reprenant un ton plus optimiste, il s'exclama :

— Comment ? Il est revenu ?

De sa voiture garée près de l'entrée grillagée de la luxueuse demeure, l'inspecteur McGraw soumettait son rapport. Avec son physique juste dans la moyenne, son complet brun sable et ses lunettes rondes, il aurait passé plus facilement pour un gratte-papier que pour un policier traquant des voyous.

— Heu…, oui, lieutenant, il vient tout juste d'entrer chez les tuteurs de Caroline.

— À sa sortie, prenez de nouvelles photos et tenez-moi au courant.

Après avoir raccroché, Satoba ajouta pour lui-même :

— Enfin, la première bonne nouvelle de la journée.

***

Depuis le grand salon, on pouvait entendre le vacarme provenant du premier étage. N'y tenant plus, la vieille dame quitta son fauteuil prestement et marcha en direction de la porte du salon.

— Qu'est-ce que tu fais ? demanda l'homme, terrifié. Ne monte pas là-haut. Cet homme est le diable !

— Diable ou pas, je suis encore chez moi, Augustin, et j'ai le droit de savoir ce qui s'y passe.

N'ayant rien à ajouter, elle gravit nerveusement les larges marches de marbre menant à l'étage supérieur. Sur ses talons, l'homme se résolut à la suivre.

— Surtout, ne dis rien qui pourrait l'énerver.

Dans la chambre de la jeune fille, le mystérieux visiteur était en plein travail. Les tiroirs de la commode, vidés de leur contenu, gisaient sur le sol. Sous-vêtements, chandails et bas se retrouvaient pêle-mêle aux pieds du vieux couple.

Malgré son exaspération, la dame n'avait pas trop osé s'aventurer dans la chambre. Sur le seuil, une main appuyée à la poignée de la porte, elle demeurait un témoin impuissant de la fureur de Sygrill.

L'oncle était resté dans le corridor, le plus loin possible de toute cette démonstration de violence, tout en risquant néanmoins, de temps en temps, un coup d'œil désolé sur le désordre grandissant.

— Si vous nous disiez ce que vous cherchez, nous pourrions peut-être vous aider, se hasarda la femme.

— Vous ne m'avez pas tout dit sur Caroline. L'autre soir, vous m'avez caché le plus important.

— Le plus important ? Sur Caroline ?

La dame chercha une réponse dans le regard de son mari, mais ce dernier demeurait interdit.

— Mais caché quoi, monsieur Trog ?

— Je ne sais pas. C'était à vous de me le dire. À présent, nous travaillons selon ma méthode.

Une méthode des plus expéditive, jugea la tante de la jeune fille. L'agent arracha le tiroir inférieur du petit bureau d'étude et le déposa sans ménagement sur le meuble en balayant tout ce qui s'y trouvait. Une petite fiole tournoya sur la table en progressant dangereusement vers le rebord du meuble. L'agent la ramassa au vol et l'examina.

— Qu'est-ce que c'est ?

— C'est son médicament, répondit la dame.

— Un médicament ? Pourquoi ? Elle est malade ?

— Pas exactement... dit-elle.

— Mais si, très malade, affirma son mari qui s'était aventuré dans l'ombre de son épouse.

Fixant le couple de plus en plus mal à l'aise, Sygrill suggéra sur un ton autoritaire :

— Il faudrait vous mettre d'accord... sur la vérité.

Se donnant une certaine constance, la femme reprit la parole :

— C'est son psychiatre qui lui a prescrit ce médicament.

Et du bout des lèvres, elle ajouta :

— Pour contrôler ses crises.

— Ses crises ? Elle est folle ?

— Oh ! Non, non, rassura l'oncle qui devenait de plus en plus nerveux. Seulement, elle voit des choses. Enfin, elle le prétend.

Le pauvre homme accusa le poids du regard de l'agent posé sur lui. Pour combler un silence qui devenait de plus en plus lourd, sa femme ajouta d'un seul souffle :

— Elle est comme ça depuis son tout jeune âge. Elle a toujours eu beaucoup d'imagination.

— Et avec les années, ça devenait de plus en plus inquiétant, confirma l'homme.

L'agent sentit intuitivement qu'il tenait enfin une piste. Calmement, il s'assit au bout du lit, croisa les bras et présenta un sourire presque rassurant en demandant :

— Parlez-moi un peu plus de ces crises.

***

Le téléphone sonna de nouveau. L'inspecteur lâcha négligemment un dossier sur le coin de son bureau et répondit promptement, mais cette fois-ci sur un ton moins agressif :

— Allô ?

Dans la voiture de patrouille, l'enquêteur résuma :

— C'est McGraw, lieutenant. Notre homme vient tout juste de sortir et vous allez être satisfait. Nous avons d'excellentes photographies. Qu'est-ce qu'on fait maintenant ?

— Vous le suivez et ne le perdez pas de vue. Je veux tout connaître de ce type et surtout, savoir où il se rend.

***

En ce milieu d'avant-midi, un air chaud et humide enveloppait la Vallée du silence. Assise sur une grosse bûche, les yeux fermés, Nadia, enfin seule, profitait du soleil et surtout... du silence. Cette douce quiétude lui permettait enfin de réfléchir aux événements insolites qui l'avaient amenée dans ce lieu paisible. Depuis des semaines, une foule de questions s'accumulaient dans sa tête. Depuis des semaines, elle tentait sans succès d'expliquer son comportement étrange, pour ne pas dire irrationnel.

Et il y avait eu cette dernière discussion avec Guidor. Cette histoire de guide qui vous balise le chemin tel un agent de voyage. Se pourrait-il qu'inconsciemment, elle ait demandé à un « guide » de la sortir de son laboratoire afin de vivre une aventure exaltante ? Si tel était le cas, il avait drôlement bien travaillé.

« Rien n'arrive pour rien », un dicton que Nadia connaissait bien et dont elle partageait les prémisses. Si son patron ne l'avait pas congédiée, elle n'aurait pas eu la liberté de fuir avec Caroline et Steven. Et il y avait cette autre phrase de Guidor : « Lorsque vous ressentez, au plus profond de vous, que vous devez poser un certain geste inhabituel sans vraiment savoir où cela vous mènera, fiez-vous à votre intuition. Prenez le risque d'aller de l'avant. »

« Un geste inhabituel sans vraiment savoir où cela nous mènera ». Nadia fit la moue, un sourire pincé sur les lèvres. Des gestes inhabituels… Elle n'avait que l'embarras du choix. Malgré la fatigue, elle avait accepté l'invitation de Satoba. Elle avait insisté pour « adopter » le garçon. Elle avait même incité ce dernier à sauter le mur d'une propriété privée. Elle avait aussi pris la fuite lors de l'arrivée de la police. Tant de gestes illogiques en si peu de temps…

Et pourtant, sans cette kyrielle de décisions insolites, elle ne se serait pas retrouvée ici aujourd'hui.

Ici… En vue de quoi, au juste ?

Il y avait cette « mission », sans parler de la fameuse dague de cristal. Nadia eut soudain le sentiment d'être loin du compte concernant les gestes inhabituels qu'elle devrait poser dans un proche avenir. Malgré tout, sa confiance en Guidor demeurait inaltérable. Cela non plus n'était pas très cartésien.

Une silhouette se glissa près d'elle. Sans ouvrir les yeux, elle sourit.

— Bonjour, Guidor. Tu peux remarquer que même les yeux fermés, je sens et reconnais ta présence.

Elle ouvrit les yeux. Guidor lui rendit son sourire et ajouta :

— J'ai croisé Caroline et Steven près du ruisseau. Il semblerait que les deux jeunes se tolèrent un peu plus, depuis quelques jours.

— Il était temps, soupira la jeune femme. Se retrouver dans un endroit aussi calme et subir leurs chamailleries incessantes, ça devenait intolérable.

Prenant une grande bouffée d'air pur, détendue, elle ajouta :

— Je commence à peine à apprécier la nature.

Guidor remarqua le seau renversé traînant près de la pompe à eau. Il fit quelques pas, poussa le seau du bout du pied et vint s'asseoir près de la jeune femme.

Nadia prit une nouvelle inspiration.

— Tout est si calme dans cette vallée…

— Caroline et Steven ne semblent pas trop s'ennuyer de la pollution et du bruit de la ville, souligna l'homme.

— C'est vrai. Ils font des excursions de plus en plus longues en forêt, mais je ne suis tout de même pas rassurée.

— Il n'y a aucun animal dangereux dans cette forêt.

— Ho, je ne pensais pas aux dangers de la forêt, mais plutôt à ceux qui proviennent de la ville.

— Tu fais allusion à la police ?

Songeuse, Nadia acquiesça d'un signe de tête.

— Les jeunes ne doivent pas s'éloigner. Nous sommes tout de même recherchés par les policiers de tout le pays.

Guidor se fit rassurant.

— Tu n'as rien à craindre. Aucun humain ne peut vous retrouver dans la Vallée du silence.

***

Le véhicule de filature s'immobilisa à moins de cinquante mètres de l'immeuble. Le mystérieux inconnu venait d'y pénétrer. Sans quitter la porte des yeux, l'inspecteur décrocha son cellulaire.

— Allô, lieutenant, c'est McGraw. Notre homme vient d'entrer dans un édifice à logements. Devinez qui y habite. Ou du moins, qui y habitait… Votre bonne amie Nadia.

— Nadia! Mais quel est le rapport?

— Aucune idée, lieutenant. Qu'est-ce que je fais à présent?

Le lieutenant s'octroya quelques secondes de réflexion et déclara:

— Surveillez les issues. Je veux cet homme et j'ai des questions à lui poser. Ne prenez pas d'initiatives. Attendez-moi. Je vous rejoins dans moins de dix minutes et je vous envoie également des renforts. Ce type ne doit pas nous échapper.

***

Il n'avait fallu que quelques minutes à l'agent pour mettre l'appartement de Nadia sens dessus dessous. Sygrill ragea. Il n'avait rien trouvé d'intéressant. Son attention fut tout de même attirée par un bruit alarmant: le claquement de deux portières de voiture que l'on ferme violemment. Il se rendit à la fenêtre et remarqua la voiture de filature. Deux policiers en civil en étaient descendus et marchaient maintenant vers l'entrée principale de l'édifice. Dans les secondes qui suivirent, deux nouvelles voitures arrivèrent. L'agent regarda vers le plafond et eut un sourire amusé. Il sortit prestement de l'appartement.

Utilisant l'escalier intérieur, l'inspecteur McGraw atteignit rapidement le troisième étage. Derrière la porte vitrée isolant l'escalier, le corridor était vide. McGraw avança à pas feutrés. À cinq mètres du logement de Nadia, il remarqua la porte entre-bâillée. Il dégaina son arme, longea le mur et avança lentement dans la direction de l'appartement. Son attention dirigée vers la porte, l'inspecteur ne remarqua pas l'ombre qui gravissait en silence les marches de l'escalier de service. Atteignant le seuil, McGraw avança le bras et ouvrit toute grande la porte. Tenant son arme à deux mains, il prit une grande respiration. Il se préparait à foncer lorsqu'une voix, au bout du corridor, l'interpella.

— Inspecteur ! Votre homme, on l'a repéré sur le toit, lança fièrement un policier en uniforme.

— Alors il ne peut plus nous échapper, pensa l'inspecteur.

Sygrill, debout près du rebord de la toiture, examina les terrains adjacents à l'immeuble et sembla satisfait de son observation. Il ouvrit son manteau et d'une pochette accrochée à sa ceinture, déroula l'extrémité d'un filin qu'il attacha à une fléchette. Il inséra cette dernière dans son pistolet et visa, à deux mètres du sol, la base d'un poteau téléphonique planté de l'autre côté d'une haute clôture grillagée. Modifiant légèrement sa projection holographique, sa main droite céda la place à trois longues griffes arquées. Emprisonnant ainsi le filin tel un anneau, il se lança dans le vide et glissa par-dessus la clôture jusqu'au niveau de la rue.

L'inspecteur McGraw, tout essoufflé, atteignit l'ouverture du portique donnant accès au toit juste au moment où l'agent sautait dans le vide. Le temps que le policier se rende au bord de la corniche, le fugitif avait atteint le sol et s'était déjà libéré de son filin. McGraw ne put qu'observer l'homme quittant le terrain de stationnement par une étroite ruelle.

Prenant un air de chien battu, l'inspecteur déclara pour lui-même :

— Le lieutenant, il ne sera pas content.

***

Les grandes portes d'acier de la caverne du Globulus s'ouvrirent silencieusement. L'agent entra. Derrière lui, les portes étanches se refermèrent avec la même discrétion. Le maître des lieux déclara alors avec une certaine pointe d'ironie :

— Je me demande parfois si vous pouvez lire dans mes pensées.

— Je n'ai pas ce don, seigneur. Et si c'était le cas, je ne me permettrais pas une telle intrusion.

— Vous m'en voyez rassuré.

Sur un ton plus sérieux, il poursuivit :

— J'étais justement sur le point de vous convoquer, mais puisque vous n'êtes pas télépathe, je suppose que vous avez une très bonne raison motivant votre visite.

— En effet, Globulus. J'ai d'excellentes nouvelles pour vous. Les Terriens contactés par l'entité extraterrestre sont une femme et deux enfants.

— Bravo, agent Sygrill. C'est du bon travail... et j'en ai fait tout autant ! Vous connaissez leur identité et je sais maintenant où se cache ce trio.

Une ouverture se dessina dans l'immense support métallique soutenant le volumineux cerveau.

L'agent y découvrit une plaquette translucide qu'il retira délicatement de son logis.

— Vous trouverez dans ce dossier tout ce qu'il vous faut savoir sur votre prochaine mission.

— Qui consiste en quoi, au juste ?

— En apprendre davantage sur ce groupe, évaluer sa puissance et découvrir son objectif.

L'agent acquiesça d'un signe de la tête, soupesa la plaquette et la glissa dans la poche intérieure de son uniforme. Il marchait résolument vers la sortie lorsqu'une dernière intervention de son hôte se fit entendre.

— Agent Sygrill !

L'interpellé se retourna vers le Globulus.

— Puisqu'il y a de jeunes Terriens en cause, souligna ce dernier, je vous suggère de modifier votre apparence humaine. Prenez une allure plus sympathique avant d'approcher ces enfants.

***

— Y a vraiment des cerises par ici ? demanda le garçon en balançant négligemment son seau de fer blanc.

— À la condition que les oiseaux ne les aient pas déjà toutes dévorées.

Steven et Caroline atteignirent une clairière où poussaient çà et là quelques arbrisseaux. Le garçon écarta au hasard un buisson et demeura ébahi. D'une voix étouffée, il murmura :

— Caroline, viens ici… Lentement.

La jeune fille, intriguée par le ton mystérieux de Steven, le rejoignit doucement. Ce dernier pointa du menton une direction. Caroline chercha du regard et prit subitement un air attendri. Caché sous le couvert des épinettes, une magnifique chevrette et son petit broutaient de jeunes pousses tendres. Le changement de direction des vents les ayant peut-être trahis, la mère sentit la présence des enfants. En compagnie de son faon, elle quitta l'endroit sans toutefois se presser.

Steven sortit du buisson et suggéra :

— Viens, on va la suivre.

Sans attendre l'avis de Caroline, il s'élança sur les traces de l'animal. Caroline, oubliant toute prudence, accepta la suggestion et suivit le garçon.

Dévalant des côtes, sautant un ruisseau, se frayant un chemin dans un sous-bois, les jeunes explorateurs perdirent rapidement la trace du chevreuil. Caroline s'arrêta, reprit son souffle et déclara, visiblement fatiguée par cette poursuite :

— C'est inutile. Nous ne les retrouverons jamais.

Sourd à tout commentaire, le garçon scruta attentivement chaque repli du terrain.

— Je crois qu'ils sont partis… par là.

Steven fit quelques pas dans la direction désignée, mais Caroline ne bougea pas. Sur un ton n'annonçant aucune concession, elle déclara :

— Je suis épuisée. Retournons à la maison.

À regret, Steven jeta un dernier coup d'œil vers le sous-bois.

— D'accord, concéda-t-il, un peu penaud.

Regardant tout autour de lui, il chercha un point de repère. Caroline remarqua son indécision et devint nerveuse.

— Tu sais, j'espère, dans quelle direction se trouve le chalet?

Après une hésitation, le garçon avoua piteusement:

— Pas vraiment.

— Alors, nous sommes perdus! gémit Caroline.

Laissant choir son panier, elle ajouta:

— Nadia ne sait même pas dans quelle direction nous sommes partis.

Steven demeura songeur quelques secondes. Un sourire apparut sur son visage. Prenant un air mystérieux, il déclara:

— Mais peut-être que Nadia peut l'apprendre.

— Comment? demanda Caroline, peu intéressée à jouer aux devinettes.

— Par tes dons de télépathie. Tu sais… Elle pense à ce que tu penses. Concentre-toi sur Nadia. Elle va sûrement t'entendre.

Caroline ne fut pas très impressionnée par la suggestion, mais n'ayant rien d'autre à proposer, elle haussa les épaules.

— Pourquoi pas?

Elle prit deux grandes respirations, ferma les yeux, inclina légèrement la tête et se concentra sur l'image de Nadia.

— Alors, ça marche?

Caroline fixa Steven dans les yeux.

— Steven. Je ne suis pas une cabine téléphonique. Donne-moi un peu de temps.

Elle reprit sa position de concentration.

Se croisant et se décroisant les bras, mettant son poids sur une jambe, puis sur l'autre, se grattant la tête à travers sa casquette, le garçon patienta encore quelques secondes. N'y tenant plus, il risqua un commentaire:

— On dirait que la ligne est occupée.

Cette fois-ci, Caroline ne prit pas la peine d'ouvrir les yeux. Les dents serrées, elle siffla:

— Steven, c'est toi qui devrais t'occuper. Tu m'énerves et je ne réussis pas à me concentrer.

En désespoir de cause, Steven alla s'asseoir sur une grosse roche. Du coin de l'œil, il surveilla la jeune fille tout en se culpabilisant de s'être laissé piéger par ce coin de forêt. Constatant le peu de succès apparent de Caroline, il décida de participer à l'effort. Fermant les yeux à son tour, il se prit la tête à deux mains. Une série de grimaces, plus grotesques les unes que les autres, témoignèrent de ses tentatives infructueuses.

Tout à leurs efforts de transmission de pensée, les enfants n'avaient pas remarqué l'arrivée d'un singulier personnage. L'homme se pencha vers Steven et d'une voix calme, s'informa :

— Tu t'es blessé à la tête, mon garçon ?

Surpris par cette apparition, les deux jeunes sursautèrent en même temps. Grâce à un certain recul, Caroline pouvait plus aisément se représenter l'étranger. C'était un homme à la peau froissée, les cheveux en broussailles. Au premier coup d'œil, on aurait pu le croire très vieux, mais ses gestes précis et sa voix ferme corrigeaient cette impression. Il portait un pantalon de travail trop large et très usé. Sous un coupe-vent tout aussi vieux, on devinait une camisole défraîchie. En bandoulière, un sac de jute retenu par une sangle de cuir devait contenir tous les trésors de cet inconnu.

Malgré son air négligé, les yeux de l'homme dégageaient une grande paix intérieure. Ils inspiraient même la confiance. Satisfaite de son évaluation, Caroline entreprit d'expliquer leur situation.

— Nous sommes perdus, monsieur.

— Et nous tentons de communiquer avec notre amie Nadia, déclara candidement Steven.

— Par la pensée ! s'exclama le vieil homme.

— Nous essayons, répondit humblement Caroline en baissant légèrement les yeux.

— Est-ce que vous pouvez nous aider à retrouver notre chemin ? demanda le garçon, revenu à une attitude plus modeste.

L'homme étudia les deux enfants quelques instants et finit par suggérer :

— Pourquoi ne pas utiliser votre intuition ?

— Notre quoi ? demandèrent les enfants à l'unisson.

— Votre intuition, répéta l'homme. Ce merveilleux pouvoir intérieur qui nous permet à tous de deviner ou de ressentir ce qui est vraiment bon pour nous.

— Vous voulez parler de l'intuition féminine ? suggéra Steven.

— On dit que les femmes sont plus sensibles et prédisposées à utiliser ce don, concéda le vieil homme, mais il est accessible à tous, homme ou femme. Il faut juste le vouloir.

— Et comment y arrive-t-on ?

— En faisant le vide, mademoiselle, en créant le silence en vous.

Mis à part une image de pizza, une assiette de poulet et une pointe de tarte à la crème, l'esprit de Steven, selon ce dernier, semblait désert.

— Mais j'entends rien dans ma tête.

Caroline fut sur le point de passer un commentaire, mais s'abstint de mentionner qu'à son avis, la tête du garçon avait toujours été vide.

— Y a rien de rien, confirma Steven, malgré le passage d'un nouveau flash de pizza.

— Il est relativement facile de créer un vide de deux ou trois secondes et c'est souvent suffisant. Par contre, dans certaines situations particulières, une écoute plus longue peut devenir nécessaire.

— Vous pouvez nous montrer comment ? demanda Caroline.

L'homme prit le temps de s'asseoir sur une souche et se libéra de son sac avant de poursuivre.

— Éliminez toutes les petites idées qui vous passent dans la tête et demeurez à l'écoute. Vous pourrez alors vous fier au message que vous recevrez. Vous voulez essayer ?

Excités par la nouveauté, Steven et Caroline acceptèrent de tenter l'expérience.

Toujours assis, l'homme fit quelques recommandations et observa les enfants. Ces derniers, debout, les yeux fermés, tournèrent lentement sur eux-mêmes. Caroline, déçue de sa performance, fit la moue.

— Il y a toujours des idées qui bourdonnent !

— Afin de les déloger, imagine un nuage bleu lumineux qui envahit tout ton esprit et qui repousse au loin toutes les autres idées.

Après le troisième tour, les jeunes s'arrêtèrent et ouvrirent les yeux. Tous les deux regardaient dans la même direction. Ils étaient unanimes sur la direction à prendre.

— Notre chalet est vraiment dans cette direction ? vérifia Caroline, stupéfaite.

— Si vous avez bien fait l'exercice, il n'y a pas à en douter, déclara l'homme.

— Merci beaucoup, monsieur, dit Steven.

— Y a pas de quoi, les enfants.

Sur ces paroles, le vieil homme examina le ciel.

— Comme il fait beau ce matin, si vous n'avez pas d'objection, je vais faire un bout de chemin avec vous.

— Ho ! Ce serait formidable, n'est-ce pas, Steven ?

— Ho oui, répondit le garçon.

Après avoir fait quelques pas, il demanda :

— Vous en connaissez beaucoup, d'autres trucs comme ça ?

***

Le lieutenant Satoba retira un gobelet de papier du distributeur et pressa le robinet de la fontaine réfrigérée. L'inspecteur McGraw le rejoignit. Avec un petit sourire en coin, il interpella son supérieur.

— Dure journée, hein ! mon lieutenant ?

— Pas si fort, McGraw. J'ai un mal de bloc épouvantable.

Sur ce, il avala deux cachets d'aspirine et prit une grande gorgée d'eau. D'un air déprimé, il dévisagea l'inspecteur. McGraw en profita pour annoncer sa trouvaille.

— J'ai peut-être mieux que des cachets pour vous aider à oublier votre mal de tête.

Offrant au lieutenant une chemise de carton, il poursuivit.

— J'ai fait une petite enquête sur l'oncle de Caroline. Avant de devenir le tuteur légal de Caroline, ce type affichait déjà quatre faillites à son ardoise.

— Hum, un monsieur très actif, lâcha le lieutenant en feuilletant rapidement le dossier.

— Des faillites suspectes, mais aucune condamnation, précisa McGraw en pointant du doigt une liasse de feuilles brochées. Faute de preuves, il s'en est toujours tiré.

Le lieutenant Satoba devint songeur.

— Actif et brillant. De plus, il semble en très bon terme avec notre mystérieux inconnu qui joue les Batman.

— Ce n'est pas tout, patron. Devinez où devait se rendre la petite Caroline, le jour de l'enlèvement?

Le lieutenant haussa les épaules. Triomphalement, McGraw pointa du doigt une petite note épinglée dans le dossier.

L'inspecteur fit de grands yeux ronds en lisant le mémo et oublia complètement son mal de tête. Il prit une dernière gorgée d'eau et déclara :

— Je crois qu'une nouvelle visite s'impose chez ce tuteur très particulier.

— Je peux y aller avec vous, lieutenant? demanda McGraw. J'ai rarement visité des maisons de riches… Je veux dire, de vraiment très riches.

— Je crois que vous l'avez bien mérité, répondit le lieutenant en affichant maintenant un large sourire.

***

Sur le chemin du retour, Caroline et Steven furent très impressionnés par les connaissances de leur nouveau compagnon de randonnée. Ce dernier semblait pouvoir identifier toutes les plantes, tous les oiseaux qui trouvaient refuge dans la Vallée du silence. En peu de temps, les deux enfants s'étaient fait un nouvel ami.

— Et où habitez-vous? demanda Caroline. Je ne savais pas qu'il y avait d'autres chalets dans la vallée.

— Je n'ai pas de chalet, déclara l'homme. J'habite dans une petite grotte sur l'autre versant de la montagne.

— Dans une grotte! s'exclama le garçon.

— Hum, hum, confirma l'homme.

— Une vraie grotte! Comme les hommes préhistoriques? précisa Steven en imitant un déplacement simiesque.

— Steven! s'exclama Caroline qui tentait, sans grand succès, de ramener le garçon à l'ordre.

— C'est à peu près ça, répondit l'homme, amusé par les mimiques de Steven.

— Et vous vivez seul, comme les ermites? demanda Caroline.

— On peut dire que je suis un ermite.

— Mais pourquoi avoir choisi un tel mode de vie? s'enquit Caroline.

— Pour méditer, réfléchir dans la tranquillité, dans le silence. Ce n'est pas sans raison que l'on appelle cet endroit la Vallée du silence.

— Et c'est tout? insista Steven, toujours aussi curieux.

— C'est déjà une très bonne raison, mais je peux ajouter que c'est également pour vivre en harmonie avec la nature, communiquer avec les animaux et les plantes.

— Par l'entremise des dévas? suggéra Caroline.

— Vous connaissez l'existence des dévas?

Steven prit un air suffisant et fier en acquiesçant d'un signe de tête.

— Je suis fort impressionné, avoua l'ermite. Très peu de gens connaissent les dévas et savent communiquer avec eux.

— On connaît leur existence… Communiquer, c'est autre chose, avoua Caroline. Hein, Steven?

— Et vous, vous communiquez comment avec les dévas? demanda Steven en n'insistant pas sur ses propres problèmes.

Tout en poursuivant la marche, l'ermite précisa :

— Lorsque l'on communique avec un déva, on communique avec l'esprit régissant les actions de toute une espèce animale et ça devient parfois même dangereux. Ce sont des esprits très puissants qui ont souvent des priorités bien différentes des nôtres. Moi, je préfère communiquer avec un seul animal à la fois.

— Et ce n'est pas pareil ? dit Steven.

— Lorsque l'on veut communiquer avec un seul animal, la méthode la plus agréable est celle des sentiments.

— Peuh ! Les animaux, y ont pas de sentiments. C'est pour les humains, déclara le jeune garçon.

— La joie, la honte, la jalousie, la gourmandise, la peur, le besoin d'affection et même la tristesse, tous ces sentiments, beaucoup de chiens les expriment clairement. Même un canari dans sa cage peut démontrer de la tristesse ou de la jalousie.

— Mais une vache avec ses grands yeux... de vache, c'est différent, déclara Steven qui ne voulait pas s'avouer battu.

— Et pourquoi ça ? Il ne faut pas se fier à l'apparence extérieure de l'animal. La vache fait confiance au fermier et aime celui qui la nourrit et la soigne généreusement. Elle le lui rend bien par une abondance de lait. Par contre, lorsqu'elle est triste ou qu'elle s'ennuie, elle donne moins de lait. Retenez bien ceci : tout ce qui vit possède une certaine forme de conscience.

Tout en marchant, Caroline pivota de cent quatre-vingt degrés, ce qui lui permit de faire face à l'ermite, mais l'obligea à marcher à reculons.

— Tout ce qui vit ? Les plantes sont vivantes. Alors, vous croyez vraiment que c'est également valable pour les plantes ? Elles aussi, elles ont des sentiments ? demanda-t-elle.

Afin d'éviter les accidents, l'ermite s'arrêta et déclara :

— C'est aussi valable pour les plantes.

— Hé ! lança Steven, vraiment pas convaincu par cette affirmation.

Il se pencha. Dans un geste brusque, il arracha machinalement une poignée de marguerites. L'ermite ferma les yeux de désolation.

— Moi, j'ai jamais entendu parler d'une fleur qui était triste, dit Steven en examinant les quelques tiges coincées entre ses doigts.

— Avez-vous déjà entendu parler du détecteur de mensonge?

— Ho! Oui. J'en ai vu souvent dans les films policiers, répondit Steven tout excité.

Dans un enchaînement de grands gestes théâtraux, il poursuivit:

— On branche une super machine très spéciale à un sale individu suspect et si la personne raconte des histoires, des aiguilles dessinent des zigzags sur du papier.

— Tu sais vraiment beaucoup de choses, admit l'ermite.

Ce qui eut pour effet d'enfler de nouveau l'ego de Steven.

L'ermite fit quelques pas en direction d'un gros arbre couché sur le sol.

— Venez vous asseoir, je vais vous raconter une histoire.

Les deux jeunes ne purent résister à l'invitation. Ils se précipitèrent sur le banc improvisé et s'installèrent de chaque côté du vieillard. Ce dernier commença son histoire.

— Un jour, un chercheur travaillant dans une université eut l'idée de brancher un détecteur de mensonge à la tige d'une plante. Il demanda ensuite à son assistant de craquer une allumette et de brûler le bout d'une feuille de la plante.

— Et l'appareil a réagi, devina Caroline.

— Oui, la plante a vraiment souffert de cette brûlure. Mais ce n'est pas encore le plus extraordinaire. Le chercheur demanda ensuite à son assistant de s'approcher de la plante avec une allumette éteinte, mais de penser fortement qu'il allait brûler la plante. Et l'appareil a de nouveau réagi.

— Mais la plante n'a même pas été touchée, s'objecta Steven.

— C'est vrai. Cette fois-ci, la plante avait eu PEUR d'être brûlée.

— Et comment la plante a pu savoir? Elle n'avait pas des yeux pour voir l'assistant.

— Il n'y a pas que par nos yeux que nous pouvons voir. Notre cerveau émet continuellement des ondes, des vibrations positives ou négatives, et les plantes savent reconnaître ces vibrations. La plupart des gens ne se rendent pas compte que les plantes sont conscientes de notre présence, reconnaissent leur environnement et peuvent même, dans un sens, lire nos pensées.

Sur un ton morose, mais sans aucune trace de malice, Caroline déclara :

— Je me demande si les marguerites de Steven ont beaucoup souffert.

Steven baissa les yeux vers sa main serrant les fleurs et fit une grimace gênée. Comme pour s'excuser, il murmura à voix basse :

— Je ne savais pas.

***

McGraw choisit un coin du grand salon comme poste d'observation. Étant plus familier avec les bas quartiers de la ville, tout était nouveau pour lui dans ce vaste décor de la résidence de Caroline. Debout près du grand piano à queue, il effleura machinalement les dents d'ivoire du clavier en demeurant attentif au duel qui se préparait.

Un peu plus loin au centre de la pièce, le lieutenant Satoba avait pris ses aises dans un confortable fauteuil de cuir. Afin de laisser monter la tension, il feuilletait lentement son petit calepin de notes. En face de lui, dans un fauteuil similaire, Augustin Lamarre tentait sans grand succès de se donner une contenance. Le lieutenant brisa enfin le silence.

— Parlez-moi un peu des crises de Caroline.

— Les crises de Caroline ?

— Oui, les crises de Caroline, répéta l'inspecteur.

L'homme sembla chercher une explication et dit tout à coup :

— Oh ! Vous voulez sans doute parler de ses petits malaises passagers.

— Ce n'est pas plus grave que ça?

— De simples migraines qui vont et viennent, se risqua l'oncle sur un ton qui se voulait banal.

L'inspecteur resserra lentement la vis.

— Des migraines qui nécessitent des médicaments plutôt inhabituels, selon les dires de votre pharmacien.

— Certains médicaments peuvent être administrés pour différents malaises plus ou moins graves. C'est sûrement une simple question de dosage, suggéra l'oncle.

— La situation de Caroline n'est donc pas critique...

— Absolument pas, assura l'homme.

— Alors expliquez-moi la raison de ce document.

Le lieutenant sortit de la poche intérieure de son veston une enveloppe blanche qu'il tendit à son vis-à-vis. Il précisa:

— Une demande d'admission dans une clinique privée traitant exclusivement les maladies mentales.

Connaissant déjà le contenu du document, l'homme prit l'enveloppe mais ne l'ouvrit pas. L'inspecteur se cala un peu plus dans son fauteuil et croisa les jambes.

— Monsieur, je n'aime pas beaucoup les petites cachotteries. Dans mon métier, secret rime avec suspect. Vous en savez plus que vous le prétendez et j'ai bien l'intention de sortir d'ici avec des réponses.

***

Le boisé s'éclaircit. À travers les hautes herbes, on commençait à discerner, au loin, la ligne fluide d'un sentier. Rapidement, le trio poursuivit sa marche dans un décor laissant deviner des repères de plus en plus familiers.

L'ermite remarqua l'excitation grandissante de Steven.

— Alors? Vous vous y retrouvez?

— Oh! Oui, on est tout près du chalet, déclara le garçon tout heureux.

Sur ce, il partit en courant sur la piste de terre battue.

— Voulez-vous venir jusqu'au chalet? proposa Caroline. J'aimerais vous présenter notre amie Nadia... et vous pourriez vous reposer un peu.

— C'est très gentil, merci beaucoup, ma belle enfant. Je serais très heureux de faire la connaissance de votre amie.

***

Tout en observant Nadia du coin de l'œil, Guidor, appuyé à un bouleau, flattait le ramage d'un petit chardonneret perché sur son index. La jeune femme, inquiète, les bras croisés, faisait les cent pas, cherchant du regard la silhouette des enfants à travers les épais fourrés.

Soudain, telle une fusée, Steven apparut dans le sentier. Sautant par-dessus une pile de bûches, il atterrit bruyamment à quelques pas de Nadia. Son arrêt brusque souleva un épais nuage de poussière, effrayant du même coup le chardonneret posé sur le doigt de Guidor. L'oiseau s'envola aussitôt.

— Nadia, c'est nous! On est de retour! Qu'est-ce qu'on mange? demanda-t-il sur un ton chantant.

— Vous voilà, enfin! Où étiez-vous passés? s'écria Nadia en dissimulant avec peine ses émotions.

Sur un ton candide et joyeux, Steven résuma leur aventure.

— On s'était perdus en forêt, mais un vieux monsieur super cool nous a aidés à retrouver le chalet.

— Vous avez amené un étranger jusqu'ici, s'alarma Nadia.

Elle jeta un coup d'œil inquiet dans la direction de Guidor. Ce dernier se contenta d'afficher un sourire rassurant.

— C'est pas un étranger, Nadia. C'est un ami. Je peux lui faire visiter la cabane?

— Mais à quoi avez-vous pensé? demanda-t-elle d'un air découragé.

Nadia n'eut pas le temps d'attendre une réponse. Derrière une touffe de conifères s'élevèrent des rumeurs. Elle reconnut immédiatement la voix claire de Caroline. La jeune fille apparut au tournant du sentier, accompagnée de l'ermite.

Steven s'accrocha au bras de Nadia et la tira sans ménagement vers les nouveaux arrivants. Caroline s'occupa aussitôt des présentations.

— Je vous présente notre amie Nadia.

— Enchanté de vous connaître, déclara l'homme.

— Et je te présente... fit Caroline, confuse.

— Appelez-moi simplement l'Ermite, dit-il en souriant.

— Alors, bienvenue... l'Ermite.

Nadia présenta une main qu'elle tenta de rendre la plus chaleureuse possible.

L'Ermite se tourna ensuite vers un personnage demeuré discret, Guidor. Nadia se sentit obligée de faire les présentations.

— Voici un ami...

Guidor sortit de l'ombre du bouleau et marcha vers le nouveau venu. Ce dernier ouvrit tout grand les bras. Nadia, Caroline et Steven furent alors témoins de grandes retrouvailles. Après une chaleureuse accolade, Guidor donna des explications au trio ébahi.

— L'Ermite est un ami, un très vieil ami.

— Alors vous connaissiez l'existence du chalet! s'exclama Steven.

— Avec la permission de Guidor, j'utilise assez souvent le chalet, surtout l'hiver, avoua l'Ermite, mais sachant que des visiteurs arriveraient bientôt, j'ai préféré retourner dans ma grotte et continuer à vivre dans mon monde de silence.

Steven prit un air offusqué.

— Ben alors, pourquoi nous avoir fait le coup de l'intuition? Il était bien plus simple de nous indiquer le chemin. Pas besoin de jouer à la toupie pour ça, reprocha le garçon.

— Tu ne m'as jamais demandé de t'indiquer le chemin du chalet, mon garçon.

Prenant Caroline à témoin, il poursuivit :

— Vous m'aviez seulement demandé de vous aider à retrouver votre chemin et c'est ce que j'ai fait. De plus, je vous ai accompagnés jusqu'ici afin de m'assurer que vous seriez tous les deux sains et saufs et de retour à temps au chalet.

— Moi, j'appelle ça tricher, déclara Steven sur un ton boudeur.

— Steven ! s'offusqua Caroline.

L'Ermite, franchement amusé par l'attitude du garçon, précisa :

— Sans cette petite tricherie, vous n'auriez pas eu l'occasion d'expérimenter et d'apprécier la puissance de cette faculté extraordinaire que l'on nomme l'intuition.

— Il a raison, Steven, concéda Caroline. C'est bien par l'intuition que nous avons retrouvé notre chemin.

— D'accord… Je vous en veux pas… Mais c'est quand même triché, précisa Steven ne pouvant retenir un éclat de rire.

✶✶✶

Une à une, les étoiles piquèrent le grand velours noir. Autour d'un feu de camp, on profitait d'une brise légère tout en se remémorant les grandes émotions de la journée.

— C'est vraiment extraordinaire d'avoir pu retrouver notre chemin par l'intuition, rappela Caroline.

— Remarquez, précisa l'Ermite, que ce n'est pas la façon d'agir la plus prudente lorsque l'on est perdu en forêt. Il est plus sage de demeurer sur place et d'attendre du secours. Cet après-midi, vous pouviez vous permettre d'utiliser votre intuition. Il n'y avait aucun danger puisque je connaissais le chemin du retour.

— Mais alors, pourquoi leur avoir fait pratiquer cet exercice ? demanda Nadia.

L'homme ne put réprimer un petit sourire et avoua :

— Je connais la raison de votre présence au chalet. J'étais curieux de mettre à l'épreuve les facultés de Caroline et de Steven.

S'adressant de nouveaux aux enfants, il ajouta :

— Je vous suggère fortement de poursuivre vos exercices de méditation et d'améliorer, tous les jours, votre pouvoir d'intuition.

— Et comment peut-on y arriver ? demanda Caroline.

— Je vais vous proposer deux exercices. Voici le premier.

Tous les participants devinrent très attentifs.

— Quand vous désirez connaître l'heure, au lieu de regarder immédiatement votre montre ou une horloge, vous devriez tenter de la deviner.

— Et ça marche ? demanda Steven, incrédule.

— Avec le temps, vous devinerez l'heure exacte à quelques minutes, à quelques secondes près.

— Et l'autre exercice, qu'est-ce que c'est ? demanda Caroline, de plus en plus intéressée.

— Lorsque le téléphone sonne, prenez une seconde ou deux pour deviner qui peut bien appeler et pour qui est l'appel.

— On pourra pas pratiquer ça avant un certain temps, ironisa Steven.

— C'est vrai, concéda l'Ermite. Mais attention, il faut faire ces exercices sans essayer de réfléchir, sans calculer ou faire des déductions logiques. L'intuition ne fait pas travailler le cerveau, elle vient du fond de l'âme.

Après une pause, il précisa :

— Ces exercices sont plus faciles et plus prudents à réaliser que de tenter de retrouver son chemin, mais ils vous amèneront peut-être, un jour, à utiliser votre intuition dans des situations beaucoup plus dramatiques.

Une pause se fit, chacun méditant les sages paroles de l'Ermite. Au bout de quelques secondes, Guidor rompit le silence :

— Il se fait tard. Je suggère à tous d'aller se reposer. Pour cette nuit, l'Ermite a accepté notre hospitalité.

— C'est vrai ! s'exclama Steven.

— C'est formidable, j'ai encore tellement de questions à vous poser, avoua Caroline.

— Il te faudra alors te lever tôt, car je dois repartir de très bonne heure.

Une à une, les lampes s'éteignirent dans le chalet. Tous se préparèrent à dormir, sauf peut-être cette ombre bizarre qui rôdait dans le sentier serpentant sur le flanc de la colline.

CHAPITRE VIII

Le soleil piquait des taches de lumière dans le sous-bois de la vallée. En ce mitan de l'avant-midi, malgré l'ombre généreuse des conifères, on pouvait presque deviner à l'odeur que cette journée du milieu de juillet serait chaude et humide.

Dans ses sandales artisanales, l'Ermite foulait d'un pas alerte le sentier sinueux de terre battue. Son vieux sac de toile usé en bandoulière, il écartait d'un geste délicat les quelques branches traversant le chemin. On aurait pu le croire seul dans cette forêt, n'eût été du martèlement sourd qui s'amplifiait à chaque tournant du sentier.

L'homme apparut derrière un bouquet de fougères tout près de la véranda du chalet. Il aperçut la jeune femme sur le seuil de la porte, secouant la nappe du petit déjeuner. Afin de ne pas la surprendre, il s'annonça doucement.

— Bonjour, Nadia.

— Ho! Bonjour, l'Ermite, lui répondit Nadia.

Agenouillée devant un seau d'eau, les cheveux encore humides, Caroline releva la tête en terminant de s'essuyer le visage.

— Allô, Caroline.

— Bonjour, l'Ermite. La journée s'annonce magnifique.

L'homme de la montagne acquiesça d'un léger signe de tête et se tourna vers le garçon qui semblait livrer un combat de titan. Concentré sur la tâche, Steven avait fait peu de cas des civilités amorcées. Il se débattait avec acharnement contre sa hache bien coincée dans une bûche récalcitrante. Malgré plusieurs cognées énergiques, la bûche refusait toujours de fendre. À bout de souffle, Steven profita de cet intermède pour lâcher l'outil.

— Salut, comment vas-tu, Steven?

— Ouf, ouf... Très bien, l'Ermite... Ouf... Hé, dites, l'Ermite?

— Oui, Steven?

— Pourquoi on vous appelle toujours l'Ermite? Vous n'avez pas un vrai nom comme tout le monde?

— Si, j'en ai déjà eu un.

— Et pourquoi vous vous en servez pas?

— Steven, s'objecta calmement Nadia, certaines insistances peuvent dénoter un manque de savoir-vivre.

— Bien quoi, je voulais juste savoir, bougonna Steven en haussant les épaules.

Nullement offensé et même plutôt amusé, l'Ermite répondit:

— Aujourd'hui, mon nom n'a plus beaucoup d'importance. Pour mes amis les oiseaux, le vent et les cerfs de la forêt, l'Ermite est un nom bien suffisant.

— Mais nous, on n'est pas des oiseaux.

— Tu n'en as pas le plumage, mais je crois que tu en as la cervelle, répliqua sèchement Nadia en déposant sa nappe sur la rampe de la galerie.

Sans se soucier de cette dernière intervention, l'Ermite répondit sur un ton méditatif:

— Peut-être qu'un jour, si tu le mérites, je répondrai à ta question.

— Ah oui! Quel jour?

— Steven! s'exclama la jeune femme, sur le point de perdre patience, les poings sur les hanches.

— Bon d'accord. J'ai compris.

Steven empoigna le manche de sa hache. Prenant un air de chien battu, il ajouta:

— À moi, on dit jamais rien. À part: va chercher de l'eau, va couper du bois, va chercher de l'eau, va couper du bois.

Tous reconnaissaient à Steven de grands talents de comédien. Les jérémiades du garçon s'envolèrent avec la brise. L'Ermite souleva le rabat de son grand sac de toile et en sortit un paquet enveloppé de papier brun.

— Voilà les aiguilles et les autres petits articles que tu désirais.

— Oh! Merci. C'est vraiment gentil de votre part de faire ce long trajet jusqu'au village. C'est tout de même une bonne marche.

Plaçant sa main libre près de sa bouche, il confia dans un murmure:

— Près de la grand-route, j'ai une vieille bicyclette cachée dans un fourré.

Nadia ne put retenir un éclat de rire.

— Vous en avez encore beaucoup, des secrets du genre?

— Quelques-uns… Mais je les dévoile un à la fois, pour faire durer le plaisir.

— Je suis curieuse de connaître le prochain.

— C'est pour bientôt…, répondit l'apprenti commissionnaire sur un ton taquin.

Nadia n'insista pas, prit le colis d'une main et le déposa près de la nappe sur la rampe de la galerie. Elle ouvrit machinalement le paquet et y jeta un coup d'œil rapide tout en demandant distraitement:

— Alors, quoi de neuf dans le monde extérieur?

— Beaucoup de choses, mais pas vraiment intéressantes…

Prenant un air espiègle, il ajouta en sortant de sa poche de toile le journal du matin:

— Sauf peut-être ceci.

La jeune femme, intriguée, accepta le journal. En le dépliant, elle s'arrêta sur la première page.

— Ça alors! Chemptek. C'est l'entreprise où je travaillais… et lui, c'est mon ancien patron.

— Hein! Ton patron! répéta le garçon qui avait l'oreille fine pour tout ce qui ne le concernait pas. Et est-ce qu'on parle de toi?

Lâchant de nouveau sa hache, Steven rejoignit les deux adultes, suivi de Caroline, les cheveux cachés dans un turban de ratine.

— J'espère bien que non, soupira la jeune femme. Chemptek est poursuivi pour dix millions de dollars, ajouta-t-elle en retournant le journal vers le groupe.

Tous pouvaient lire sous le titre principal: «Chemptek: une menace planétaire?»

Nadia marmonna quelques phrases.

— Tu peux articuler un peu plus, s'il te plait? demanda Steven.

Pour le bénéfice de tous, elle poursuivit à haute voix:

— Présent sur les cinq continents, le consortium gère vingt-deux usines... Il n'en faut pas plus... Ah! Voilà. L'accusation souligne la contamination de l'environnement par un nouveau produit toxique aux effets inconnus jusqu'à présent. Le directeur de l'usine a donné sa démission ce matin.

— Bon débarras! s'exclama le garçon.

— Chacun son tour de perdre son emploi, ajouta Caroline.

— Il a vraiment une sale gueule, fut le verdict de Steven.

Le garçon se désintéressa soudainement de l'affreux personnage.

— Ho! Regardez, derrière le bonhomme.

Tout excité, Steven pointa du doigt un coin de la photo où l'on reconnaissait derrière le directeur une partie des installations de la Chemptek. On devinait le coin d'un bâtiment et plus loin, des citernes énormes portant le symbole de la compagnie.

— Et alors? demanda Nadia. C'est le logo de la compagnie.

— Un triangle noir sur un carré rouge.

— Ça par exemple! s'exclama Nadia, médusée. J'avoue que je n'avais jamais fait le rapprochement.

— Parce que les couleurs sont inversées, souligna Caroline.

— Mais c'est quand même le même symbole. Alors, ça veut dire que tu travaillais pour les envahisseurs!

— Steven, ne sois pas ridicule, lança Nadia, offusquée par une telle accusation.

— Mais ce dessin sur la citerne, s'écria Steven, de plus en plus excité, on le connaît bien, c'est le signe des ennemis, le signe des assassins !

— Steven, s'écria Caroline, tu dérailles complètement. Les envahisseurs, c'était il y a huit mille ans. C'est une menace qui n'existe plus. Y a rien qui peut survivre durant huit mille ans.

Prenant l'Ermite à témoin, elle ajouta :

— N'est-ce pas, l'Ermite ?

Devant le mutisme de ce dernier, elle poursuivit :

— Tu sembles oublier, mon cher génie, que Nadia a été congédiée justement parce qu'elle ne voulait pas obéir à ses employeurs.

Steven connut alors un passage à vide. Quelques secondes seulement, le temps de s'assurer que deux et deux font quatre.

— He… C'est vrai… Excuse-moi, Nadia.

D'un air penaud, il ajouta en quittant le groupe :

— J'devrais peut-être retourner couper du bois.

Cette fois-ci, tous savaient qu'il ne jouait pas la comédie. Caroline, un peu honteuse de sa brusquerie, proposa :

— Attends-moi. À deux, ça ira plus vite.

Nadia regarda les deux enfants s'éloigner.

— Pauvre Steven. Il en est tout retourné et malheureux.

— Malheureux, mais observateur, précisa l'Ermite encore quelque peu ébranlé. Steven a raison, c'est bien le symbole gris, celui des trogs. Je ne croyais pas les petits-gris si près de nous. Il devient vraiment urgent d'agir.

— Agir ? Mais comment ? Et en premier lieu, les petits-gris, c'est quoi ou qui au juste ?

— Tout est relié à ce symbole, précisa l'Ermite en pointant du doigt la photo du journal. Entrons dans le chalet, Nadia. Je crois qu'il est temps de te dévoiler un autre de mes petits secrets.

***

— Vous en êtes certain ? demanda Satoba en laissant retomber le journal.

— J'en mettrais ma main au feu, chef, confirma McGraw en sortant une pile de photos d'une grosse enveloppe grise.

Le lieutenant sortit d'un tiroir une puissante loupe et se mit à examiner les photos, et plus précisément le ceinturon du mystérieux visiteur.

— Incroyable, s'exclama-t-il tout en glissant la loupe vers la photo du journal. Le dessin de la boucle est identique au logo de cette entreprise… Mais quel rapport peut-il bien exister entre une boucle de ceinture et une entreprise de produits chimiques ? se demanda le lieutenant en déposant la loupe.

— Vous permettez que je fasse ma petite enquête, lieutenant ? demanda McGraw, fier de sa découverte.

— Et comment ! Je veux tout savoir sur les origines et la signification de ce fameux symbole.

***

Vêtu d'une veste aux larges carreaux cachant partiellement un ceinturon au motif étrange, l'individu n'avait rien du touriste en quête d'un havre de paix. Malgré son imposant sac à dos, il progressait rapidement dans le sous-bois lorsque soudain, par mégarde, le bout de sa botte en peau de crocodile glissa sous une racine. Surpris et déséquilibré, l'homme eut juste le temps de s'agripper à un vieux tronc vermoulu pour retrouver son aplomb. Durant une seconde, son visage sembla se déformer, mais il reprit rapidement son apparence d'origine.

— Sale planète ! rumina l'homme. Un jour, il faudra penser à raser tous ces arbres inutiles.

Oubliant sa mésaventure, il poursuivit sa marche et atteignit un ruisseau qu'il traversa en trois enjambées, puis s'arrêta. De la poche intérieure de sa veste, il retira une mince plaquette qu'il consulta avec intérêt. Il semblait faire le point sur sa position.

Satisfait, il pressa quelques touches. Portant ensuite son poignet gauche à la hauteur de sa bouche, à voix basse, il articula :

— Je demande une confirmation de ma position.

La réponse ne se fit pas attendre.

— Confirmation de votre position. Corrigez de deux degrés virgule cinq vers l'est.

Très loin sous terre, sur un grand écran s'affichaient deux points lumineux dont l'un, plus brillant, attirait l'attention. Face à l'écran panoramique, le Globulus compléta la demande d'information.

— Vous êtes à moins d'un kilomètre de la source d'émission. Soyez prudent, agent Sygrill. Bonne chance… et bonne chasse.

***

Caroline lança un dernier morceau de bois sur le tas devenu imposant. Avec un certain dédain, elle examina son maillot souillé, garni de résidus d'écorce. Du revers de la main, elle brossa délicatement son vêtement ainsi que ses avant-bras. Levant les yeux, elle ne put s'empêcher de prendre un ton réprobateur :

— Franchement, Steven, ne trouves-tu pas que tu exagères ?

Le garçon, accroupi, n'avait cure des commentaires de la jeune fille. Il tentait désespérément de prendre une huitième bûche sur le bras.

— J'ai pas l'intention de passer tout mon avant-midi à transporter du bois.

Ayant réussi son exploit, il se releva lentement. Avec peine, il fit quelques pas hésitants. La vue partiellement bouchée, Steven ne remarqua pas la grosse racine sortant de terre tout juste devant lui. Fatalement il s'y accrocha le pied, perdit l'équilibre et se retrouva de tout son long sur le sol, le nez dans la mousse, tandis que ses bûches s'éparpillaient allègrement dans toutes les directions.

En colère, Steven se releva brusquement. Du coin de l'œil, il découvrit sa hache plantée dans une souche. Dans un grand cri vengeur, il sauta sur l'instrument, le ramassa à deux mains et courut vers la racine provocatrice.

Il avait déjà pris son élan et se préparait à faire un massacre lorsqu'il sentit, avec stupéfaction, une résistance. Il se retourna et vit l'Ermite lui prendre délicatement la hache des mains.

— Redonnez-moi ma hache, j'ai un compte à régler, cria le garçon, hors de lui.

— À régler avec qui? demanda l'Ermite calmement.

— Avec cette stupide racine.

Toujours aussi serein, l'Ermite demanda:

— Et pourquoi cette racine est-elle stupide?

— Parce qu'elle m'a fait tomber.

— Elle t'a fait trébucher ou est-ce que tu t'es pris le pied dedans?

— C'est la même chose, marmonna le garçon.

— Tu t'es coincé le pied parce que tu n'as pas regardé devant toi.

Steven balaya le sol du pied et fit lever un nuage de poussière dans la direction de la racine. Sur un ton bourru, il répondit:

— Si elle n'avait pas été là, cette stupide racine, je ne serais pas tombé.

— Cette racine est à cet endroit depuis plus de cinquante ans et c'est bien la première fois qu'on la traite de stupide.

Après avoir déposé l'outil de mutilation près d'un arbre, l'Ermite suggéra:

— Si tu tiens absolument à marcher sur un terrain plat exempt d'obstacles, tu n'as qu'à te rendre dans le stationnement d'un centre commercial.

Avec une touche d'ironie, le vieil homme ajouta:

— Avec la permission du gérant, tu pourras peut-être même y planter ta tente.

Steven, devenu un peu plus calme, ne trouva rien d'emballant dans la suggestion de l'Ermite. Il demeura songeur.

— Alors, comment trouves-tu mon idée?

— Pas super, avoua le garçon. Sur les terrains de stationnement, y a pas de fleurs, pas de chants d'oiseaux.

— C'est vrai, concéda l'homme. Chaque lieu possède ses particularités. Sans les arbres, il n'y a pas d'oiseaux ni de parfums sauvages. Et sans les racines, il n'y a pas d'arbres. La forêt peut nous donner beaucoup, à condition de l'accepter telle qu'elle est.

L'Ermite fit une pause et laissa aux enfants le temps de bien apprécier et d'enregistrer ces sages paroles. Sur un ton de quasi-conspirateur, il poursuivit :

— Après le repas, je vous ferai découvrir un trésor.

— Un trésor ! s'exclamèrent-ils en chœur.

— Oui, un véritable trésor. Un endroit magnifique de la forêt. En attendant, allez vous laver et ensuite, promenez-vous dans le sentier près du chalet. Prenez le temps de découvrir les beautés qui vous entourent. Mais attention...

— Oui je sais, en regardant où je mets les pieds, dit Steven en souriant.

***

Une grosse botte en peau de crocodile écrasa un bouquet de fougères. Sygrill s'arrêta de nouveau. Une consultation rapide de sa plaquette de guidage confirma sa position. Prestement, il se délesta de son lourd sac à dos.

Étendu sur un rocher plat, il balaya à l'aide de ses jumelles les abords du lac longeant le pied de la colline. En quelques secondes, il découvrit le filet de fumée s'échappant du chalet, masqué partiellement par un bouquet de conifères. D'un œil expert, il apprécia sa position.

— Ici, ce sera parfait, déclara-t-il avec un sourire méchant.

***

Derrière un bosquet, l'agent terminait de camoufler son sac à dos sous des branches de sapin lorsque son attention fut attirée par de claires et joyeuses exclamations.

— Regarde, y en a un autre par là! s'écria Steven.

Malgré la faible inclinaison du terrain, l'humus rendait le sol glissant et la descente hasardeuse. Caroline contourna prudemment un vieux tronc pourri et se retrouva face à une grande mare d'eau stagnante. Elle laissa échapper un soupir, étudia l'obstacle quelques secondes et estima que ce dernier représentait la fin de son périple exploratoire de la journée.

— Tu ne vas tout de même pas faire l'inventaire de tous les terriers de la vallée, protesta Caroline.

Sygrill s'étendit précipitamment sur le lit de fougères tapissant le sous-bois. En bordure du sentier, à une centaine de mètres de sa cachette apparurent les deux enfants, émergeant d'une dénivellation de terrain. Steven venait de découvrir un nouveau terrier et marchait, tout excité, dans sa direction.

— Je te parie qu'il y a des renards cachés dans ce trou.

— Steven, sois prudent. Je te rappelle que les renards sont des animaux sauvages.

À quatre pattes, la tête plongée dans la petite ouverture, Steven fit un brin de philosophie en déclarant:

— Bah! Une p'tite bête ne peut pas en manger une grosse.

Sortant la tête du terrier, il ajouta:

— Les renards ont toujours plusieurs sorties à leur terrier. Viens, on va les chercher.

Le garçon se releva, mais la jeune fille ne bougea pas. Elle croisa les bras afin de souligner son objection.

— Moi, je ne vais pas plus loin.

— Pourquoi? demanda le garçon tout surpris.

— Parce qu'il sera bientôt l'heure de retourner au chalet et d'aider Nadia à préparer le repas.

— Préparer le repas. Y a pas de quoi se presser. On va encore brouter des herbes et manger des légumes, gémit le garçon.

— Mais c'est très bon pour la santé. De quoi te plains-tu?

— Y a pas de viande. Y a jamais de viande!

— Et alors?

— Avant de connaître Nadia, j'ai déjà couché en prison, moi.

— Il n'y a pas de quoi pavoiser, souligna la jeune fille.

— C'est vrai que... c'était pas très confortable, mais au moins, au poste de police, y avait du poulet au menu... surtout la fin de semaine, ajouta-t-il d'un ton morose.

De son poste d'observation, l'agent du continent creux grimaça un sourire.

— Du poulet...

Un plan diabolique venait de germer dans son esprit tortueux. Après le départ des enfants, lentement, tel un chat, il quitta sa cachette et s'éloigna discrètement.

***

Toute une famille de lièvres gambadait autour de l'Ermite accroupi à même le sol. Nadia sortit sur le perron et referma doucement la porte à moustiquaire. L'Ermite gratifia la jeune femme d'un grand sourire et l'encouragea à se joindre à lui ainsi qu'à ses visiteurs. Nadia répondit par un sourire tiède, mais demeura à l'écart du groupe.

L'homme, la devinant préoccupée, se faufila entre les petites bêtes. Maintenant tout près d'elle, il tenta de la rassurer.

— Tu sais, Nadia, ici tu es en sécurité. Aucune police au monde ne vous trouvera dans la Vallée du silence.

— Ce n'est pas notre sécurité qui me préoccupe en ce moment.

Après une hésitation, elle ajouta :

— C'est Steven.

— Steven ? Mais qu'est-ce qu'il a fait ?

— Il n'a rien fait. C'est simplement que je ne sais pas... je ne sais plus comment composer avec lui.

La jeune femme descendit les quelques marches et se laissa choir sur une vieille chaise longue en bois.

— Depuis des semaines, il ne parle que de manger du poulet ou de la viande comme du bœuf et du porc. Tous nos menus sont composés de fruits et de légumes, accompagnés de noix et de céréales. Je me sens un peu coupable de ne pas lui donner ce qu'il désire.

— Tes menus végétariens sont délicieux et très bons pour la santé. Je ne peux que t'encourager à éliminer la consommation de viande, et en premier lieu les viandes rouges et le porc.

Nadia fronça les sourcils.

— Vous semblez très catégorique, observa la jeune femme.

— Les animaux ont des sentiments, Nadia. Si tu observes bien un chien, tu te rendras compte qu'il connaît la joie, la tristesse, l'ennui et la peur.

— C'est vrai. Certains chiens semblent presque humains. On dit même parfois qu'il ne leur manque que la parole.

L'Ermite acquiesça de la tête.

— Selon certaines théories, les animaux que l'on amène à l'abattoir vivent un stress important et ressentent la peur. Cette peur se propage dans tout le corps de l'animal et demeure figée dans les cellules lorsque l'on abat la bête.

— Vous voulez dire que lorsque nous mangeons cette viande, nous consommons également cette peur? conclut Nadia.

— C'est bien possible.

— Ça ne doit pas nous aider à passer une bonne journée.

— Ce n'est peut-être qu'une théorie, précisa l'Ermite, mais pour ma part, je préfère m'abstenir et ne pas prendre le risque de la vérifier.

— Il faudra que vous répétiez tout ça à Steven.

***

Le retour vers le chalet s'annonçait sans surprise lorsque les deux enfants entendirent le sifflement rythmé d'une chanson populaire.

— Tiens, l'Ermite vient nous voir, annonça Steven qui cherchait déjà la silhouette à travers les buissons.

— L'Ermite ne connaît sûrement pas ce genre de chanson, coupa Caroline.

— Alors c'est Guidor!

— Je n'ai jamais entendu Guidor siffler une chanson, répliqua la jeune fille en ralentissant le pas.

À bout de ressource, le garçon ne put qu'ajouter:

— Alors c'est qui?

— Je ne sais pas. Il est préférable de demeurer discret, répondit Caroline d'une voix feutrée. Piquons à travers le sous-bois.

Les enfants esquissaient à peine leur geste qu'une voix chantante leur coupa toute idée de retraite.

— Ho! Bonjour, les enfants.

À travers un enchevêtrement d'arbrisseaux, les deux jeunes devinèrent la silhouette du nouveau venu. Ce dernier se pencha quelques secondes et réapparut en exhibant au bout de son bras, tel un trophée, une curieuse masse jaune orangé.

— Ha... Regardez-moi cette magnifique chanterelle.

L'homme au visage rondelet, voyant les deux enfants peu impressionnés par sa découverte, ajouta sur un ton enjoué :

— Évidemment, on ne mange pas un champignon tout seul. Il faut y ajouter une belle poitrine de poulet ou de dindon, nappée d'une généreuse sauce brune onctueuse.

Au mot «poulet», les yeux de Steven devinrent deux grandes lunes blanches. Sa bouche s'ouvrit et se referma pour déglutir sans discrétion. Au mot «dindon», le garçon avança d'un pas sans s'en rendre compte.

L'homme, attentif aux moindres réactions des enfants, se prépara à refermer son filet. Il ajouta sur un ton innocent:

— Ma femme n'a pas son pareil pour préparer les poulets en sauce et avec ces champignons, nous aurons un repas délicieux.

Steven était sur le point de défaillir lorsque l'inconnu lui donna le coup de grâce.

— Tu aimes le poulet, mon garçon?

Steven, à demi comateux, ne réussit à répondre que par un signe de tête. L'homme, s'adressant toujours à lui, annonça :

— Moi, je les adore. C'est pourquoi j'en élève des centaines en plus des dindes et des moutons.

— Des dindes et des moutons, répéta Steven.

— Oui, les gigots, c'est la spécialité de ma femme.

L'homme, conscient de son pouvoir sur le garçon, exécuta la deuxième partie de son plan. Se donnant un air détaché, il prit le temps de ramasser son sac de champignons avant de déclarer :

— C'est la première fois que je rencontre des jeunes sur ce versant de la montagne. Je suppose que vous habitez le chalet isolé dans la vallée ?

Steven, qui avait perdu tout sens de la discrétion, confirma d'un signe de tête. L'homme reprit :

— Et bien ! Je suis très heureux d'avoir de nouveaux voisins. Je possède une ferme à l'autre bout de la vallée, de l'autre côté du lac. Ce n'est pas tellement loin.

Prenant la tête de celui qui vient d'avoir une inspiration, il ajouta sur un ton enjoué :

— Tenez, demain c'est samedi. Afin de fêter dignement notre rencontre, je vous invite à venir dîner demain soir. Il y aura de la dinde, du gigot d'agneau... et des champignons. Mais j'y pense, vous n'êtes sûrement pas seuls à habiter le chalet ?

— Oh ! Non, y a également Nadia et notre ami Guid...

Steven n'eut pas l'occasion de terminer sa phrase. Caroline, qui avait conservé la tête bien froide, bouscula l'épaule du jeune garçon en donnant l'illusion de perdre l'équilibre. Steven, se rendant compte de son imprudence, corrigea rapidement :

— ... Nadia et notre ami Guy. C'est notre oncle. Il vient nous voir de temps à autre.

— Alors vous serez tous les bienvenus demain soir. Et soyez sans crainte, il y en aura pour tout le monde.

***

Tout était calme aux abords du chalet. L'Ermite, assis sur une bûche, pelait des carottes. Nadia, un peu plus loin, lavait une pomme de laitue sous la pompe à eau. Tout était calme, du moins tout demeura calme jusqu'à l'arrivée de Steven. Le garçon apparut comme une tornade en dansant et en chantant :

— Du poulet, du poulet…

Dans son euphorie, Steven grimpa sur un amas de bûches et se mit à danser. Le poids du garçon et ses pitreries déstabilisèrent l'amoncellement de rondins, mais Steven n'en avait cure. Dans un élan, il s'élança vers une branche et fit quelques balancements avant de sauter vers le sol. Son pied droit atterrit dans un seau et y demeura coincé. Sans se préoccuper de ce détail, Steven poursuivit sa danse en chantant :

— On va manger du poulet, on va manger du poulet, samedi…

L'Ermite laissa passer la tempête et attendit le passage de Caroline. Avec une note d'humour, il s'informa :

— J'espère que la maladie de ce jeune garçon n'est pas contagieuse ?

— Si vous n'êtes pas fou du poulet, il n'y a aucun danger, répondit Caroline sur le même ton.

Constatant son commentaire peu explicite, elle ajouta :

— Nous avons rencontré un fermier dans le bois et il nous a tous invités à souper chez lui demain soir.

Considérant cette fois-ci son information complète, Caroline rejoignit Nadia.

— Un fermier ? répéta l'Ermite pour lui-même.

Dans une suite de pirouettes, un pied toujours coincé dans le seau, Steven s'arrêta devant ce dernier.

— Oui. Il est super sympa. Il possède une ferme à l'autre bout de la vallée. Il élève des moutons, des dindons et des poulets, des poulets, des poulets…, chanta Steven en s'éloignant.

Toujours assis sur sa bûche, l'Ermite fronça les sourcils.

***

Le joyeux fermier avait depuis longtemps oublié ses champignons. À grands coups de hachette, il coupait à présent une série de pieux en bois dur. Un à un, il les aiguisa soigneusement, transformant chaque tige en un dard meurtrier.

∗∗∗

L'Ermite ouvrait la marche. Sur ses traces, Caroline suivait d'un pas léger. Steven, toujours prêt à bougonner, ne laissa pas passer l'occasion.

— Il est encore loin, ce trésor ?

— Steven, souffla Caroline, cesse donc de te plaindre. Pour un trésor, tu peux bien faire un effort.

L'Ermite coupa court aux récriminations. Il fit encore quelques pas, s'arrêta et céda le passage aux enfants.

— Nous sommes presque rendus et le coup d'œil vaut le déplacement.

Le sentier débouchait brusquement sur un promontoire offrant une vue imprenable sur le lac.

— Le voilà, mon trésor.

— Ho ! C'est à couper le souffle ! s'exclama Caroline.

— C'est plus beau que sur les cartes postales, admit Steven.

— Et sur les cartes postales, tu ne peux pas sentir ces délicieux parfums..., dit l'Ermite.

— Ou entendre tous ces chants d'oiseaux, termina Caroline.

— Suivez-moi.

L'homme emprunta un sentier et tous les trois descendirent jusqu'aux berges du lac. L'Ermite marcha vers un arbre couché.

— Venez vous asseoir. J'ai une petite histoire pour vous.

Les enfants ayant pris place, il leur dit :

— Imaginez que vous avez une belle maison, avec un beau salon et de beaux meubles. Tout est propre et paisible dans votre demeure. Vous êtes heureux dans votre maison et aimez vivre dans cette belle tranquillité. Tout à coup, sans s'annoncer, des étrangers entrent dans votre maison, s'installent sans invitation dans votre salon, mettent les pieds sur les tables, renversent le contenu de leur verre sur vos beaux tapis et font jouer de la musique à tue-tête. Que feriez-vous dans une telle situation ?

— Je les mettrais dehors, déclara Steven sans hésitation.

— Et s'ils ne veulent pas partir et déclarent qu'ils sont très bien ainsi et qu'ils vont continuer à faire ce qui leur plaît aussi longtemps qu'ils le voudront ?

— Mais c'est pas juste ! s'écria le garçon. Ils n'ont pas le droit de tout briser chez moi.

— Et de nuire à notre tranquillité, ajouta Caroline.

Satisfait des réponses, l'homme poursuivit :

— Chacun a donc le droit à la tranquillité chez soi et au respect de ceux qui y viennent. Cette clairière, ce boisé, ce lac, ne sont-ils pas les demeures de ceux qui y habitent ? Le chevreuil que vous avez suivi et l'oiseau qui est sur cette branche et même l'arbre à qui appartient cette branche vivent dans cette forêt depuis des années. Ils y sont heureux car tout y est calme, harmonieux. Ils sont de plus généreux, puisqu'ils nous acceptent dans leur monde et nous invitent à le partager.

Steven, comprenant la leçon, ajouta :

— À condition de ne pas mettre les pieds sur leur table de salon et de la briser.

L'Ermite répondit par un triste sourire. Honteux, Steven ajouta :

— C'est ce que j'aurais fait hier en coupant la racine.

L'homme compléta en disant :

— Et pour démontrer notre gratitude, nous devrions toujours remercier l'ensemble des arbres et des animaux de la forêt lorsque nous quittons leur domaine. Malheureusement, tous les humains ne pensent pas ainsi.

L'Ermite fit une légère pause et poursuivit :

— Ce printemps, des campeurs sont passés par ici et, tout comme vous, ils ont apprécié ce même décor.

— Et c'est normal, déclara Caroline. La beauté des arbres, la pureté du lac, le chant des oiseaux. Tant de belles choses loin de la pollution. Qui pourrait demeurer insensible?

Sur ce, l'Ermite perdit son sourire et se leva. Il écarta un arbuste et fit découvrir un coin du décor, caché aux yeux des jeunes. Un tas de déchets laissés par les campeurs jonchaient la plage.

— Ho! Quel gâchis! On ne peut pas laisser le terrain dans un tel état, déclara Caroline, horrifiée par le spectacle.

— Caroline a raison, ajouta Steven. Y faut faire quelque chose.

— Et si je retournais immédiatement au chalet? Je pourrais revenir avec des sacs à déchets et nous pourrions tout nettoyer cet après-midi, proposa Caroline.

Avec un léger sourire, l'Ermite calma les ardeurs de la jeune fille.

— Il ne sera pas nécessaire de retourner au chalet. Je me doutais que vous ne demeureriez pas insensibles devant un tel dégât et j'ai apporté ceci.

De sa poche de toile, l'Ermite sortit trois grands sacs à déchets.

***

L'agent glissa un dernier pieu aiguisé sur le support artisanal. Il recula ensuite d'un pas et évalua l'ensemble de son oeuvre. Masqué par le feuillage, à l'ombre d'un imposant rocher, le piège à fléchettes demeurait pratiquement invisible. Tenant compte de la largeur du sentier, il avait planté en son centre une cible rudimentaire: une perche à laquelle était attaché un morceau d'étoffe. À l'aide d'un autre bout de branche, il fouilla les hautes herbes et retrouva le filin tendu en travers du sentier. Délicatement, du bout de sa perche, il provoqua une tension sur le filin. Dans un sifflement aigu, une dizaine de fléchettes traversèrent le sentier et transpercèrent le bout d'étoffe suspendu. Satisfait de son essai, il s'activa à tout remettre en place.

***

Arpentant la plage sablonneuse, Steven ramassa une dernière canette d'aluminium et la déposa dans le grand sac orange. Caroline le secoua vigoureusement et le referma à l'aide d'une attache.

— Voilà, c'est fini, déclara le garçon.

— Vous avez vraiment fait du beau travail et je suis très fier de vous.

— Il ne nous reste plus qu'à rapporter tout cela au chalet, conclut Caroline.

Pour toute réponse, l'Ermite grimaça et se laissa choir mollement sur une souche en se frottant les hanches.

— Y a un problème? demanda Steven.

— Rien de grave, mon garçon. Partez en avant, les enfants, suggéra-t-il. Je me fais vieux et je suis un peu fatigué.

— Nous pouvons vous attendre, proposa la jeune fille.

— Non, non, c'est inutile. Nous nous retrouverons au chalet un peu plus tard. Partez immédiatement. Avec ces sacs, vous ne pourrez pas aller très vite.

Les épaules tombantes, l'homme, devenu soudainement très vieux, regarda les enfants disparaître dans les broussailles. Il attendit quelques secondes et se releva brusquement, toute fatigue ayant disparu comme par enchantement. Il jeta un dernier coup d'œil vers le sentier emprunté par les enfants. Rassuré, il quitta l'endroit en longeant la plage.

***

De la poche intérieure de sa grosse veste à carreaux, Sygrill extirpa sa plaquette numérique. Il pianota deux touches sur l'instrument et se préparait à prendre contact avec le Globulus lorsqu'une exclamation retentit derrière lui.

— Belle journée, aujourd'hui!

Mine de rien, l'agent glissa discrètement l'instrument dans sa veste. Se composant un visage innocent, il se retourna vers le nouveau venu. Personne! Il n'y avait personne derrière lui. Il n'avait pourtant pas rêvé.

— Ici, plus haut, suggéra une voix toujours invisible.

Sur une grosse pierre ronde, haute de deux mètres, se tenait l'Ermite. Affichant un grand sourire, il entama la conversation.

— J'ai croisé deux enfants qui m'ont dit qu'un fermier, habitant à l'autre bout de la vallée, les avait invités à dîner.

Ne sachant trop comment composer, Sygrill confirma l'histoire des jeunes sans prendre l'initiative de la discussion:

— C'est bien ce que je leur ai dit. À qui ai-je l'honneur?

— On m'appelle l'Ermite.

Intérieurement, Sygrill maudissait l'arrivée de cet inconnu. Vu la nature de sa mission, il fallait se débarrasser de ce témoin imprévu. Du coin de l'œil, il vérifia la position de son piège à fléchettes. Le tout était prêt à fonctionner et cet ermite se trouvait à moins de trois mètres du filin déclencheur. Il suffisait maintenant de le faire descendre de son perchoir. Regardant de nouveau vers le rocher, il demanda:

— Et vous venez souvent dans cette forêt?

Mais l'homme n'y était plus... Sur sa gauche, il entendit:

— Très souvent.

Sygrill demeura perplexe. Comment le vieillard était-il descendu si rapidement de ce gros rocher? L'agent ne chercha pas longtemps la réponse, trop heureux de constater que le nouveau venu se retrouvait maintenant à moins d'un mètre du piège mortel.

L'Ermite effaça son sourire et ses yeux perdirent toute trace de douceur.

— J'habite cette vallée depuis quinze ans, dit-il en avançant d'un pas, se rapprochant ainsi dangereusement du filin.

L'agent se rendit compte alors de la fragilité de son plan. Il devait liquider ce gêneur. Il avança également d'un pas et tendit la main en espérant que son interlocuteur ferait le reste du chemin.

— Ça alors! Nous étions donc voisins sans le savoir, se contenta-t-il de répondre.

Mais l'Ermite ne bougea pas et sur un ton ironique, il répliqua :

— J'ai beau me faire vieux et avoir moins de mémoire, je ne me souviens pas de l'existence d'une ferme au bout de la vallée.

— Voilà une situation bien étrange, se contenta de répondre Sygrill qui attendit la suite.

— Et il y a encore plus étrange… Comment pouvez-vous supporter une veste si épaisse par une si chaude journée ? Vous devez suffoquer ! À moins que votre métabolisme soit bien différent du mien.

L'agent se savait maintenant démasqué. Il était trop tard pour jouer au chat et à la souris. Sygrill perdit à son tour son sourire. Il ramassa sa hachette appuyée à un arbre et se tourna en direction de l'Ermite.

— Tu es un vieillard curieux. Trop de curiosité est mauvais pour la santé.

Sur ce, il avança vers l'Ermite d'un pas menaçant. Sa main libre glissa le long de son ceinturon et atteignit la boucle gravée au motif de l'empire. Depuis le temps qu'il en rêvait… Il allait enfin se montrer au grand jour devant un misérable Terrien. Dans un instant, ce petit humain pitoyable s'écroulerait à ses pieds, terrorisé, en prenant conscience de la véritable nature des maîtres de cette planète. Un simple déclic et l'illusion holographique s'estomperait. L'agent savoura cette minute de vérité. Encore quelques secondes et le vieillard bondirait dans un grand cri d'effroi. Sygrill pressa le bouton.

Le cri d'effroi ne vint pas et le saut tant attendu dépassa les prévisions les plus optimistes de l'agent.

L'Ermite se redressa. D'un seul élan, il se retrouva à nouveau debout sur le rocher, à la stupéfaction de Sygrill.

— Comment… ?

L'agent ne put rien ajouter. L'Ermite leva les bras au ciel et déclama d'une voix vibrante :

— Dévas des abeilles, des guêpes et des brûlots, venez à mon aide au nom de l'harmonie universelle.

— C'est ça, mon bonhomme. Fais tes prières. Je vais t'aider à t'harmoniser.

À peine audible au début, une clameur sourde s'éleva de la forêt. Sygrill s'arrêta, interdit. Le bourdonnement s'amplifiait de seconde en seconde et devint assourdissant. Soudain, ce fut l'assaut. Provenant de toutes les directions, des nuées d'insectes se ruèrent sur l'agent du continent creux. Dans ce nuage mouvant, des centaines de brûlots et de moustiques s'accrochaient à la peau de l'agresseur.

— Des mouches, ce ne sont que des mouches. Vieillard, que tentes-tu de prouver?

— Sache, vile créature, que les humains bénéficient de la protection cosmique. Jamais, au grand jamais, ils ne seront asservis par ton empire issu des ténèbres profondes.

Sygrill n'écoutait plus. De nouvelles cohortes de moucherons arrivaient de partout. Cette fois-ci, elles s'engouffrèrent dans ses narines, ses oreilles et lui voilèrent la vue. Avec ténacité, elles se frayèrent un chemin sous ses écailles et atteignirent des zones plus sensibles. À moitié aveuglé, l'agent abandonna sa hachette. Devinant à peine le sentier, il n'eut d'autre choix que de quitter l'endroit en courant, tout en battant des bras dans l'espoir d'éloigner ses poursuivants.

L'Ermite regarda, avec amusement, l'homme trébucher sur une racine et murmura, un petit sourire en coin:

— Mon pauvre Steven, pour le poulet, tu devras encore patienter.

CHAPITRE IX

Nadia appréciait grandement la paix et la tranquillité enveloppant la Vallée du silence. Un nom qui lui allait d'autant mieux que les enfants brillaient par leur absence en ce bel avant-midi de juillet. Près du chalet, à l'ombre d'un bosquet de bouleaux, Nadia pratiquait silencieusement ses cent huit mouvements de tai-chi.

Un éclat lumineux ensoleilla brièvement un coin ombragé. Dans le halo de lumière apparut la silhouette de Guidor. Sans interrompre sa séquence de mouvements, Nadia dit doucement :

— Bonjour, Guidor.

Son mouvement terminé, elle ajouta en prenant un air faussement guindé :

— Comment se porte le monde invisible dans les hautes sphères inaccessibles aux communs des mortels ?

— L'univers astral se porte bien. Enfin, mieux que ce pauvre monde terrestre.

Guidor et Nadia échangèrent un sourire complice. La jeune femme ramassa sa serviette accrochée à une branche et marcha vers la galerie du chalet. Désignant de la main la table à pique-nique improvisée, elle ajouta :

— Tu arrives juste à temps pour assister au déjeuner.

Jetant un coup d'œil sur la table, Guidor constata :

— Je vois, en effet, qu'il y a quatre assiettes. Serais-je invité à partager votre repas ?

Sur le ton de la plaisanterie, Nadia répondit :

— J'ai dit «assister au déjeuner» et pas nécessairement y participer. Je sais très bien que tu n'as pas besoin de manger. Et je sais également que tu as créé ton corps physique dans le simple but d'être vu des humains. Mais tu es tout de même le bienvenu à notre table.

— Alors, pourquoi quatre assiettes ? insista-t-il malicieusement.

— Pour notre ami l'Ermite. Dans sa grotte, ce brave homme n'a pas le téléphone. Il est donc difficile de savoir à quel moment il descendra au chalet. Alors je place une assiette au cas où... De plus, c'est notre façon de lui démontrer qu'il est toujours le bienvenu parmi nous.

— C'est une excellente idée.

— Merci, répondit la jeune femme avec un sourire.

Replaçant machinalement un coin de la nappe soulevé par le vent, elle soupira bruyamment. Poursuivant la taquinerie, elle ajouta :

— Mais c'est bien dommage que tu ne puisses participer au repas, car tu vas rater le dessert.

Guidor se contenta de l'interroger du regard.

— Les enfants ont trouvé une belle talle de baies sauvages. Ils sont partis en chercher pour la fin du repas.

Les yeux mi-clos, Guidor se frotta l'estomac. Il avoua d'un air gourmand :

— Je n'ai pas goûté à un tel fruit depuis mon dernier voyage avec Jacques Cartier.

Après une courte réflexion, il précisa :

— C'était lors de son deuxième voyage en Nouvelle-France. Ce qui représente au moins... 450 ans.

— Es-tu sérieux ? demanda-t-elle.

— Mon corps n'a pas besoin de manger, c'est vrai, mais je peux tout de même apprécier le goût des bonnes choses, souligna Guidor.

D'un ton songeur, Nadia laissa échapper :

— Je n'avais jamais imaginé que les «êtres de lumière» pouvaient être gourmands.

Après réflexion, elle dit malicieusement :

— Je vais ajouter une assiette.

***

Le petit panier d'osier de Caroline se remplissait lentement, trop lentement au goût de la jeune fille. D'un air maussade, elle jeta un coup d'œil à son compagnon.

— Steven, cesse de manger les baies et mets-les dans le panier, clama la jeune fille.

À quatre pattes, le garçon recula lentement et sortit la tête du buisson. La bouche pleine de fruits sauvages, il avait bien de la difficulté à se défendre. Il marmonna quelques mots incompréhensibles et s'empressa d'apporter son maigre butin. Il réussit enfin à avaler. Fixant toujours le contenu du panier, il avança la main.

— Steven !

Le garçon n'insista pas. D'un oeil gourmand, il examina le terrain et trouva rapidement ce qu'il cherchait : d'autres baies bien mûres. Accroupi au ras du sol, il fit rapidement une razzia dans l'arbuste. Faisant dos à Caroline, il en profita pour en avaler trois ou quatre discrètement. Fermant les yeux, il les dégusta en connaisseur.

— C'est vraiment super. Pas facile de résister… Toi aussi, tu en manges, pas vrai ?

Caroline ne répondit pas. Silencieuse, les yeux fixant l'horizon, la jeune fille semblait bien loin de la clairière.

— Eh ! Caroline, ça va ? demanda le garçon, inquiet.

— Oui, ça va très bien.

— T'es certaine ? vérifia Steven.

— Je vois l'Ermite, répondit tout doucement la jeune fille, un sourire attendri sur les lèvres.

— L'Ermite est ici? Où ça? demanda Steven en se relevant précipitamment.

— Pas ici, là-bas... dans sa grotte, précisa-t-elle, toujours aussi rêveuse.

Caroline cligna des yeux et retrouva soudainement tous ses esprits. Devant l'air hébété du garçon, Caroline lui offrit un sourire forcé et crut bon d'ajouter sur un ton amusé:

— C'est fini!

Méfiant, Steven s'approcha de son amie et ne put s'empêcher de passer une main rapide devant les yeux de la jeune fille.

— Caroline, t'es certaine que tout va bien?

— Calme-toi, Steven, ce n'était qu'une vision fugitive, comme un flash. Avec l'aide de Nadia et les conseils de Guidor, je contrôle beaucoup mieux mes visions. Tout s'est passé dans ma tête, mais l'image est maintenant disparue.

Rassuré, Steven fit tourbillonner dans sa paume les quelques fruits demeurés coincés entre ses doigts. Il marmonna:

— C'est pas normal d'avoir un don pareil pis de voir les gens à distance... Et à quoi ça sert, d'avoir un don? Moi, j'en ai pas. Je suis très bien comme ça et j'en ai pas besoin.

Se tournant vers Caroline et son panier afin d'y déposer ses fruits, il lui demanda:

— Alors, à quoi y peut te servir, ton don?

Caroline voguait déjà dans un autre monde. Les yeux fixes, un grand sourire sur les lèvres, elle semblait rêver tout éveillée. Libéré de ses fruits, le garçon passa de nouveau sa main devant les yeux de la jeune fille. Caroline demeura immobile. Ne pouvant faire autrement, Steven accepta la situation dans un grand soupir. En désespoir de cause, il demanda, tout en lorgnant le panier:

— Bon alors, qu'est-ce que tu vois cette fois-ci?

Avec un visage attendri, Caroline décrivit la scène.

— L'Ermite est à l'extérieur, près de sa grotte. Un petit écureuil se repose sur son épaule.

Steven exprima sa frustration :

— C'est pas juste, tu sais à quoi ressemble la grotte de l'Ermite et pas moi. Moi aussi, je veux la voir, sa grotte.

Profitant de l'absence passagère de Caroline, Steven glissa sa main dans le panier et ramassa discrètement quelques framboises. Après un court moment de réflexion, il conclut :

— La meilleure façon de voir la grotte, c'est de s'y rendre. Tu viens avec moi ?

Le sourire figé de la jeune fille ainsi que son silence exaspéra le garçon.

— You-ou ! Caroline ! Steven téléphone maison.

— Hein ? Quoi ? Tu veux déjà retourner à la maison ? demanda Caroline, revenue à la réalité.

— Pas à la maison, à la grotte.

Sans attendre l'avis de Caroline, Steven entreprit de traverser la clairière. Après quelques pas, il ralentit quelque peu sa lancée et demanda :

— Tu viens avec moi ?

— Où ? À la grotte ? Comme ça ? Mais nous n'avons pas été invités. Ce n'est pas poli de s'imposer chez les gens, s'objecta Caroline.

— Bah ! La montagne est grande et elle est à tout le monde.

— Évidemment, toi, avec la vie que tu as menée, tu n'attends pas d'invitation pour aller chez les étrangers.

— Mais l'Ermite n'est pas un étranger, on le connaît. C'est un ami.

Caroline poursuivit ses objections.

— Nous serons en retard pour le dîner. De toute façon, il faut prévenir Nadia de nos intentions.

— C'est perdre son temps, la grotte n'est sûrement pas loin.

Sans attendre une nouvelle réplique, Steven se mit lentement en marche, tout en surveillant du coin de l'œil la réaction de Caroline. Après une hésitation, elle accepta à contrecœur de le suivre, son panier de fruits sauvages sous le bras. Avec un sourire de satisfaction, Steven accéléra légèrement le pas.

***

Tout était dans la délicatesse et le souci du détail. Globulus suivait enfin une piste. Il ne fallait surtout pas briser le fil conducteur. Cet empereur mégalomane, Vardok le sixième, s'était donné bien du mal pour égarer d'éventuels chercheurs trop curieux, mais comme le disaient si bien les policiers, à la surface de la planète, « Le crime parfait n'existe pas, on laisse toujours une trace, aussi infime soit-elle ».

Et cette trace s'affichait à présent sur le grand écran panoramique, une trace qui couvrait l'ensemble de l'écran.

— Un astrocroiseur impérial de conception révolutionnaire ! Jamais je n'aurais imaginé…, s'exclama le Globulus.

Des écrans secondaires étalaient maintenant des paramètres d'ingénierie, des détails de construction ainsi que des caractéristiques de performances.

Plus d'une fois, le Globulus avait eu l'occasion de consulter les archives de l'amirauté et c'est avec une certaine fierté qu'il avait admiré l'armada qui, jadis, avait permis la conquête de la Terre. Mais comparé à l'astrocroiseur qui se déployait sous tous ses angles, l'ensemble des vieux vaisseaux du début de l'empire faisaient figure de simples charrettes spatiales.

Le Globulus plongea de nouveau dans les données. Cette fois-ci, il était bien servi. Le document consulté avait appartenu à l'un des chefs ingénieurs du projet. Le vaisseau était le prototype d'une toute nouvelle génération de croiseurs galactiques qui devait compter quarante-deux navires au total. Mais les ambitions personnelles d'un dirigeant égocentrique en avaient décidé autrement. Les travaux, complétés à plus de quatre-vingt-cinq pour cent sur ce premier navire, avaient été arrêtés en 1312 du calendrier trogolien, année où l'empereur Vardok avait émis le décret annonçant la fermeture du chantier et par voie de conséquence, le changement de vocation des fonds publics. Une telle merveille laissée en plan, si près du but… Ce Vardok, le

Globulus le maudissait pour son manque d'envergure. Si, depuis huit mille ans, tous les empereurs avaient su perpétuer le grand projet de Krasner 1er, qui sait si aujourd'hui, lui, le Globulus, ne serait pas aux commandes d'une telle merveille…

Mais à propos, cette merveille n'existait-elle que dans les archives ? Y avait-il encore un vaisseau attendant d'être terminé ? Et si oui, où pouvait-il bien se cacher ? Le Globulus se préparait à replonger dans les archives de la première dynastie lorsqu'un signal interrompit ses recherches. Tous les écrans s'éteignirent.

***

Les grandes portes d'acier de la caverne se refermèrent derrière Sygrill. L'agent s'avança en se présentant, comme toujours devant le Globulus, dans son uniforme du continent creux. En d'autres circonstances, l'uniforme de l'officier aurait inspiré le respect et l'autorité, mais dans le moment présent, l'ensemble de l'habillement faisait sourire. L'agent portait des pansements sur le front ainsi que dans le cou. En plus d'une main emmaillotée, on devinait également des renflements à divers endroits sous son costume. Oui, le tout pouvait faire sourire, mais le Globulus, faute d'appendice buccal, ne pouvait sourire. Il ouvrit donc immédiatement la discussion.

— Je vous suis reconnaissant, Sygrill, d'avoir bien voulu vous présenter malgré votre état de santé qui laisse un peu à désirer.

— Plus vite je vous aurai fait mon rapport, plus vite je pourrai retourner à la surface et me venger de ce maudit sorcier, laissa tomber l'agent.

— Patience, mon ami, la vengeance est un plat qui se mange froid et faites-moi confiance, je m'y connais dans ce domaine. Assoyez-vous et commencez par m'exposer les faits.

Sygrill s'exécuta. Une fois assis, il retrouva son calme.

— J'ai rencontré deux jeunes Terriens, un petit garçon et une jeune fille, Steven et Caroline. Mais ils ne sont pas seuls, il y a également une certaine Nadia ainsi qu'un quatrième personnage qui se présente au chalet de temps à autre. Je ne suis pas certain du nom, mais je crois que c'est Guy ou Gid...

— Guidor! Guidor, ça ne peut être que lui, s'exclama le Globulus.

— C'est possible, murmura Sygrill, dubitatif.

— Et moi, j'en suis certain à présent. Depuis quelques jours déjà, je sentais sa présence. Ses vibrations de haut niveau le trahissaient.

L'agent haussa les épaules et poursuivit son histoire.

— J'ai ensuite été attaqué par des milliers d'insectes, des insectes répondant aux ordres d'un vieillard.

— Les insectes obéissaient à cet homme?

— Cela semble incroyable, je sais, mais il avait demandé l'aide des dévas... ou quelque chose du genre.

— Les dévas, bien sûr…

— Les dévas… Qu'est-ce que c'est?

— Cela ne vous dit rien?

D'un haussement d'épaule, l'agent avoua son ignorance. Le Globulus, n'étant pas prêt à élaborer sur le sujet, donna congé à l'officier.

— Prenez le temps de vous reposer et revenez en fin de journée. Vous avez fait un excellent travail. Je dois maintenant réfléchir. Si vous m'aidez efficacement et me prouvez votre fidélité, je ferai de vous l'être le plus puissant de la planète, après moi, naturellement.

Cette perspective enchanta l'agent et lui fit quelque peu oublier sa malheureuse aventure. Il se leva prestement.

— Ma fidélité et ma loyauté vous sont acquises. Je reviendrai en fin de journée afin de recevoir vos ordres.

Les portes s'ouvrirent et se refermèrent. Seul dans sa caverne, le Globulus savourait déjà sa vengeance.

— Guidor, depuis sept cents ans, j'attends ce moment. Je te tiens enfin.

Tous les écrans de contrôle s'illuminèrent en même temps.

— Mais en attendant, j'ai un vaisseau à retrouver…

***

Allongée sur une vieille chaise longue en bois datant d'une autre époque, Nadia s'amusait follement. Un petit tamia rayé, confortablement assis sur l'accoudoir de la chaise, acceptait avec gratitude les graines de tournesol que lui offrait la jeune femme. À quelques mètres, assis sur une chaise droite, les pieds appuyés sur un seau retourné, Guidor observait la scène avec amusement. Soudain, il perdit son sourire et s'intéressa à un nouveau visiteur. Demeurant invisible aux yeux de la jeune femme, l'entité d'énergie apparut près d'elle. Un dialogue silencieux s'établit alors entre l'entité et le guide de lumière. Nadia leva les yeux et remarqua l'attitude étrange de Guidor. Celui-ci semblait regarder derrière l'épaule de la jeune femme. Nadia se retourna, espérant voir apparaître les deux enfants, mais il n'en fut rien. Revenant à Guidor, elle eut l'impression que son ami faisait une requête au néant. Une requête qui lui aurait semblé acceptée si elle avait pu voir le sourire qui se dessinait sur le visage de l'entité flottant près d'elle. La communication terminée, Guidor se leva lentement et s'approcha de Nadia.

— Je dois te quitter pour quelques heures.

— Mais tu viens à peine d'arriver, s'étonna la jeune femme.

— Je serai de retour en fin d'après-midi, rassura Guidor.

Il recula de quelques pas et se préparait à partir lorsque Nadia intervint.

— Guidor !

— Oui, Nadia ?

Après une courte hésitation, elle demanda :

— Durant les dernières minutes, est-ce que nous étions seuls près du chalet ?

— Pas tout à fait, répondit le guide de lumière en s'autorisant un sourire.

Prenant cette fois-ci un air de petite fille faussement gênée, Nadia ajouta :

— Tu vas peut-être me trouver trop curieuse, mais est-ce que c'est indiscret de te demander où tu vas lorsque tu disparais ainsi dans les airs ?

Sur un ton conciliant, Guidor expliqua :

— Je me rends dans un endroit que l'on appelle Shangrila, mais que l'on nomme également parfois Shamballa.

— Shangrila ? Qu'est-ce que c'est ? Une ville, un pays ?

— Bien qu'il existe physiquement, cet endroit n'est pas indiqué sur les cartes géographiques de la Terre, car ce lieu existe dans une autre dimension, sur un plan vibratoire différent.

— Et c'est réservé aux êtres de lumière ?

— Certains humains peuvent s'y rendre lorsqu'ils sont en sommeil ou en méditation profonde, mais on ne peut en trouver le chemin que si on est invité ou attendu par ses dirigeants.

Avant de disparaître sous les yeux de Nadia, il lança en souriant :

— Gardez-moi quelques baies sauvages.

***

Caroline commençait à montrer des signes évidents d'impatience. C'était à son tour de bougonner et elle ne s'en privait pas.

— Tu es peut-être très fort dans les ruelles du centre-ville, mais à la campagne, tu es nul.

— Ça va, ça va… La grotte n'est sûrement plus très loin.

— C'est la troisième fois que tu me répètes cette même excuse.

— Et c'est la troisième fois que tu chiales depuis dix minutes.

Steven n'osait l'avouer, mais lui aussi commençait à trouver la randonnée épuisante. Il s'arrêta quelques secondes afin de reprendre son souffle et d'attendre Caroline qui traînait à quatre ou cinq mètres derrière lui.

Le garçon en profita pour évaluer leur situation, cherchant dans les méandres du sentier un petit signe d'espoir. Caroline arriva à sa hauteur et tenta de calculer, à son tour, l'énergie nécessaire pour gravir la longue pente qui s'étirait devant eux.

— Cette côte grimpe durant au moins un demi-kilomètre et elle doit contourner toute la colline, lança Caroline. À présent, je comprends l'Ermite de ne pas venir nous voir tous les jours.

— Après tout ce qu'on a fait, ce serait idiot d'abandonner maintenant.

Caroline étudia l'escarpement rocheux bordant le sentier.

— Si on pouvait couper par la falaise, on gagnerait sûrement du temps.

— Tu veux grimper ce mur? s'exclama Steven.

— C'était juste une idée stupide comme ça, dit la jeune fille en reprenant la marche. De toute façon, tu es beaucoup trop petit pour escalader cette paroi.

— Quoi? Moi, trop petit! Dis plutôt que tu te dégonfles. C'est facile de parler… Mais on est loin de ses draps de satin, hein?

— Je t'informe que nous avions un chalet dans les Alpes italiennes. Avec mon père, j'ai escaladé des falaises plus impressionnantes que ce tas de roches. Bien sûr… Pour un garçon de la ville, ça peut te sembler gigantesque mais…

— Y a rien qui me fait peur et surtout pas ce gros caillou, coupa Steven.

Caroline quitta brusquement le sentier, se fraya un chemin à travers les broussailles et s'arrêta au pied de l'escarpement.

— Alors, qu'est-ce que tu attends pour me suivre? lança Caroline sur un ton de défi.

— Te suivre! lâcha le garçon en sautant dans les hautes herbes.

Prenant appui sur une première pierre, il lança:

— Tu me le dis si je suis trop rapide pour toi!

Le début de l'ascension se fit sans trop de difficultés. S'accrochant à des racines et à de jeunes arbustes, les deux enfants progressèrent assez rapidement sur une dizaine de mètres. Ouvrant le chemin, Steven fut le premier à se rendre compte des difficultés à venir. Les points d'ancrage devenaient de plus en plus rares à mesure que la végétation disparaissait pour faire place au mur de granit.

Sur les traces du garçon, Caroline n'avait pas la tâche facile. Gênée par son panier de fruits, elle grimpait lentement, hésitant à chaque pas. Ayant atteint à son tour la partie rocailleuse, elle remarqua la tangente empruntée par le garçon.

— Steven, qu'est-ce que tu fais? Où vas-tu?

— Je cherche un raccourci.

— C'est inutile, la faille rocheuse est de ce côté, il faut la suivre vers le haut… Steven, tu m'écoutes?

Ne recevant pas de réponse, elle ajouta simplement:

— Bon, d'accord. Je t'attends en haut et je t'enverrai une corde.

Sans plus attendre, elle étudia la direction de la faille et d'un geste sûr, elle cala son soulier dans une fracture rocheuse.

***

Les bras croisés, debout derrière la porte à moustiquaire, Nadia commençait à se faire du souci. La jeune femme scrutait inlassablement le chemin de terre battue plongeant dans la forêt. Elle relâcha sa surveillance, le temps de consulter la vieille pendule accrochée au mur de la cuisine.

— 13 h 15. Mais qu'est-ce qu'ils font?

Sans réponse, Nadia reprit son travail de sentinelle devant la porte à moustiquaire.

***

À son air défait, il était évident que Steven n'avait pas trouvé ce qu'il cherchait. Au bout de dix minutes, il se retrouva à son point de départ. Mais cette fois-ci, aucun sarcasme ne résonna à ses oreilles. Il était seul sur la paroi rocheuse. Imaginant le pire, il scruta le pied de la falaise, mais ne découvrit aucune trace de son amie. À moitié rassuré seulement, il cria :

— Caroline, où es-tu ?

— Ici, Steven.

Surpris, le garçon leva la tête. Juste au-dessus de lui, à une dizaine de mètres, Caroline lui faisait des signes de la main en cachant à peine sa satisfaction. Steven se pinça les lèvres. Malgré son orgueil, il ne put s'empêcher de lui demander :

— Mais comment t'es montée là-haut ?

— Simplement en suivant la ligne de faille. Sur ta gauche, tu vas trouver une fissure. Elle est petite et à peine visible, mais c'est un bon point d'appui.

Suivant docilement les instructions de Caroline, le garçon progressa rapidement sur plus de quatre mètres. Malheureusement, le prochain point d'ancrage se situait bien au-delà de ses possibilités physiques. Steven eut beau tenter une série de contorsions, la prise dans le rocher demeurait hors de portée.

— Attends, Steven, je vais redescendre et tu pourras attraper mon bras.

Afin de s'assurer une prise solide sur une arête rocheuse, Caroline n'eut pas d'autre choix que de déposer son panier sur un bloc de pierre. Se donnant un élan, elle atteignit un point d'appui, mais son coude accrocha l'anse du panier qui se mit à vaciller dangereusement. Par réflexe, elle lâcha son point d'appui, tenta de rattraper son panier et perdit soudain l'équilibre. Basculant en arrière, elle sentit le sol s'évanouir sous ses pieds. Dans un grand cri d'effroi, elle plongea dans le vide.

Steven leva la tête. Horrifié, il vit Caroline passer à moins d'un mètre de lui, courant vers la mort. Dans un geste instinctif, il tendit la main vers la jeune fille déjà inaccessible. C'est alors que se produisit un événement incroyable.

Durant quelques secondes, le temps sembla s'arrêter. Steven, sur sa falaise, demeurait immobile. Il en était de même de Caroline, suspendue dans le vide. La jeune fille ne tombait plus. Elle flottait entre ciel et terre.

Caroline se mit soudain à remonter doucement telle une bulle de savon, se dirigeant lentement vers la main de Steven toujours tendue dans la direction de sa jeune amie. Revenue de sa surprise, Caroline tendit la main à son tour. Steven l'agrippa fermement et l'aida à retrouver une certaine stabilité sur sa petite corniche.

Caroline se colla à la paroi, le visage déformé par la pierre. Encore sous le choc, toute tremblante, elle demanda :

— Que s'est-il passé ?

— T'as perdu l'équilibre, murmura le garçon.

— Je ne te parle pas de la chute, mais de...

— La remontée ? se risqua Steven.

Caroline, tentant de retrouver son souffle, répondit par un signe de tête.

— J'sais pas, Caroline. C'est pas ordinaire. Y faudra demander à Guidor. Il aura sûrement une explication.

— En tous les cas, une chose est certaine : ce que tu as fait est génial.

— Ouais, fit le garçon. Plus génial que d'avoir décidé de grimper jusqu'ici.

Fixant toujours le gouffre, Steven retrouva lentement ses esprits. Il demanda :

— Tu crois vraiment que j'ai fait ça ?

— ...

— Eh ! Tu m'écoutes ?

Caroline fut sur le point de répondre, mais elle ne dit mot.

— Caroline, ça va ? Tu es blanche comme un drap. Viens vers moi, c'est plus large, ici.

La jeune fille tenta un pas de côté, mais s'arrêta, haletante.

— C'est inutile, Steven, je n'irai pas plus loin.

Tournant la tête de côté, elle jeta un coup d'œil vers le sommet de la falaise.

— C'est de plus en plus abrupt et j'ai les jambes comme du coton.

À peine avait-elle terminé sa phrase qu'elle sentit ses forces l'abandonner. Une légère défaillance lui fit plier les genoux. Steven fit un saut de côté et lui serra fortement le bras.

— Caroline, ne lâche pas ! Y faut que tu tiennes le coup ! hurla le garçon, paniqué.

Steven était à court d'encouragements. Il se permit tout de même une suggestion :

— Bon, on se repose un peu. Ensuite… On va trouver une solution.

***

La vieille pendule de la cuisine fit sursauter Nadia lorsqu'elle sonna les deux coups annonçant 14 heures.

— Un retard pareil n'est pas normal.

Nerveusement, la jeune femme se passa la main dans les cheveux.

— Si au moins Guidor était là, il saurait quoi faire, songea Nadia. Il connaît bien la vallée et les montagnes environnantes. Il connaît bien cette forêt…

Soudain, une idée lui traversa l'esprit.

— L'Ermite ! L'Ermite, également, connaît bien cette forêt. Si je pouvais communiquer avec lui… Peut-être… Un message télépathique ?

Nadia ferma les yeux et se concentra sur l'image de leur ami de la montagne.

— L'Ermite, les enfants ont besoin de toi…

***

De ses deux petites pattes agiles, l'animal s'empara de la noisette que lui tendait l'homme à la camisole défraîchie. Il la cala dans sa bajoue gauche et attendit la prochaine offrande.

— Mais dis donc, Pomme de Pin, tu es vraiment en appétit aujourd'hui. Je te trouve même un peu gourmand.

Insensible aux reproches, le rongeur se contenta de lustrer les poils de son museau de quelques coups de pattes rapides.

À l'entrée de la grotte, l'Ermite partageait avec plaisir son repas en compagnie de son plus fidèle ami, un petit écureuil roux. L'homme n'en dit pas plus et arrêta son geste. Fermant les yeux, il fronça les sourcils.

— Les enfants…

***

Une faible brise fit dévier la goutte de sueur coulant le long de la tempe du garçon. Malgré la fatigue et l'excitation des derniers moments, Steven tentait, sans grand succès, de conserver son calme. D'une voix presque rassurante, il demanda simplement :

— Caroline, ça va mieux ?

— Non, ça ne va pas mieux, murmura-t-elle, toujours haletante, les yeux fermés.

— Y a même pas dix mètres pour atteindre le sommet. Tu vas voir. On va y arriver.

Plaquée à la falaise, Caroline demeurait immobile. Lentement, elle ouvrit les yeux et jeta un regard autour d'elle. Lorsqu'elle vit le gouffre à ses pieds, elle se sentit de nouveau défaillir.

— Je ne bougerai pas d'ici, murmura-t-elle dans un sanglot.

— Mais c'est pas possible, Caroline. On va sécher sur place. Y faut partir d'ici.

— Alors vas-y… et tu ramèneras du secours.

— Te laisser ici ? Pas question !

Laissant tomber les épaules, Caroline conclut :

— Il ne reste plus qu'une solution.

— Ha oui ? Quoi ?

— Crier très fort et demander de l'aide.

Steven avait tout envisagé sauf ça. Il faillit en perdre pied.

— Hein! Demander de l'aide? Et on va avoir l'air de quoi?

— Steven, mets ton orgueil de côté et pense à notre sécurité. Tu sais, moi non plus, je n'ai pas l'intention de coucher ici cette nuit.

Sans attendre l'assentiment du garçon, elle prit une grande inspiration et lança d'une voix brisée :

— À l'aiiiiiide!

Auquel répondit un faible écho. Sans se décourager, Caroline recommença.

— À l'aiiiiiide!

Ce qui produisit de nouveau un timide écho. Caroline fixa Steven, demeuré dans son mutisme.

— Si nous voulons avoir une chance d'être entendus, il faut s'y mettre à deux.

À contrecœur, Steven accepta cette déclaration par un simple signe de tête. Synchronisant leur respiration, ils s'élancèrent à l'unisson!

— À l'aiiiiiiide!

Les enfants n'eurent pas le temps d'apprécier l'écho de leurs efforts. Au-dessus de leur tête tomba une réprimande de l'Ermite.

— Pas si fort, s'il vous plaît. Vous allez effrayer les oiseaux. Je ne suis plus jeune, mais je ne suis pas sourd.

Les deux enfants levèrent la tête et virent apparaître, sur la frange rocheuse, le visage rassurant de l'Ermite.

— Steven, nous sommes sauvés! s'exclama Caroline soulagée. Tu vois, ça valait la peine de faire un effort ensemble.

La mort dans l'âme, Steven grimaça :

— Ouais. Ça valait vraiment la peine.

Une corde tomba du ciel. Steven aida Caroline à glisser la corde sous ses aisselles. Durant ce temps, tout là-haut, l'Ermite passait l'autre extrémité de la corde autour du tronc lisse d'un bouleau et la lançait dans le vide en direction des enfants. Ce fut ensuite la première remontée. L'Ermite tirait et Steven reprenait le mou en assurant un contrepoids.

Une fois Caroline saine et sauve, l'Ermite se pencha vers Steven.

— C'est à ton tour, mon garçon. Sois sans crainte, je vais t'aider et tout se passera bien.

Steven bomba le torse.

— Pas besoin d'aide, l'Ermite, cria Steven en mettant tout l'emphase possible sur le mot « aide ». Envoyez la corde. Je peux grimper sans problème, lança le garçon.

Et en son for intérieur, il ajouta :

— Moi, j'ai besoin de personne.

Steven saisit la corde et fit une boucle autour de son poignet. Avec une certaine arrogance, il remonta rapidement la pente abrupte en prenant appui sur les rochers.

***

Sur le chemin du retour, Caroline, enfin revenue de ses émotions, en avait long à raconter :

— C'est ce qui arrive quand on se rend chez les gens sans être invité.

Steven riposta avec énergie :

— T'étais pas si bavarde quand j'ai grimpé jusqu'à ta chambre. J'ai risqué ma vie sur une corniche large comme ça, ajouta-t-il en minimisant la distance entre ses deux mains. J'avais pas d'invitation, mais je t'ai pourtant presque sauvé la vie.

— Ho ! Ça, ce n'est pas pareil, tu mélanges tout.

***

Suite aux révélations de sa grande conseillère, Krash-Ka ne cachait pas son irritation. Assis négligemment sur la chaise impériale de la salle du conseil, l'empereur demeurait indifférent aux multiples écrans clignotants incrustés dans sa table de travail.

— Et c'est leur deuxième rencontre de la journée ? demanda l'empereur.

— Un deuxième échange, et toujours à huis clos, confirma dame Haziella.

Exaspéré, l'empereur se leva brusquement.

— Que peut bien manigancer le Globulus avec cet agent?

— La caverne du Globulus est malheureusement très bien protégée. Difficile de savoir ce qui s'y trame.

— Cette situation devient de plus en plus inconfortable et d'autant plus suspecte. Il doit tout de même exister un moyen de connaître la raison de ces rencontres secrètes, s'impatienta l'empereur qui en était réduit à faire les cent pas autour de son bureau.

Il s'arrêta brusquement. Sur un ton sournois, il ajouta:

— Peut-être en plaçant un micro dans la caverne.

D'un haussement d'épaules, la conseillère réduisit les espoirs de son souverain.

— Impossible de placer un micro dans la caverne du Globulus, Votre Grandeur. Grâce aux ondes émises par le micro espion, le cerveau détecterait l'émetteur en quelques heures.

— Vous avez raison.

— Et c'est sans compter les réactions imprévisibles du Globulus, surtout durant son val-thorik, précisa la conseillère. Sa colère pourrait l'inciter à réveiller dix volcans endormis tout autour de la planète.

L'empereur laissa échapper quelques grognements de frustration. Après s'être laissé choir lourdement dans son fauteuil, il leva brusquement le bras et du poing, frappa violemment la table.

— Je veux savoir ce que mijote ce cerveau d'aquarium. Vous êtes responsable de l'information, alors trouvez-moi une solution.

L'empereur n'eut rien à ajouter. Dame Haziella salua son maître et sortit. Elle savait ce qu'il lui restait à faire.

***

Dans le repaire du Globulus, Sygrill manifestait une grande agitation. L'agent tournait autour de son fauteuil, mais ne parvenait pas à s'y asseoir. Les confidences du Globulus se révélaient tout simplement trop fantastiques.

— C'est vraiment fascinant, lança-t-il. C'est la première fois que j'entends parler de ces cristaux sacrés. Comment pouvez-vous posséder de telles informations ? Ces données ne sont même pas répertoriées dans l'ordinateur central de l'empire.

— Oui, je sais. Disons qu'il manque quelques pages dans le grand ordinateur, les premières pages.

Toujours aussi agité, Sygrill demanda :

— Et ces cristaux, ils sont vraiment si impressionnants, si puissants ?

— Il y a huit mille ans, grâce à ces cristaux, les Terriens ont failli mettre en déroute la plus puissante des armées, la nôtre.

— Les Terriens ? Battre l'empire ? Mais il y a huit mille ans, il n'y avait que des sauvages sur cette planète. Remarquez que cela n'a pas vraiment changé.

— Il y a huit mille ans, il y avait l'Atlantide où vivait un peuple des plus évolué.

— L'Atlantide… marmonna l'agent. Je croyais que ce n'était qu'une légende, un bon sujet de film ou de roman.

— Alors laissez-moi mettre à jour vos connaissances. Certains chapitres méritent votre attention.

L'écran panoramique s'activa, laissant apparaître l'océan Atlantique. En surimpression se dessinèrent les contours d'une masse solide, le continent disparu.

— Il y a un peu plus de huit mille ans régnait sur Terre un peuple à la technologie très avancée pour son époque, les Atlantes. Ce peuple, dirigé par une reine, la reine Hasba-Lola, conservait jalousement ses connaissances scientifiques et gardait dans l'ignorance les autres royaumes de la planète, au grand déplaisir de leur monarque respectif. Par contre, tous ces peuples profitaient tout de même d'une grande source énergétique provenant des cristaux sacrés. L'ensemble de ces sources d'énergie disséminées sur les continents habités demeurait sous la protection de la grande prêtresse de l'Atlantide, une femme très appréciée et respectée par tous les dirigeants de la planète.

C'est dans un tel contexte que débarqua sur Terre l'amiral Krasner, appuyé de ses troupes d'élite. Ce militaire d'exception, qui devait devenir notre premier empereur, je vous le rappelle, réussit en un temps record à établir vingt-sept colonies sur l'ensemble de la planète. Il ne restait plus qu'à faire connaître aux quelques millions de barbares peuplant les différents continents qui était le maître de ce nouvel empire.

Et c'est à ce moment que les problèmes ont commencé. Pour des raisons inconnues, que les plus grands stratèges ne réussissaient pas à comprendre, deux vagues d'assauts aériens ne réussirent à conquérir aucun territoire. Des centaines d'appareils furent détruits sans infliger de dommage à l'ennemi.

— À cause des cristaux? demanda Sygrill qui ne perdait pas une parole de son nouveau maître.

— J'y arrive, un peu de patience, je vous prie. Souvenez-vous qu'à cette époque, la souveraine de l'Atlantide était loin d'avoir la popularité de sa grande prêtresse. Suite aux deux échecs de notre armée impériale, la reine Hasba-Lola, dans un excès de confiance, tenta de s'allier à Krasner, dans le but manifeste de déloger sa rivale: la grande prêtresse. Avec arrogance, elle abattit ses cartes maîtresses et dévoila l'existence des cristaux sacrés. Il n'en fallut pas plus à Krasner pour s'attaquer à ce nouvel objectif militaire. Pratiquement tous les cristaux furent détruits. Privés de leur source d'énergie, ces peuples furent asservis et l'amiral fit disparaître à jamais le continent de l'Atlantide. Aujourd'hui, il n'en reste que quelques vestiges dans les Açores, dont le plus connu est le mont Pico.

— Vous avez dit: pratiquement tous les cristaux…, souligna Sygrill.

— Un des cristaux fut désactivé avant l'attaque de l'amiral et on en perdit la trace… Celui qui retrouvera ce cristal aura un pouvoir inimaginable.

L'agent gris, revenant à des considérations plus concrètes, rappela la promesse faite par le Globulus.

— Vous m'avez promis de me donner une emprise sur tous les humains et les Trogoliens en échange de la tête de ce Guidor.

— En effet.

— Comment le cristal sacré pourra-t-il contribuer à me donner une telle puissance?

Le Globulus avoua son ignorance.

— Il n'existe aucun document complet et précis sur ce cristal. Tout ce que je possède, ce ne sont que des bribes d'information glanées, durant plus d'un siècle, ici et là dans des notes de services.

— C'est bien dommage, laissa tomber l'agent.

— Par contre, je sais qu'à cette époque lointaine, notre gouvernement en avait fait une priorité : la possession ou la destruction de ce cristal devenait une affaire de sécurité d'état.

— C'est faire beaucoup d'histoires pour un simple caillou, aussi précieux soit-il.

— Le cristal sacré est plus qu'une pierre précieuse, corrigea le Globulus. Ce cristal est sûrement une clé.

— Reste à découvrir quel coffre aux trésors elle permet d'ouvrir, conclut Sygrill.

— Souvenez-vous que mon offre tient toujours, rappela le Globulus. Vous m'aidez à débusquer Guidor et à assouvir ma vengeance. En retour, je vous ouvre le chemin menant au cristal sacré et au contrôle de la planète.

Avec un petit sourire méchant, l'agent répondit :

— Il est difficile d'oublier une telle proposition. Je vous servirai ce Guidor sur un plateau d'argent.

***

Tous s'étaient réunis dans le petit salon attenant à la cuisine. Guidor, Nadia et l'Ermite écoutaient attentivement la narration de l'aventure, version Steven, bien calé dans le divan.

— ... Et j'ai remonté le long de la corde sans l'aide de personne.

Guidor jeta un coup d'œil vers Caroline et conclut sur une note d'humour :

— Alors, c'est comme ça que ça c'est passé ?

Caroline acquiesça mollement.

— Oui c'est à peu près ça, à quelques détails près, finit-elle par concéder en glissant un oeil discret dans la direction de Steven.

Une confirmation qui amena un sourire de soulagement chez le garçon. L'Ermite toussa doucement avant d'énoncer :

— Ce que je remarque et qui me fait bien plaisir, c'est que dans cette histoire, tous les trois, vous avez utilisé un don qui vous est propre.

— Tous les trois ? demanda Steven.

— Hum, hum, poursuivit l'Ermite. Caroline a utilisé son don de vision afin d'explorer à distance l'environnement de ma grotte. Nadia a profité de sa puissance de transmission pour m'informer de l'urgence de la situation. Et toi, Steven...

— Oui ?

— Tu as sauvé la vie de Caroline en la retenant dans le vide.

— C'est vraiment moi qui ai fait ça ? C'est un don ? demanda le garçon, perplexe.

— Oui, c'est bien toi. Un don très précieux et très rare, ajouta l'Ermite.

— C'est ce qui expliquerait le phénomène de lévitation que Caroline a vécu ? suggéra Nadia.

L'Ermite confirma :

— Une grande émotion a éveillé un don particulier chez Steven : le déplacement des objets à distance, c'est-à-dire la télékinésie.

Une énergie soudaine sembla électriser le postérieur du garçon.

— Je peux déplacer des objets sans y toucher ! Depuis quand ? s'exclama Steven.

Guidor prit le temps d'expliquer :

— Depuis fort longtemps, mon garçon. Disons... depuis quelques millénaires.

— Mais j'ai jamais fait ça avant.

— Lorsque Caroline a fait sa chute, tu as pensé intensément à la retenir. Tu as alors éveillé un très vieux souvenir et tu as utilisé ton pouvoir. Un peu malgré toi.

— Eh! C'est super! Moi aussi, j'ai un don, s'exclama le garçon.

Se mettant à rêver, il ajouta :

— Je peux déplacer des personnes, je peux déplacer des rochers, des arbres. Je peux déplacer des montagnes!

— Holà! fit l'Ermite. Un peu de patience et modérez vos ardeurs, jeune homme. Tu ne feras pas tout ça du jour au lendemain. Premièrement, tu dois apprendre à éveiller et contrôler ton pouvoir. Sinon, nous risquons de retrouver le chalet dans les arbres.

Tous se mirent à rire sauf Guidor, qui affichait un air sérieux, presque taciturne, ce qui fit tomber à plat l'enthousiasme du groupe.

Guidor, ayant enfin capté l'attention de tous, déclara :

— C'est bien beau de fêter les dons de chacun, mais vous semblez avoir oublié un élément important.

Le groupe retint son souffle et attendit. Guidor, toujours aussi sérieux, lança comme une bombe :

— Dans cette aventure, Caroline a perdu son panier et toutes ses baies sauvages. Et moi, je me faisais une telle joie d'y goûter… après une privation de plus de quatre cents ans.

Ne pouvant se retenir plus longtemps, Guidor éclata de rire, ce qui entraîna une nouvelle explosion d'hilarité dans le chalet.

CHAPITRE X

Debout sur le perron du chalet, Nadia observait le versant est de la montagne à l'aide de puissantes jumelles. À une telle distance, il n'était pas facile de discerner les détails, mais les vêtements colorés des enfants permettaient de les distinguer de la végétation et ainsi, de les suivre dans leur périple. Entre les deux nuages de couleur, une tache plus sombre soulignait la présence de l'Ermite. Après un long soupir, elle baissa les jumelles et avoua :

— Je ne suis toujours pas convaincue que cela soit bien prudent de leur avoir permis de monter à la grotte. Ils ont déjà eu bien assez d'aventures.

Guidor, à quelques pas de la jeune femme, observait également la progression du trio, mais contrairement à Nadia, l'être de lumière n'utilisait pas de jumelles. Sa vision de la scène, quoique parfaite, était quelque peu différente.

En plus d'une image très claire des trois compagnons de route, Guidor observait les ondulations lumineuses des trois cocons d'énergie aux reflets azur enveloppant l'Ermite et les deux enfants. Quittant la scène des yeux, il se tourna vers Nadia et la rassura :

— Tu n'as rien à craindre, Nadia. En compagnie de l'Ermite, ce n'est plus une aventure, mais une simple balade en montagne.

— Hum, répondit laconiquement la jeune femme en reprenant ses jumelles.

Voulant chasser toute inquiétude chez Nadia, Guidor devint plus explicite.

— L'Ermite utilise ce chemin tous les jours. C'est un sentier très sécuritaire. Ils n'ont rien à craindre, ni toi d'ailleurs.

Nadia délaissa de nouveau ses jumelles et se tourna en direction de Guidor.

— Parce que c'est toi qui le dis, je le crois, soupira-t-elle en esquissant un timide sourire.

Heureux de ce changement d'attitude, Guidor en profita pour orienter les pensées de la jeune femme dans une tout autre direction.

— De toute façon, l'absence des jeunes est une bonne chose. Je veux profiter de ce moment de tranquillité pour t'amener à explorer un nouveau monde. Je vais t'enseigner une nouvelle technique de visualisation.

***

— Vous ne voyez rien? Et vous vous prétendez des spécialistes de la finance. De la haute finance! précisa Krash-Ka avec ironie.

Gesticulant devant une mosaïque d'écrans garnissant les murs de son bureau impérial, il poursuivit sur sa lancée. Il pointa du doigt les bandes lumineuses défilant à vive allure sur un écran:

— Regardez ces chiffres! À Londres, Paris, Tokyo, Montréal et New York, dans toutes les bourses, nos actions sont à la baisse.

Se tournant vers ses interlocuteurs, il cria:

— Je veux une explication!

Debout face au grand bureau, osant à peine respirer, la demi-douzaine de fonctionnaires n'en menaient pas large devant l'empereur. Bardés de dossiers et de calculatrices sophistiquées, ils ne disposaient que d'un bien mince bouclier devant la fureur de leur souverain.

À contrecœur, mais se sentant obligé de formuler une raison ou du moins une excuse valable, le doyen du groupe prit une grande respiration et, timidement, risqua une hypothèse :

— Il faut peut-être tenir compte du contexte économique... Votre Grandeur. Tous les pays industrialisés subissent actuellement un creux financier et nous pensons...

— Foutaise ! coupa l'empereur. Le rendement des entreprises que NOUS contrôlons baisse plus rapidement que celui de l'ensemble de l'industrie mondiale. Vous expliquez ça comment ?

Discrètement, sur la droite de l'empereur, une porte glissa et laissa place à la grande conseillère. L'accès se referma derrière elle. Immobile et silencieuse, Haziella observa la situation.

— Ce n'est sûrement que temporaire, tenta d'expliquer le fonctionnaire, qui regrettait de plus en plus son initiative.

L'empereur pianota rageusement sur son bureau.

— Et ceci, c'est temporaire ? aboya-t-il, en montrant de nouveaux tableaux de statistiques. Nos usines ferment pendant que la concurrence prend de l'expansion. C'est normal à votre avis ?

Dame Haziella devina rapidement le sujet de la controverse. Elle était arrivée à un bien mauvais moment. Tentant d'éviter l'orage, elle actionna le mécanisme d'ouverture assurant sa retraite. Bien que très léger, le chuintement de la porte atteignit l'oreille de son maître. Ce dernier pointa la conseillère et ordonna :

— Haziella, demeurez avec nous.

— Je ne voudrais pas m'imposer, je peux revenir, suggéra la conseillère qui déjà reculait d'un pas.

— Restez ici, ordonna Krash-Ka. Ces incapables vont sortir car ils ont beaucoup de travail.

Et sur un ton menaçant, il ajouta :

— S'ils ne trouvent pas de solution à notre problème, le seul chiffre qu'ils auront à calculer sera le nombre de jours qu'il leur restera à vivre.

D'un geste de la main, l'empereur chassa ses fonctionnaires.

Le dernier spécialiste venait tout juste de quitter la salle quand l'empereur éclata de nouveau :

— Depuis l'apparition des sphères lumineuses, sur toute la surface de la Terre, mes entreprises sont en perte de vitesse et personne ne peut me donner une explication.

Haziella, marchant calmement vers l'empereur, apporta une précision :

— Personne ne peut ou personne ne veut vous donner d'explications.

— Soyez plus claire, grogna impatiemment Krash-Ka.

— Il y a toujours ces rencontres secrètes entre notre agent de surface et le Globulus.

— Rencontres dont nous ne pouvons découvrir la teneur puisqu'un microphone serait détecté rapidement. Sur ce point, nous ne sommes toujours pas très avancés.

— Peut-être plus que vous ne le croyez, annonça fièrement la conseillère.

Dame Haziella sortit d'un repli de sa robe un petit disque mat.

— Voici un microphone en cristal soluble. C'est tout nouveau, majesté.

Joignant le geste à la parole, elle offrit le disque à l'empereur et poursuivit ses explications :

— Une fois activé, il transmet des informations claires durant une heure et se dissout ensuite en poussière sans laisser de trace.

L'empereur, un peu plus détendu, jouait avec le microphone.

— Et le Globulus ne pourra le détecter ?

La conseillère fit la moue.

— Le signal étant encodé, il est possible que le Globulus perçoive quelques interférences dans ses circuits, comme il en reçoit occasionnellement. De plus, le phénomène sera temporaire. Il n'aura aucun soupçon.

— Vous avez donc réglé le problème.

— En partie, Votre Grandeur. La question consiste, maintenant, à déterminer quand nous devrons placer l'émetteur puisque sa durée de vie est très limitée.

— Et vous avez déjà une idée? demanda l'empereur sur un ton complice.

— Je le crois en effet. Et vous en saurez, très bientôt, beaucoup plus sur les projets du Globulus.

***

Confortablement assis sur les marches du perron, Guidor s'empara du pichet de limonade et en versa un verre à Nadia. Tout en remplissant son propre verre, l'être de lumière demanda:

— As-tu déjà essayé de voir tes corps?

Nadia, surprise par la question, cessa de boire.

— Mon corps? Mais bien sûr que je le vois!

— Je ne parle pas de TON corps, mais bien de TES corps, précisa Guidor.

Tenant toujours son verre, mais sans prendre le temps de goûter à sa limonade, Nadia s'exclama:

— Mes corps? J'en ai plusieurs?

Guidor prit une gorgée de limonade, souligna le bon goût du breuvage d'un léger mouvement des sourcils et répondit:

— Nous avons trois corps principaux. Le corps physique que tu peux regarder dans une glace tous les jours, le corps éthérique et le corps astral.

Nadia fit la moue.

— Je connais le premier, mais les deux autres me semblent bien mystérieux.

— Il n'y a pourtant pas de mystère, rassura Guidor.

Après avoir déposé son verre sur le perron, il se pencha vers Nadia, plaça ses pouces sur le front de la jeune femme, ses index et ses majeurs sur les tempes.

— Je vais augmenter ta capacité de vision intérieure. Tu pourras ainsi voir et mieux comprendre mes explications.

Nadia sentit une douce chaleur envahir sa tête et ferma les yeux. Le traitement ne dura que quelques secondes. Guidor retira ses mains, se leva et recula de quelques pas. Nadia ouvrit les yeux et ne put retenir une exclamation de surprise.

— Ho! Ton corps est enveloppé d'un grand nuage jaune doré très éclatant.

— Ce nuage coloré que tu vois est le plus important des trois corps. C'est le corps astral, expliqua Guidor.

Sans quitter le nuage des yeux, Nadia demanda:

— Et nous avons tous un corps de ce genre?

— Si tu regardes un être humain avec ta vision intérieure, tu découvriras toujours un nuage autour de la personne. Mais ce nuage ne sera pas nécessairement jaune. Ce nuage délimite l'aura d'un individu.

— Et il y a différentes couleurs d'aura?

— L'aura se présente sous différentes couleurs selon l'état de santé physique de la personne ainsi que son état émotionnel. Plus le sujet est négatif, plus la couleur de l'aura s'approche du noir.

— Il faut sûrement être très méchant pour posséder une aura noire, suggéra Nadia tout en portant son verre à ses lèvres.

— C'est vrai. C'est pourquoi, pour ta sécurité et celle des enfants, il est très important que tu maîtrises rapidement la visualisation de l'aura.

La jeune femme accusa le coup et retira le verre de ses lèvres.

— Pour notre sécurité?

Revenant près de Nadia, il se pencha. Appuyé sur ses talons, il ramassa son verre et poursuivit.

— En compagnie des enfants, tu auras bientôt une tâche importante à accomplir. Il est probable que tu aies à affronter les petits-gris. En utilisant la vision de l'aura, tu pourras détecter la présence d'un petit-gris, car leurs pensées de destruction et de méchanceté rendent leur aura très noire ou du moins, très sombre.

✳✳✳

Une ombre glissa sur la paroi de la navette. Le réseau de transport public du monde creux bourdonnait d'activité. Pourtant, il n'y avait pas foule sur le petit débarcadère. Il fallait avouer que la station desservant la grotte du Globulus n'attirait jamais beaucoup de monde. Des techniciens ou surveillants y passaient quelques heures par jour et se pressaient ensuite de quitter cet endroit occulte présidé par le mystérieux et puissant Globulus. L'endroit demeurait donc relativement désert et en ce moment, seuls deux agents de la sécurité semblaient y attendre la prochaine navette.

En réalité, ils n'étaient pas si pressés de quitter le lieu. Du moins pas avant d'avoir repéré l'individu décrit sur leur scrypto-bloc. Le garde tenant l'appareil appuya sur quelques touches et le portrait de l'agent Sygrill se dessina successivement sous différents angles. Tout en manipulant son bloc, il déclara à son collègue :

— Je me demande bien pourquoi nous devons surveiller cet agent. C'est tout de même un officier de haut rang.

— La santé et la curiosité ne font pas bon ménage, répliqua l'autre. La grande conseillère elle-même nous a ordonné de repérer l'individu et de la prévenir de son arrivée. Si tu tiens à conserver ta tête sur tes épaules, obéis et ne pose pas de questions. Tiens-toi prêt à envoyer le signal.

Machinalement, l'agent caressa un petit bouton rouge.

✳✳✳

Sous la voûte de la caverne du Globulus, dame Haziella vérifia discrètement l'avertisseur attaché à son poignet. Jusqu'à présent l'appareil était demeuré muet. La grande conseillère recommença à faire les cent pas, très agitée. Son excitation n'était pas vraiment feinte, tout au plus légèrement exagérée. Pour quelques minutes encore, elle devait donner le change et, par tous les prétextes, demeurer dans la grotte du super cerveau, du moins jusqu'à l'arrivée de Sygrill. Il fallait avouer que les sujets de conversation ne manquaient pas. Cette comédie offrait donc une odeur de vérité. À l'aide de grands gestes, la conseillère reprit ses récriminations.

— L'empereur est très mécontent. L'enquête sur les sphères lumineuses et ces nouveaux envahisseurs de l'espace n'avance pas assez rapidement.

Le Globulus ne sembla pas très impressionné par les éclats de la dame. C'est sur un ton très calme qu'il déclara :

— Ces sphères lumineuses sont un phénomène nouveau. Nous n'avons aucune référence nous permettant de discerner leur nature. La recherche s'avère donc plus laborieuse.

— Et pendant ce temps, nos industries de surface perdent des points tous les jours, coupa la conseillère.

Toujours aussi calme, le cerveau sous globe répondit :

— Vous m'en voyez désolé, dame Haziella, mais l'économie n'est pas mon domaine. Vous avez des spécialistes dans le secteur des affaires.

Haziella crut détecter une certaine ironie dans la réponse du cerveau.

— Si la chute de nos entreprises est reliée à l'arrivée des sphères de lumière, nos plus grands analystes ne pourront rien y changer.

— C'est possible, supposa laconiquement le cerveau.

— Et si cette situation s'aggrave, vous en porterez seul la responsabilité.

La grande conseillère jeta un nouveau coup d'œil discret à son poignet. Son communicateur demeurait désespérément muet. Consciente qu'elle devait encore gagner du temps, elle ajouta une nouvelle perle à son collier de blâmes.

— Et il y a cette vieille affaire de fuite de capitaux. Ces fuites ont débuté bien avant l'apparition des mystérieuses sphères.

L'empereur n'a reçu aucun rapport encourageant sur cette enquête. Que faites-vous ? Notre maître devient impatient.

***

La navette glissa sur le monorail et s'arrêta silencieusement devant le débarcadère. Elle n'était occupée que par un passager. La porte vitrée bascula, une paire de bottes en peau de crocodile claqua sur la surface dure du quai et un officier en descendit. Le garde ayant les mains libres jeta un coup d'œil au mémo électronique, compara les physionomies et déclara :

— C'est bien lui. Active le signal et quittons cet endroit sinistre.

***

Le Globulus était las de toutes ces demandes impériales, les jugeant de plus en plus insignifiantes comparées à ses propres projets. Malheureusement, il avait beau revendiquer le titre du plus puissant cerveau de la planète, il n'en demeurait pas moins tributaire des caprices de l'empereur, du moins pour quelque temps encore. Un temps le plus court possible, espérait-il. C'est donc sur un ton respectueux qu'il annonça :

— En ce qui concerne la fuite des capitaux, je puis vous assurer que mon enquête progresse. Je serai bientôt en mesure de vous donner des réponses satisfaisantes...

Une discrète vibration se fit sentir sur le poignet de la conseillère. Du coin de l'œil, elle observa le léger cercle rouge scintillant sur son communicateur. Demeurant impassible, elle laissa le Globulus poursuivre.

— ... Et vous pouvez assurer sa grandeur que je réussirai très bientôt à mettre bon ordre à cette situation.

La conseillère devait maintenant manœuvrer rapidement. Prenant un air de fonctionnaire satisfait de son travail, elle lissa un pan de sa robe, puis abrégea sa sortie.

— L'empereur sera heureux d'apprendre cette bonne nouvelle. Mais attention, ne le décevez pas. Au revoir, Globulus.

Sans attendre de réponse, elle marcha vers les portes d'acier qui s'ouvrirent à son approche.

Les cloisons venaient tout juste de se refermer derrière elle lorsque l'agent apparut sur le seuil d'un ascenseur. Ne prenant pas le temps de souffler, la conseillère retrouva son air de fonctionnaire agitée. Sygrill reconnut immédiatement la dame, bras droit de l'empereur. Ne sachant trop comment interpréter sa présence dans un tel endroit, si près du domaine du Globulus, il déclara prudemment :

— Mes respects, grande conseillère Haziella.

— À votre respect, je préférerais un rapport écrit annonçant des résultats concrets et positifs.

L'agent demeura muet. La conseillère attaqua :

— Sachez que l'empereur est très mécontent. L'enquête sur les sphères lumineuses n'avance pas assez rapidement.

Sygrill, prenant un air de victime, déclara :

— La nature de ce phénomène nous est totalement inconnue. Faute de références dans nos ordinateurs, mes agents de surface progressent très lentement dans ce dossier.

— Et le dossier sur la fuite des capitaux ? L'empereur devient très impatient et exige des résultats.

L'agent tenta de se faire rassurant.

— Cette enquête évolue rapidement et nous avons même une piste intéressante, répondit-il sur un ton optimiste.

— Il vaudrait mieux que cette piste soit très intéressante, car l'empereur n'attendra plus bien longtemps. Bientôt, des têtes vont tomber.

La conseillère devint alors plus agitée.

— L'empereur sait récompenser les bons éléments, mais rappelez-vous qu'il est sans pitié envers ceux qui se risquent à l'irriter.

Simulant un faux pas, la conseillère bouscula l'agent tout en s'accrochant à sa tunique. Sygrill aida la dame à se relever, mais ne se rendit pas compte qu'un disque mat se logeait maintenant sur l'envers de sa ceinture.

Afin de calmer la conseillère, il leva la tête et déclara fièrement :

— Je suis un fidèle serviteur de l'empire et ma plus grande joie est de satisfaire notre auguste souverain. Très bientôt, je vous l'assure, l'empereur connaîtra tous les dessous de cette histoire.

Poursuivant dans son rôle de fonctionnaire, la conseillère sembla satisfaite d'une telle promesse. De nouveau, elle lissa sa robe. Saluant l'agent d'un signe de tête, elle s'engouffra dans l'ascenseur. Les portes se refermèrent derrière elle.

— Soyez sans crainte, conseillère Haziella, murmura Sygrill en observant les portes de l'ascenseur, l'empereur entendra bientôt parler de moi.

S'étant assuré qu'il était seul dans le corridor, l'agent se présenta dans le cercle de détection situé devant les grandes portes d'acier. Les volets blindés s'ouvrirent. L'agent entra. Les volets se refermèrent.

Un peu en retrait dans le passage, deux portes s'ouvrirent de nouveau, mais cette fois-ci, c'était celles de l'ascenseur. La conseillère sortit de la bulle de verre trempé. Tenant un écouteur à l'oreille, un sourire malveillant se dessina sur son visage.

Dans le refuge du cerveau, l'agent marcha d'un pas ferme et s'arrêta droit devant le Globulus.

— Mes salutations, Globulus. J'ai peut-être une solution pour vous.

— Tant mieux…

À l'extérieur de la caverne, le visage de la conseillère rayonnait. La réception était parfaite et la réplique du Globulus, très claire.

***

L'Ermite connaissait bien sa montagne. Il savait économiser ses forces en utilisant judicieusement les pentes douces menant à son domaine. Les enfants et l'Ermite atteignirent donc le plateau rocheux, servant de terrasse à la grotte, frais et dispos et prêts pour de nouvelles découvertes.

Caroline, arpentant le terrain, semblait chercher quelque chose.

— C'est exactement comme dans ma vision. Tout est identique, à un détail près.

— Ha oui? Et quel est ce détail? s'informa l'Ermite.

— Dans ma vision, il y avait un petit écureuil.

— Ho! Tu veux sûrement parler de Pomme de Pin. Mon ami n'est sûrement pas bien loin. Je ne serais pas surpris qu'il soit dans un de ces arbres à nous épier.

Les enfants levèrent la tête et tentèrent sans succès de deviner la présence du rongeur à la queue touffue.

— Vous voulez vous reposer ou visiter? demanda l'Ermite sur un ton innocent.

— Nous voulons visiter, annonça joyeusement Caroline.

— On peut vraiment entrer? s'assura Steven.

— Bien sûr. Vous êtes bien venus pour ça, déclara l'homme en riant.

Tout excités, les enfants s'élancèrent vers le repli rocheux. Steven fit une dizaine de pas, mais s'arrêta brusquement.

— Ben quoi, Caroline? Tu viens?

Demeurée dans l'embrasure de la grotte, Caroline examinait avec insistance la voûte rocheuse de la caverne. Sans se retourner, elle demanda:

— Cette grotte, on peut la visiter sans danger?

— Tu n'as rien à craindre. J'y habite depuis des années. C'est du solide.

Rassurée, la jeune fille rejoignit Steven qui venait tout juste de découvrir la chambre à coucher de leur ami: une paillasse sur laquelle on avait simplement déposé une couverture roulée en boudin. Perplexe, le garçon examina l'environnement.

— Qu'est-ce qu'il y a, Steven? demanda l'Ermite.

— Hee... C'est tout ce que vous avez? dit Steven un peu gêné. Y a rien d'autre?

— Tu crois qu'il manque quelque chose ? s'enquit l'homme.

— Eh… Je pensais pas trouver une télé couleur, mais y a même pas une petite radio… Ha ! Vous l'avez cachée. C'est ça ?

— Je n'ai rien caché… de personnel.

Malgré elle, Caroline ne put dissimuler un certain sentiment de désolation.

— Tu sembles déçue, remarqua l'Ermite.

— Non, pas du tout, s'empressa de répondre la jeune fille.

Puis elle ajouta :

— Ma question peut sembler ridicule, mais comment réussissez-vous à vivre heureux dans un endroit si démuni ? avoua candidement Caroline.

— Ouais ! Ça doit pas être facile, ajouta le garçon. C'est plus vide que le chalet.

Caroline ne put réprimer un sourire.

— Surtout quand je compare cet endroit à ma belle chambre toute décorée de jolies dentelles et de meubles luxueux servant à ranger tous mes beaux vêtements, précisa Caroline sur un ton pince-sans-rire.

— Et dans un tel luxe, tu étais vraiment plus heureuse ? s'enquit l'Ermite.

Caroline prit le temps de réfléchir à sa vie de château, se revoyant entre son oncle et sa tante. Elle en perdit son sourire.

— Non, c'est vrai. Je n'étais pas très heureuse.

Poursuivant sa réflexion, elle se remémora avec plaisir les images joyeuses du repas de la veille.

— Je crois même que je préfère ma nouvelle vie au chalet, avoua-t-elle d'un souffle rapide.

L'Ermite, toujours souriant et heureux de cette confession, prit le temps de préciser sa vision de la vie.

— Il est normal que les gens aient besoin d'un minimum de biens pour assurer le confort de leur famille et de leurs enfants. Mais je déplore sincèrement que certaines personnes accumulent une quantité excessive de biens.

— Ce n'est pas bien d'acheter beaucoup de choses? demanda la jeune fille.

L'Ermite rectifia les faits:

— Ce n'est pas d'acheter qui est dangereux. C'est de croire que le bonheur est relié au nombre d'objets possédés. Certaines personnes achètent toujours plus dans l'espoir d'être plus heureux. Et c'est habituellement une erreur. Le bonheur commence dans le cœur. Pour être aimé par les autres, il faut en premier les aimer. Et pour les aimer, il faut commencer par s'aimer soi-même avec ce que l'on a et ce que l'on n'a pas. Avec les biens matériels, on ne se donne qu'une illusion qui ne dure jamais longtemps.

— Ouais... Et en plus, on risque de se faire voler, intervint Steven sur un ton mi-sérieux.

— Déclaré par un spécialiste, on ne peut pas le contester, approuva Caroline.

Steven lança vers Caroline une grimace sans méchanceté, ce qui fit sourire la jeune fille et l'Ermite. Ce dernier ajouta:

— Le plus grave, c'est qu'en consommant de façon excessive, on ne fait que jouer le jeu des trogs.

— Le jeu des trogs, répéta Caroline.

— Première fois que j'entends parler de ça, avoua Steven. C'est quoi, un trog? Une nouvelle sorte de carte de crédit?

— Ho! Les trogs sont bien plus dangereux que les cartes de crédit. Je ne suis pas surpris de votre ignorance, car bien peu de gens connaissent l'existence de ces êtres maléfiques.

— Ha oui! firent les deux enfants.

— Ces êtres sont différents des hommes et habitent sous la terre.

— Au centre de la Terre? demanda Steven.

— Non, pas si loin, car au centre de la Terre, il y a autre chose, mais ça, je vous en reparlerai une autre fois. Bon, où en étais-je?

— Les trogs vivent sous la terre... rappela la jeune fille.

— Ha oui. Les trogs, que certains chercheurs d'ovnis appellent encore des petits-gris, vivent sur notre planète depuis des millénaires, mais ils ne sont pas d'ici. Ils sont venus d'un autre système solaire situé près du cœur de la Galaxie. Ils ont bâti leurs cités sous la surface de notre planète.

— Pourquoi? Ils sont timides? Y aiment pas nos têtes?

— Notre soleil est beaucoup trop lumineux pour eux. Ils ne peuvent demeurer que quelques jours à la surface. Ce qui ne les empêche pas de contrôler les activités de notre monde et peut-être bien, certaines cartes de crédit.

Les enfants, ébahis par les révélations de l'Ermite, se mirent à le bombarder de questions.

— Ils contrôlent notre monde, répéta Caroline.

— Est-ce qu'ils ont de grands yeux pour voir dans le noir? demanda Steven.

— Et il y en a beaucoup sur la Terre? s'enquit Caroline.

— Ils ont des antennes sur la tête? fit Steven.

— Ils dominent tous les Terriens de la planète? ajouta la jeune fille.

D'un signe de la main, l'homme apaisa les enfants.

— Avec des fusils laser? dit Steven en étouffant sa question.

L'Ermite prit le temps de s'asseoir sur une haute pierre plate, les enfants l'imitèrent. Le calme revenu, il poursuivit son explication.

— Au tout début de l'humanité, les hommes étaient bons et sages. Ils vivaient en harmonie avec la nature et possédaient des pouvoirs fantastiques.

— Comme la vision de Caroline, suggéra Steven.

— Ou le pouvoir de déplacer des objets, renchérit Caroline.

— Mieux que ça, mes enfants. Ils pouvaient communiquer avec les animaux ou percer une montagne d'un simple regard. Leur puissance provenait de l'énergie irradiée par le cristal universel.

Les enfants affichaient à présent de grands yeux ronds et demeuraient attentifs à chaque parole prononcée par l'Ermite.

— On retrouvait ces merveilleux cristaux dans différents endroits de la planète : sur le vaste continent de l'Atlantide, un continent maintenant disparu sous les eaux ; également dans l'ancienne Égypte, au début du règne des premiers pharaons ; et dans bien d'autres coins du globe.

L'allusion à l'ancienne Égypte éveilla l'intérêt de Caroline et ramena dans son esprit des images de son dernier rêve éveillé. Steven, ne voulant pas demeurer en reste, demanda :

— Ce cristal… il y en avait également un en Amérique du Sud ?

— En effet, mon garçon. L'Amérique du Sud possédait jadis un cristal, mais à une époque et dans des circonstances bien différentes.

À son tour, des tableaux représentant des paysages et des structures du petit temple émergèrent des souvenirs de Steven. Perdu dans ses rêves, il associa les dernières images de sa vision aux commentaires de l'Ermite.

— C'est à ce moment que les trogs ont fait leur apparition, pour le plus grand malheur des hommes.

Les deux enfants, revenus à la réalité, écoutaient attentivement les paroles du conteur.

— Durant des siècles, ils se sont acharnés à rechercher et à détruire toutes les sources énergétiques universelles ainsi que ceux qui en connaissaient les secrets. Progressivement, les hommes ont perdu tous leurs pouvoirs.

— Mais c'est terrible ! gémit Caroline.

L'Ermite acquiesça d'un signe de tête et poursuivit :

— Plusieurs millénaires se sont écoulés et les hommes ont dû réapprendre à utiliser leur force physique pour construire leur demeure, se nourrir et se vêtir. Les plus forts ont dominé les plus faibles. Mais les trogs ne se sont pas arrêtés là.

L'Ermite se leva et du signe de la main, les invita à le suivre.

— Venez avec moi. J'ai quelque chose à vous montrer.

Les enfants ne se firent pas prier et bondirent sur les traces de l'Ermite.

***

Dans le monde creux, derrière les portes closes de la caverne, le Globulus évaluait la nouvelle proposition de Sygrill.

— Votre idée semble intéressante, mais je ne suis pas vraiment convaincu de son efficacité.

L'agent revint à la charge et récapitula ses arguments.

— Ce plan est infaillible, car si j'ai bien compris vos explications, pour détecter la position de ce Guidor et le détruire, il faut que ce dernier indique sa présence en utilisant ses pouvoirs psychiques.

— Exact, répondit le cerveau sous globe.

— Et nous savons que le trio, la femme et les deux enfants, sont importants aux yeux de Guidor.

— Toujours exact.

— Alors, plaçons ces humains dans une situation critique. Guidor ne pourra pas demeurer inactif. En allant à leur secours, il devra trahir sa présence... et nous aurons alors sa peau.

— Donnez-moi un peu de temps pour y réfléchir.

***

Depuis plusieurs dizaines de mètres déjà, la lumière extérieure n'atteignait plus les différents passages plongeant de plus en plus profondément au cœur de la montagne. Une longue torche dans la main droite, l'Ermite ouvrait la marche. À la lueur de la flamme dansante, on devinait, sur les visages des enfants, le plaisir de découvrir, combiné à une certaine appréhension provenant de l'inconnu et du mystère.

Soudain, le passage sembla plonger dans le vide. Devant le groupe s'ouvrait une immense cathédrale aux colonnes de calcaire sculptées au fil des siècles. Sur la droite se dessinait une pente douce et sinueuse menant au plancher de la grotte.

— Ce passage demeure un peu glissant, mais pas vraiment dangereux si on fait attention où l'on met les pieds.

À l'aide de sa torche, l'Ermite en alluma une deuxième qu'il accrocha à la paroi de la grotte.

— Lors de notre retour, en remontant la pente, celle-ci nous servira de point de repère. Maintenant, allons-y doucement.

La descente se fit sans trop de dommage, sauf pour les souliers des trois explorateurs. On ne pouvait pas vraiment parler de boue. C'était comme marcher sur de la craie humide. À chaque pas, leurs souliers glissaient légèrement sur cette crème blanchâtre et vaseuse. Selon les dires de l'Ermite, elle provenait des écoulements des stalactites suspendus au plafond de la grotte. Lorsqu'ils atteignirent le fond de la caverne, ils profitèrent d'un moment de repos pour gratter le dessous de leurs souliers sur des éclats de roche.

— Si on rentre… commença Steven qui fut saisi par l'ampleur de l'écho.

Le tout fut suivi d'un «wow!» qui se démultiplia sous la voûte.

— Bienvenue à vous trois, lança Caroline.

Une salutation qui fit le tour de la grotte avant de revenir vers le trio. Et sur un ton espiègle, elle ajouta un «merci» bien accueilli par tous.

— Qu'avais-tu commencé à dire tantôt? demanda l'Ermite en s'adressant à Steven.

— Ho… je me disais que si on revient au chalet avec des souliers aussi crottés, Nadia va sûrement piquer une crise de nerfs, annonça Steven.

L'Ermite simula un air terrifié, mais retrouva rapidement son sourire.

— Il est inutile de tout nettoyer, mon garçon, précisa l'Ermite. Au retour, nous remonterons par le même passage.

La suite du trajet offrait un abord plus agréable. Le trio emprunta un sentier longeant un grand miroir liquide.

— Vous ne nous aviez pas dit que vous possédiez une piscine intérieure, taquina gentiment Caroline.

— Si tu aimes les bains glacés, ma chère Caroline, ne te gêne pas pour nous. Cette eau provient d'une cascade. Vous l'entendez ? Nous allons la découvrir dans quelques minutes.

Steven s'approcha de l'eau, y trempa la main et ne fit qu'un seul commentaire en grimaçant :

— Brrrrr !

Taquin, Steven secoua sa main dans la direction de Caroline.

— Hé ! Mais c'est de la glace ! Arrête ça, Steven. Tomber dans ce lac, on peut y mourir gelé ! observa Caroline.

Amusé, l'Ermite acquiesça et précisa :

— Cette eau est à la même température, été comme hiver.

Prudemment, Caroline s'éloigna de la rive.

Au tournant d'un pic calcaire, l'écho sonore de la cascade se fit plus présent. À la lueur de la torche, les enfants découvrirent la cataracte qui s'éclatait en jets d'eau sur une immense pierre plate débordant au-dessus du sentier. Formant une marquise, cette plate-forme rocheuse permettait au groupe de traverser l'obstacle en passant sous la cascade, derrière le rideau liquide.

Ils avaient fait moins d'une dizaine de mètres lorsque, sur la droite, un nouveau boyau s'ouvrit devant eux. L'Ermite fit signe aux enfants de le suivre. L'homme quitta alors le centre du passage, marcha vers la paroi et s'arrêta près d'une fissure dissimulée derrière un renflement rocheux. Il était sur le point d'y plonger la main lorsqu'un sourd murmure, semblable à une vague de fond, monta des profondeurs de la grotte. Le bruit se fit de plus en plus distinct et s'amplifia rapidement. On aurait cru entendre les milliers d'applaudissements d'une foule en délire. L'homme dit calmement :

— Venez près de moi et n'ayez pas peur.

Les deux enfants eurent à peine le temps d'obéir qu'un nuage sombre glissa près du groupe dans un vacarme assourdissant.

— Qu'est-ce que c'est ? souffla Caroline, un peu nerveuse.

— Tu ne devines pas ? dit malicieusement leur guide.

— Des chauves-souris ? suggéra-t-elle timidement.

— En effet, répondit-il.

— Pouah! Et vous vivez avec ces monstres? s'étonna Steven.

L'homme attendit la fin du passage et rectifia:

— Les chauves-souris ne sont pas des monstres, mais des amis précieux. Cette nuit, elles vont sortir par centaines et elles mangeront des milliers d'insectes nuisibles. Demain, il y aura moins de moustiques et moins de chenilles détruisant la végétation.

— Moins de moustiques? Alors, les chauves-souris sont vraiment plus que des amies, suggéra Caroline, pleine de considération pour les petites bêtes.

— Partout où nous allons, nous avons des amis... si nous savons les reconnaître, précisa l'Ermite.

Sur ces sages paroles, il plongea la main dans la fissure et en retira une modeste boîte de métal enveloppée dans un vieux chiffon. Il fit quelques pas dans le passage, trouva une pierre ronde et coinça sa torche entre deux grosses roches. Il prit le temps de s'asseoir et invita les enfants à en faire autant. Curieux de connaître les secrets de la mystérieuse petite boîte, ils ne se firent pas prier.

L'Ermite ne semblait pas pressé d'en dévoiler le contenu. Il déposa la boîte sur ses genoux et en silence, ramassa ses souvenirs. Steven, toujours aussi direct, demanda:

— Qu'est-ce qu'il y a dans la boîte?

— Je vous demande de patienter un peu. J'ai encore des révélations à vous faire concernant les trogs.

Cette précision fut suffisante pour calmer la curiosité des enfants, tout aussi intrigués par l'histoire de l'Ermite que par sa petite boîte mystérieuse. À la lueur de la torche, l'homme commença:

— Les trogs ont utilisé plusieurs moyens afin de contrôler les humains. Grâce à leur technologie très avancée, ils ont vendu aux industries de la planète des inventions, de la machinerie et des appareils très sophistiqués.

— Et les humains ont accepté de négocier avec les trogs? s'informa Caroline.

— Moi, j'aurais refusé, déclara Steven.

— Mais les humains n'ont pas reconnu les trogs. Ces derniers ont eu la présence d'esprit de recruter des collaborateurs humains, des gens sans scrupules et avides de fortune. Ces hommes dirigeaient des entreprises appartenant aux trogs et servaient d'intermédiaires auprès des autres humains.

— Et cela a fonctionné?

— Très bien même! Déjà au temps de Napoléon, les trogs faisaient des affaires d'or. Ils vendaient mille canons à un premier pays. Les états voisins se sentant menacés dépensaient des fortunes afin d'acheter des canons encore plus performants et en plus grand nombre....

— Des canons offerts par les trogs, je suppose, risqua Caroline.

— En effet. Le premier pays se sentant alors dans une position de faiblesse achetait des armes encore plus meurtrières.

— Mais cela n'avait pas de fin, observa Caroline.

L'Ermite hocha la tête.

— Eh! Attendez! s'écria soudainement Caroline en se levant d'un seul trait.

La jeune fille ferma les yeux et consacra quelques secondes à mettre de l'ordre dans sa tête.

— Vous prétendez que ceux qui ont attaqué le palais de mon... père le pharaon, il y a de cela huit mille ans, existent encore aujourd'hui?

— Si tu veux parler de leurs descendants, oui, en effet. Présents plus que jamais. Et ils font des affaires d'or.

— Ça veut dire qu'ils sont très riches, conclut Steven.

— Riches et très puissants, mon garçon. Les industries ont donné beaucoup d'argent afin de se procurer ces nouvelles armes et ces nouveaux outils. Les trogs ont amassé des fortunes. Tout cet argent accumulé, ils l'ont placé dans des banques créées et contrôlées également par eux.

— Ils possèdent également des banques? s'exclama Caroline.

— Et parmi les plus importantes. Mais ce n'était pas assez pour eux. Afin d'inciter les hommes à dépenser encore plus et à emprunter dans leurs banques, les trogs ont avivé la convoitise des hommes et les ont même encouragés à se faire la guerre. De façon très discrète, ils continuaient de prêter de l'argent aux deux camps ennemis et leur permettaient ainsi d'acheter encore plus d'armes. Des armes fabriquées...

— Dans des usines appartenant également aux trogs, je suppose, fit Caroline.

Avec tristesse, l'Ermite acquiesça d'un signe de tête. Steven était révolté.

— Mais ça veut dire que les trogs sont gagnants sur tous les plans, constata le jeune garçon.

L'Ermite confirma.

— Et plus les gouvernements s'endettent, plus les trogs font ce qu'il faut pour que ces gouvernements empruntent davantage, plus, toujours plus.

Caroline, indignée par une telle situation, ne put se retenir :

— C'est révoltant ! Même les gouvernements font le jeu des trogs.

L'Ermite apporta une nuance.

— Tu sais, Caroline, nous faisons tous le jeu des trogs. Les gens, en général, exigent toujours plus des gouvernements et n'acceptent pas de faire des sacrifices, de se priver un petit peu. Les gouvernements n'ont donc pas le choix. Ils pensent aux élections et font ce que la population demande.

Caroline réfléchit quelques secondes et s'objecta :

— Mais si tout le monde cesse de consommer et d'acheter des biens, les usines du pays vont fermer et il y aura des mises à pied.

— Ton raisonnement est juste, mais il faut savoir faire la part des choses. Je ne suggère pas à tout le monde de vivre dans une caverne sans profiter d'un minimum de confort. Dans tout, il faut un équilibre.

Voyant un sourire perplexe sur le visage des deux enfants, l'Ermite donna un exemple :

— Si nous nous privons d'acheter un troisième téléviseur couleur, l'usine de téléviseurs perdra peut-être un emploi, mais les sommes économisées permettront peut-être d'acheter un lit d'hôpital pour une personne souffrante et l'usine de lits d'hôpitaux, à cause de la demande croissante, devra embaucher un employé supplémentaire. Il va se créer un équilibre. C'est une simple question de choix et de priorités.

***

— Alors, que pensez-vous de mon plan ? s'informa Sygrill.

Au creux de l'immense caverne, le Globulus prit une décision.

— Je crois que vous avez raison. Si nous touchons les enfants et la femme, Guidor devra se révéler.

L'agent afficha un sourire de triomphe, mais un sourire qui ne dura qu'un court instant. Un grondement sourd envahit la salle. Tout autour de la grotte, de longs tubes lumineux sortirent du sol et se mirent à bouillonner.

— Que se passe-t-il ? s'enquit Sygrill, un peu inquiet de tout ce remue-ménage.

— J'ai mis en marche les pompes telluriques.

— Et ces pompes servent à quoi ? insista l'agent, toujours aux aguets.

— À canaliser des énergies colossales provenant des profondeurs de la Terre.

L'agent avança de quelques pas dans la direction des tubes qui, déjà, atteignaient six mètres de haut. Impressionné et un peu hésitant, il demanda :

— Et ce n'est pas dangereux ?

— Si, très dangereux, confia le Globulus. Je n'ai pas utilisé l'ensemble de ces pompes depuis près d'un siècle.

— Et la dernière fois, que s'est-il produit ?

Sur un ton sans émotion, le puissant cerveau déclara :

— La moitié de la ville de San Francisco a été détruite par un incendie.

L'agent devint songeur.

— Je ne suis plus certain d'avoir eu une très bonne idée.

— Il fallait y penser plus tôt, annonça le Globulus. Maintenant, il est trop tard pour reculer.

L'agent semblait de moins en moins rassuré. Les premières pompes emmagasinaient déjà une énergie colossale. Les accumulateurs crépitaient dans un vacarme assourdissant alors que de nouveaux tubes sortaient du sol.

***

À des milliers de kilomètres du Globulus, les enfants multipliaient les questions auprès de leur nouvel ami.

— Et comment pouvez-vous en savoir autant sur les trogs ou petits-gris ?

L'Ermite prit une grande respiration et déclara :

— Il y a plus de 40 ans de cela, j'ai rencontré et combattu un petit-gris.

— Vous avez combattu un petit-gris ! s'exclama Caroline.

— Un vrai ? précisa Steven, tout excité.

— Oui, un vrai trog, avoua-t-il.

Montrant le coffret déposé sur ses genoux, il ajouta :

— Voici ce que j'en ai conservé.

Les enfants n'avaient d'yeux que pour la boîte et épiaient chaque geste de l'Ermite. De ses deux mains, il souleva le coffret de métal. Délicatement, il défit la corde usée retenant le chiffon protecteur. C'est alors que se fit sentir la première secousse suivie d'une légère vibration à peine audible.

L'Ermite demeura à l'affût quelques secondes, mais ne se formalisa pas de l'événement. Il venait tout juste de retirer la boîte du chiffon lorsqu'un grondement sourd monta des profondeurs. La terre se mit à trembler et quelques petites pierres de la voûte se détachèrent. Cette fois-ci, l'Ermite prit la chose au sérieux. Il ramassa le chiffon, se leva et invita les enfants à le suivre.

— Venez, ne restons pas ici.

Comme en réponse à son invitation, une nouvelle vibration ébranla la caverne.

— Steven, prends la torche et ouvre-nous le passage.

Le garçon retira la torche d'entre les pierres et en moins d'une minute, le trio se retrouva près du lac souterrain. Le décor sonore avait changé. La vaste salle, tantôt si silencieuse, retournait maintenant l'écho des clapotis créés par la chute de roches dans le grand lac intérieur. Le groupe n'était plus qu'à quelques mètres du rideau de la cascade lorsqu'une nouvelle secousse, très puissante cette fois-ci, ébranla la montagne tout entière. De nouvelles pierres quittèrent la paroi rocheuse.

Lentement, Steven se glissa sous la cascade, avança de quelques pas mais dut s'arrêter, consterné. La dernière secousse avait ouvert une brèche de l'autre côté de la chute et coupait le sentier sur une longueur de plus d'un mètre.

— Y a un trou… énorme! Y a une autre sortie? proposa Steven.

— Je crains que cela ne soit la seule issue, répondit l'Ermite.

— Alors, qu'est-ce qu'on fait? gémit le garçon.

Caroline examinait le gouffre à son tour.

— Steven, éclaire le bord de la fissure, ordonna-t-elle. J'ai de bonnes jambes et je peux réussir ce saut.

— Mais Caroline… Y a pas assez de place pour prendre son élan.

— Steven, ce n'est pas le temps de discuter. Il faut sortir d'ici. Éclaire la crevasse, s'il te plaît. J'ai besoin de voir où je vais atterrir.

Dépassé par les événements, Steven s'exécuta. Du bout du pied, Caroline examina la frange de la crevasse : le bord était friable et se brisait au moindre choc. À reculons, elle calcula le nombre de pas nécessaires et profita de tout l'espace disponible. Puis elle prit son élan.

Sans trop de difficulté, elle atteignit l'autre bord de la crevasse. Satisfaite, elle rassura Steven.

— Vas-y, Steven, je vais te recevoir…

— Et si tu m'échappes ?

Une nouvelle secousse provoqua une pluie de gravier. Steven n'avait plus le choix.

— J'arrive… cria-t-il en s'élançant.

Malgré son élan, les courtes jambes du garçon ne purent franchir une telle distance. Seul le pied droit toucha la surface rocheuse, son autre pied, se balançant dangereusement au-dessus du vide. Bien que la situation pût sembler dramatique, l'Ermite demeura impassible. Se contentant de ramasser la torche abandonnée par le garçon, il observa la scène.

Le visage défait, Steven se voyait déjà plonger dans les eaux glacées du lac. À la dernière seconde, Caroline attrapa le poignet de Steven et réussit à stabiliser la position du garçon. Steven plia le genou et se rapprocha ainsi de la jeune fille. Le corps toujours suspendu au-dessus du vide, Steven offrit son deuxième bras à Caroline, qu'elle saisit rapidement. La jeune fille avait beau tirer de toutes ses forces, le poids du garçon demeurait un obstacle important. Lentement, les pieds de Caroline commencèrent à glisser sur la surface vaseuse du sentier et Steven se sentit de plus en plus attiré vers le vide.

— Caroline, intervint l'Ermite, glisse ton pied vers la paroi, le sol est plus rugueux.

La jeune fille s'exécuta et la glissade s'interrompit. Sans un mot, l'Ermite intervint une seconde fois. Lentement, Caroline rapprocha le corps du garçon du bord de la crevasse. Elle réussit à le soulever assez haut pour que Steven puisse y appuyer son genou gauche. Prudemment, Caroline continua à tirer jusqu'à ce que Steven se retrouve ventre à terre sur le sentier. Le visage et les vêtements maculés de boue, Steven releva la tête et octroya un grand sourire à la jeune fille. Elle le lui rendit sans hésiter.

Mais les secousses de plus en plus fréquentes ainsi que les chutes de gravier les ramenèrent rapidement à la réalité. Caroline, un peu inquiète, souffla à l'oreille du garçon :

— L'Ermite est un vieux monsieur, comment va-t-il réussir un tel saut ?

— Prenez un bon élan, m'sieur, et tout va bien se passer ! cria Steven en signe d'encouragement.

Le vieux monsieur en question ne sembla pas entendre la recommandation du garçon. Il s'approcha posément de la crevasse et mit un pied devant. Les enfants lancèrent à l'unisson un cri de consternation, certains que l'homme plongerait dans le gouffre. À leur grande stupeur, comme dans un film au ralenti, l'Ermite, tenant toujours la torche et sa boîte sous le bras, glissa au-dessus du trou, son pied atteignant sans difficulté le côté sécuritaire du sentier. Avec un petit sourire amusé, il se pencha en direction des jeunes et murmura :

— Alors ? Pas si vieux que ça, le monsieur !

Steven, à peine revenu de sa surprise, demanda :

— Comment vous avez fait ça ?

— De la même façon que tu as retenu Caroline lors de sa chute en montagne.

— Alors vous aussi, vous pouvez déplacer des objets ?

— Oui, je peux le faire... et un peu plus, ajouta-t-il sur un ton taquin. Quand nous serons sortis d'ici, je pourrai peut-être t'enseigner quelques trucs.

Une nouvelle vibration ne permit pas à l'Ermite d'élaborer plus avant sur le sujet. Derrière eux, un immense pan de roche se détacha de la paroi et s'écrasa sur la marquise surplombant la cascade. Sous la force de l'impact, marquise et pan de roche furent précipités dans le lac, engendrant un immense remous.

Sans attendre, le groupe se remit en marche, mais un nouvel incident allait ralentir sa progression. En terminant sa course dans le lac, le pan de roche avait provoqué une puissante vague. Cette dernière, après avoir atteint la rive opposée du lac, détacha de nouveaux pans de roche. Alimentée par ce nouvel arrivage de débris, la vague revint encore plus menaçante vers son rivage d'origine.

L'Ermite avait prévu une telle éventualité et surveillait nerveusement l'onde agitée. Toutefois, l'unique torche ne dispensant qu'un faible éclairage, ce fut plus à l'ouïe qu'à la vue que l'Ermite identifia le danger. La première lame de fond avait déjà léché le rivage quand l'Ermite cria :

— Attention, les enfants ! Accrochez-vous solidement à la paroi.

Les deux jeunes eurent à peine le temps de comprendre l'instruction et de se dénicher des points d'ancrage. Tant bien que mal, ils se protégèrent le visage et fermèrent les yeux.

Près d'eux, les préoccupations de l'Ermite s'annonçaient bien différentes. Faisant impunément face au lac, l'homme concentra ses énergies sur le ressac grandissant. Dans un fracas assourdissant, la muraille liquide grimpa vers eux, mais se brisa soudain à moins d'un mètre du trio. À la lueur de la torche, l'homme examina, satisfait, le fruit de son effort. Tel un filet aux mailles serrées, l'écran d'énergie, encore ruisselant, n'avait laissé passer qu'une très faible quantité d'eau.

Le torrent disparu, les enfants, gelés jusqu'aux os, demeurèrent pétrifiés sur place. L'homme s'approcha d'eux et tenta de les réchauffer en les frictionnant énergiquement. Afin de les encourager à poursuivre leur chemin, il leur suggéra :

— Sortons vite d'ici. Dehors, l'air sec et le soleil réchaufferont rapidement nos corps ainsi que nos vêtements.

Malgré la présence rassurante de l'Ermite, la suite du périple fut plus laborieuse. Lors du ressac, la torche s'était finalement éteinte. C'était donc dans la noirceur la plus totale que le trio tentait maintenant de retrouver son chemin.

— Je connais bien les lieux, les enfants. Steven, prends ma main et Caroline, accroche-toi à Steven.

La remontée sur la pente crayeuse demanda un nouvel effort.

— Regardez, les enfants, lança l'Ermite sur une note encourageante, notre seconde torche là-haut nous indique le chemin.

Toujours grelottants, les enfants réagirent faiblement et reprirent sans beaucoup d'enthousiasme le chemin menant à la lumière.

Équipé de nouveau d'un éclairage de fortune, le trio avait maintenant quitté les profondeurs de la grotte et marchait dans le dernier passage horizontal menant vers la sortie. L'Ermite, ouvrant toujours la marche, en profita pour souligner une nouveauté.

— Sentez-vous l'air chaud qui pénètre dans la grotte? C'est signe que le soleil n'est plus très loin.

Comme pour ponctuer cette affirmation, l'ensemble de la montagne trembla dangereusement, laissant une fine poussière se détacher de la voûte. Sans dire un mot, l'Ermite accéléra le pas, les enfants s'ajustèrent au rythme de l'homme. Steven marchait juste sur les traces de ce dernier, Caroline fermait la marche.

Par sa position, Caroline ne bénéficiait guère de la lumière dispensée par la torche tenue par l'Ermite. Elle ne put éviter l'obstacle avançant vers elle. La petite pierre ronde glissa sous son soulier et lui fit perdre l'équilibre. Dans une plainte étouffée, elle roula par terre.

— Steven! s'entendit-elle prononcer.

L'homme et le garçon, poussés par leur élan, avaient déjà pris une certaine avance sur la jeune fille. S'arrêtant net, ils firent ensemble demi-tour et revinrent rapidement sur leurs pas. L'Ermite donna la torche au garçon et aida Caroline à se relever. Prêt à repartir, il fit trois pas, mais ne put aller plus loin. Envahi par un puissant vertige, l'homme tomba à genoux. Prostré, il se prit la tête à deux mains en gémissant. Dans le même temps, un grondement sourd roula dans la caverne, ébranlant les parois ainsi que la voûte de la grotte. À l'endroit même où ils avaient fait demi-tour quelques secondes plus tôt, le plafond lâcha prise dans un grand nuage de poussière.

***

Très loin, dans les profondeurs du monde creux, un puissant rire de satisfaction ébranla à son tour le domaine du Globulus.

— Et maintenant, Guidor, manifeste-toi, que je puisse t'anéantir une bonne fois pour toutes !

CHAPITRE XI

Nadia venait tout juste de ramasser les derniers morceaux d'une assiette tombée par terre lorsqu'une nouvelle secousse, très puissante cette fois-ci, ébranla le chalet tout entier. Elle déposa les restes de l'assiette sur le comptoir et s'accrocha à ce dernier. De tous les coins du chalet provenait le cliquetis des articles dansant sur les tablettes et les commodes. À quelques reprises, on entendit la chute d'objets ayant quitté leur support.

Seul Guidor, debout dans le salon, demeurait immobile. Flottant à quelques centimètres du plancher, ses pieds ne touchaient pas le sol. Il restait donc étranger au phénomène. Le calme revenu, Nadia reprit son souffle et dit:

— Guidor, c'est la quatrième secousse en moins de vingt minutes. Est-ce que c'est normal dans cette région?

Ne voulant pas inquiéter inutilement la jeune femme, Guidor demeura muet. Mais Nadia, levant le ton, insista:

— Guidor, est-ce normal?

Après une courte hésitation, Guidor avoua:

— Il n'y a pas eu de tremblement de terre dans cette région depuis plus de deux mille ans.

Nadia se passa la main plusieurs fois dans les cheveux, un geste de nervosité trahissant son inquiétude.

— Qu'est-ce que cela veut dire ? J'ai un mauvais pressentiment. Je suis très inquiète pour les enfants.

— Il est inutile de te faire du mauvais sang. Avec l'Ermite, les enfants sont en sécurité.

Constatant le peu d'effet de son intervention, il ajouta :

— Pour te rassurer, je vais communiquer avec lui.

Guidor ferma les yeux et tenta une communication. Après quelques secondes de silence, Guidor perdit son sourire et devint soucieux, ce qui ne rassura pas Nadia.

— Guidor, est-ce que...

D'un signe de la main, Guidor lui fit signe de se taire. Il se concentra de nouveau et tenta un nouvel essai, encore une fois sans succès.

— C'est étrange, je ne perçois qu'un épais brouillard.

— Alors, que va-t-on faire ? demanda Nadia de plus en plus inquiète.

— Je vais me rendre sur place en me guidant sur la position de ce brouillard.

Nadia avait déjà ramassé un lainage sur le dossier d'une chaise...

— Je te suggère de rester ici et de les attendre.

— Mais je veux t'accompagner.

— Il faut bien que quelqu'un demeure au chalet pour les accueillir, s'ils arrivent par un autre chemin.

Nadia acquiesça à ce raisonnement. Guidor lui fit un clin d'œil d'encouragement. Il se dématérialisa et disparut dans une nuée. Nadia ramassa les jumelles et s'installa de nouveau devant la porte à moustiquaire.

***

Caroline se releva péniblement, jeta un coup d'œil autour d'elle, mais ne vit rien. Sa longue chevelure humide et poussiéreuse créait un rideau opaque couvrant son visage. Avec dédain, elle écarta les mèches. Par miracle, la torche était demeurée allumée et gisait à quelques mètres des enfants. À travers le fin nuage retombant lentement sur le sol de la grotte, elle devina le corps inanimé du jeune garçon couché sur le dos.

— Steven, est-ce que ça va ?

En guise de réponse, elle ne reçut qu'un long gémissement. Les yeux et la gorge irrités par la poussière, elle toussa violemment en marchant lentement vers l'ombre étendue sur le sol.

— Steven, est-ce que tu peux bouger ?

Dans une grimace qui en disait long sur son état, le garçon fit un geste négatif de la tête. Maintenant à genoux près de Steven, Caroline examina le corps de son ami et fit une découverte déplaisante : une grosse pierre coinçait la jambe droite du garçon contre la paroi de la grotte et sur le sol, une tache rouge maculait le sable. Elle se pencha vers le visage de Steven.

— Je dois déplacer un gros rocher. Serre bien les dents et prépare-toi à retirer ta jambe.

D'un signe de tête, Steven signifia qu'il avait bien compris les instructions. La roche était énorme. Sans même essayer, Caroline réalisa qu'elle ne pourrait la soulever. Au mieux, elle pouvait tenter de la faire basculer. Délicatement, elle vint s'asseoir près de Steven. Plaçant le rocher entre ses jambes, elle appuya ses pieds sur la paroi de la grotte.

— Attention, Steven, j'y vais.

Prenant le rocher à deux mains, elle le tira lentement vers elle. Steven sentit la pression diminuer et au signal de la jeune fille, il tenta de plier son genou. Dans un gémissement, il cessa tout effort.

— Vite, Steven, je vais lâcher, souffla Caroline à bout de force.

Ne pouvant bouger sa jambe, Steven se releva sur les coudes. Utilisant ses avant-bras comme leviers, il tira lentement son corps vers l'arrière. Au bout d'une dizaine de tractions, sa jambe fut enfin dégagée. Il était temps. Épuisée, Caroline relâcha sa prise sur la pierre. Massant ses doigts ankylosés, elle se pencha de nouveau vers le garçon.

— Ça va toujours?

— Ma jambe me fait mal, gémit le garçon.

Caroline ouvrit plus largement le pantalon déjà partiellement déchiré. Après quelques secondes d'hésitation, elle déplaça dédaigneusement un morceau de tissu gorgé de sang. Ce qu'elle vit ne lui fit pas plaisir. Instinctivement elle tourna la tête, mais Steven la ramena à la réalité.

— Alors, ça ressemble à quoi?

La jeune fille n'eut pas le choix et dut regarder de nouveau. Une pointe de panique dans la voix, elle annonça:

— Ce n'est pas très joli et ça saigne beaucoup. Il faut faire un garrot. Passe-moi ta ceinture.

— Mais j'en ai pas, répondit le garçon en accrochant de son pouce la bande élastique de son pantalon.

Caroline se pencha de nouveau sur la plaie. Ses cheveux encroûtés lui retombèrent sur le visage. Exaspérée, elle les tassa sans ménagement.

— Saleté de cheveux, laissa-t-elle échapper.

Sans trop réfléchir, elle déchira une lisière de tissu du pantalon. Avec ses mains sales, tachées de sang, elle ramassa sa coiffure, en fit une queue de cheval et l'attacha avec le bout de tissu. Le visage enfin dégagé, elle s'attaqua à la jambe de Steven.

Délicatement, du bout des doigts, elle retira les lambeaux de tissu déjà noircis et découvrit une large plaie ouverte d'où coulait une importante quantité de sang.

— Il faut refermer la plaie… mais comment?

— Avec tes mains, peut-être, murmura Steven à bout de force.

— Mes mains?

Caroline regarda ses mains. Elles étaient poussiéreuses et maculées de sang. Que pouvait-elle en faire? Instinctivement, elle les frotta vigoureusement sur son pantalon. Sans prendre la peine de les examiner, elle les appliqua sur la plaie et tenta de resserrer les chairs. Elle ferma les yeux et intérieurement, elle se mit à penser :

— Il faut trouver un moyen d'arrêter l'hémorragie. Le sang doit arrêter de couler. Le sang ne doit plus couler de la plaie. Il faut refermer la plaie.

Ayant toujours les yeux fermés, Caroline ne remarqua pas la légère lueur orangée qui enveloppait ses mains et se répandait sur la jambe du garçon. Sans s'en rendre compte, Caroline avait augmenté sa pression sur la jambe. C'est alors qu'une panique envahit le garçon.

— Caroline, je ne sens plus la douleur. Est-ce que je vais perdre ma jambe ?

Horrifiée par une telle idée, Caroline retira vivement ses mains. À sa grande surprise, elle constata que le sang ne s'écoulait plus de la plaie. Du revers de la main, elle essuya délicatement le sang sur la jambe. Son étonnement grandit encore plus lorsqu'elle remarqua que la blessure s'était refermée, ne laissant apparaître qu'un léger filet rose.

— Tu ne perdras pas ta jambe, Steven. Je peux te l'assurer, mais ne me demande surtout pas d'explications.

Steven se releva sur les coudes. Prenant le garçon sous les aisselles, Caroline l'aida à s'asseoir. Crispant déjà le visage et se préparant à hurler de douleur, Steven se risqua à bouger la jambe. La crainte fit place à la surprise lorsqu'il se rendit compte qu'aucune douleur ne provenait de son membre. Incrédule, il se risqua à plier le genou et examina la plaie cicatrisée.

— Qu'est-ce que t'as fait ? Y a plus rien, déclara le garçon stupéfait.

— Je t'ai bien prévenu de ne pas demander d'explications, répéta la jeune fille sur un ton frisant l'hystérie.

Steven n'insista pas.

— On posera la question à l'Ermite…

Un nouveau drame se joua dans sa tête.

— L'Ermite ! Où est l'Ermite ?

— Mon Dieu, nous l'avons complètement oublié! s'exclama la jeune fille.

Avec l'aide de Caroline, Steven se leva lentement. La poussière étant retombée, les enfants avaient maintenant une vision plus nette de la situation. Steven fut le premier à découvrir la position de l'Ermite. Quittant l'épaule de Caroline, il clopina tant bien que mal jusqu'à son chevet et constata, avec soulagement, qu'aucune blessure extérieure n'était apparente. Un peu rassuré, le garçon souleva la tête de l'homme qui, lentement, reprenait conscience. Il ouvrit les yeux:

— Steven, Caroline... Ça va, les enfants?

— Oui, ça va, l'Ermite, se contenta de répondre le garçon.

— Nous sommes tous les deux sains et saufs, s'empressa de préciser Caroline. Et vous?

— Ho... soupira-t-il en se tenant le front. Nous allons voir ça à l'instant.

Avec précaution, il entama le geste de se relever. Une main puissante s'offrit, il l'accepta et se releva. Les enfants n'avaient pas remarqué l'arrivée de Guidor et c'est avec soulagement qu'ils accueillirent la présence de leur grand ami de lumière.

— Guidor! Que je suis heureuse de te voir ici! s'écria Caroline. Nous allons pouvoir quitter cet endroit?

— Pas tout de suite, je le crains. Le passage est bouché.

— Ben alors, comment t'es arrivé ici?

Prenant soudainement conscience des multiples pouvoirs de Guidor, il n'attendit pas la réponse.

— Ha, bien sûr...

À l'aide de ses bras, il mima une explosion accompagnée d'un « pfff » sonore.

D'un sourire en coin, Guidor confirma l'explication imagée du garçon. Devenant plus sérieux, il s'adressa à l'homme:

— Pas trop de casse, l'Ermite?

— Je suis surtout blessé dans mon orgueil, déclara-t-il.

Voyant le visage interrogateur des enfants, il ajouta:

— Ma perte de conscience est due à une puissante décharge d'énergie négative.

Haussant les épaules, il avoua :

— Je me suis laissé surprendre comme un amateur. Je n'ai pas eu le temps de créer une protection et de transformer cette énergie négative en une force positive.

— Une telle puissance d'énergie négative ne peut avoir qu'une seule origine.

— Les trogs, suggéra l'homme.

Guidor acquiesça d'un signe de tête.

— Ils vous ont repérés, c'est évident.

***

— Et voilà du travail de professionnel ! clama le Globulus, enchanté des résultats.

L'impact très localisé de la secousse sismique avait fait son œuvre. Sur différents écrans s'affichaient des données illustrant le fruit de son activité.

— Excellent ! Un maximum de résultat avec un minimum de dégât. Je n'ai vraiment pas perdu la main.

Un des écrans changea d'illustration. Le symbole trogolien apparut sur le panneau luminescent.

— Impossible de célébrer mon succès en paix. Que me veut-on encore ?

Le symbole disparut et fit place au visage de l'agent Sygrill sous son identité terrienne.

— Mes respects, Globulus.

— Salutations, Sygrill.

Prenant un ton méfiant, l'agent demanda :

— Auriez-vous déjà mis notre plan à exécution ?

Sur un ton mi-amusé, mi-ironique, le cerveau s'informa :

— Ha ! Ha ! Ha ! Aurais-je déplacé quelques bibelots sur votre bureau ?

— Pas à ce point, Globulus, mais ici, à deux cents kilomètres de l'épicentre, nous avons tout de même senti une légère vibration.

— La cible était bien localisée, mais il est difficile d'être discret avec un tremblement de terre.

— Pour la discrétion, je dois vous préciser que c'est raté, répliqua l'agent sur un ton railleur. Tous les médias, radio et télé, ne parlent que de cet événement. Nous avons même droit à des images de la région touchée.

L'agent pressa un bouton, son image fit place à un reportage de la télévision. Une route sectionnée, un pont écroulé, des maisons éventrées se succédèrent sur l'écran. Le Globulus prit le temps de les regarder avant d'émettre un commentaire.

— Toutes ces images sont édifiantes, agent Sygrill, mais nous n'y retrouvons pas nos trois Terriens, l'unique objectif de cette opération, dois-je vous le rappeler.

— Inutile, mon seigneur. Toutefois, pour connaître la situation réelle de la femme et des deux enfants, il vous faudrait maîtriser le don de vision à distance que possède la fillette, cette petite Caroline, précisa l'agent.

Avec assurance, le Globulus déclara :

— Je n'ai pas ce don, mais je suis tout de même très confiant. Grâce au réseau tellurique, je peux capter des sentiments. Les sentiments de peur et de découragement que je détecte présentement en disent long sur les conséquences du tremblement de terre. Nous avons terrorisé ces trois humains. Il ne nous reste plus qu'à attendre que Guidor réagisse.

***

L'Ermite et les deux enfants demeurèrent à l'écart, laissant Guidor examiner de près le bouchon de pierres. Caroline, anxieuse, ne put résister plus longtemps.

— Guidor, est-ce que nous pourrons bientôt sortir d'ici ? Tu peux déplacer les pierres, n'est-ce pas ?

Sans enthousiasme, l'être de lumière répondit :

— Oui, je peux les déplacer.

Steven, sentant une difficulté, demanda :

— Alors, c'est quoi le hic ?

L'Ermite prit l'initiative en montrant du doigt le pan rocheux situé au-dessus du groupe.

— Le hic, c'est la voûte de la caverne. En déplaçant ces pierres, tout le reste de la grotte risque de s'effondrer.

Perplexe, Guidor revint vers le groupe.

— L'Ermite a raison. Je peux m'occuper du bouchon, mais je n'ai pas l'énergie suffisante pour déplacer les pierres de l'entrée et en même temps assurer la solidité du plafond de la grotte. Pour une telle opération, j'ai besoin d'un supplément d'énergie.

Les enfants se tournèrent simultanément vers l'Ermite. Ce dernier baissa les yeux, réduisant ainsi les espoirs des enfants.

— Je suis désolé. J'aurais bien voulu assister Guidor dans cette tâche, mais le choc que j'ai subi a réduit considérablement ma capacité de concentration ainsi que ma puissance psychique.

Steven, ne voyant pas de solution, se mit à gémir.

— Alors, qu'est-ce qu'on va faire ?

La réponse énigmatique de Guidor s'adressa plus à l'Ermite qu'au jeune garçon.

— Il existe une solution. Contacter les maîtres de Shangrila et demander une aide exceptionnelle.

Les enfants remarquèrent la réaction impressionnée de l'Ermite. Celui-ci avait levé les sourcils avant d'opiner de la tête. Guidor s'éloigna du groupe, ferma les yeux et se concentra. Les enfants en profitèrent pour interroger leur ami à mi-voix.

— Les maîtres de Shangrila, c'est quoi ? s'informa Steven.

— Pas c'est quoi, mais bien : ce sont qui ? précisa l'Ermite.

— Alors, y sont qui ces quoi ? reprit le garçon légèrement impatient.

L'Ermite ne sembla pas remarquer l'humeur prompte du garçon. Sur un ton toujours aussi calme, il expliqua :

— Il existe sur la planète, dans un endroit gardé secret, une assemblée très spéciale. On les appelle les Maîtres de lumière.

— Et ces maîtres, qu'est-ce qu'ils font sur la planète ? demanda Caroline.

— Les Maîtres de lumière supervisent l'harmonie générale de la planète. Ce sont des êtres très discrets qui agissent toujours en fonction du bien-être de l'humanité.

***

Nadia, sur le perron du chalet, scrutait inlassablement la montagne à l'aide de ses lunettes d'approche. Ne distinguant rien de nouveau, elle laissa tomber les jumelles suspendues à son cou. Une légère secousse fit frémir le chalet. Fermant les yeux, elle plaça ses mains sur ses tempes et se concentra. D'un signe de tête, elle marqua son impuissance.

— Rien ! Tout est brouillé et ce n'est pas normal.

Par acquit de conscience, elle balaya de ses jumelles le sentier serpentant sur le flanc de la montagne.

— Tant qu'à me ronger les sangs, aussi bien en avoir le cœur net. D'un pas décidé, elle s'engagea sur la piste menant à la grotte.

***

Les minutes semblèrent durer des heures. C'est du moins l'impression qu'avaient les deux enfants en attendant une quelconque manifestation.

— Qu'est-ce qu'ils attendent pour bouger ? s'impatienta Steven.

L'Ermite tapota amicalement l'épaule du garçon.

— Un peu de patience, jeune homme. Shangrila, ce n'est pas le 911.

Bien qu'à l'affût de tout phénomène nouveau, les enfants n'auraient su dire quand se produisit l'événement. Avec une douceur imperceptible, la température de la grotte avait augmenté de trois ou quatre degrés lorsqu'une première présence se manifesta.

Un pan de roc de la grotte sembla devenir fluide. Lentement, la roche se déforma et laissa apparaître le contour d'un visage. C'était un visage masculin d'un mètre de hauteur, un visage imprégné de paix et de bonté. Soudain, l'image s'anima.

— Salut à toi, Guidor, et à tes amis.

— Salut à toi, maître Moria. Merci d'avoir répondu à mon appel.

Un deuxième visage quelque peu joufflu, mais tout aussi empli de quiétude, s'imprima à son tour dans la pierre et prit la parole.

— Nous sommes toujours heureux de communier avec toi, bien que ce genre de rencontre soit assez exceptionnel.

Un troisième visage, cette fois-ci féminin, se joignit aux deux autres. Steven, toujours aussi spontané, s'exclama :

— Eh ! Il y en a encore beaucoup comme cha...

Le garçon ne put en dire plus. L'Ermite appliqua sa main sur la bouche du garçon, lui signifiant l'importance du respect devant des êtres aussi prestigieux.

Face à l'assemblée, l'image féminine prit la parole à son tour.

— Cette rencontre est en effet exceptionnelle, mais la situation est tout à fait extraordinaire. Nous connaissons très bien le Sansara, la roue de vie de ces Terriens. Nous sommes conscients de l'importante mission qui attend ces êtres en cheminement.

Le premier visage poursuivit :

— Puisque l'empire du monde creux est à l'origine de cette situation, il nous semble juste de collaborer à la libération de tes amis. Parle, nous écoutons.

— Vous connaissez déjà ma demande, je ne désire rien de plus, répondit Guidor.

— Notre énergie est à ta disposition. La voûte de cette grotte ne bougera pas. De plus, pour votre protection, nous avons enveloppé cette montagne, la vallée et ses habitants d'un manteau d'énergie qui vous met, pour l'heure, à l'abri de toute mauvaise surprise.

Se tournant vers l'Ermite, Steven murmura :

— Ça veut dire que Nadia est en sécurité ?

Le visage joufflu, imprégné dans la roche, s'anima de nouveau.

— Sois sans crainte, mon garçon. Votre amie ne risque rien, dit-il en affichant un large sourire rassurant. Je veillerai personnellement à sa sécurité.

— Paix sur toi et tes amis, conclut le visage féminin.

Sur ces paroles réconfortantes, les trois visages s'évanouirent. Guidor se concentra de nouveau sur le bouchon de pierre. Une première grosse roche roula sur le côté. Malgré les paroles rassurantes des visiteurs de pierre, Caroline et Steven observèrent le travail de Guidor tout en surveillant, avec anxiété, le plafond de la grotte.

***

— Et que va-t-il se passer maintenant ? demanda l'agent Sygrill, toujours en communication avec le Globulus.

— Un événement majeur que j'attends depuis plusieurs siècles, déclara pompeusement le cerveau sous verre.

Ce dernier fit disparaître son image de l'écran. L'agent vit apparaître à la place un graphique où ondulait faiblement une petite ligne vert tendre. Dans la caverne, on retrouvait cette même ligne sur un écran géant.

— Ce signal représente les vibrations psychiques moyennes des Terriens. Lorsque Guidor se manifestera... Tenez ! Le voilà enfin ! s'écria le Globulus.

Le signal graphique de l'écran devint beaucoup plus important. Au trente-deuxième étage de l'immeuble à bureaux du centre-ville, l'agent de surface ne put cacher son étonnement.

— Comparé aux humains, cet être possède une puissance vraiment formidable, observa Sygrill.

— Mais cette puissance ne pourra résister aux forces combinées du Globulus. Surveillez bien votre écran. Dans quelques minutes, cette ligne va s'éteindre.

Les pompes telluriques, toujours en action, avaient emmagasiné des réserves d'énergie colossales. Des réserves d'énergie que le Globulus se préparait à canaliser vers Guidor, tel un barrage cédant aux pressions et se déversant en un seul instant sur un pêcheur solitaire.

Avant même que le Globulus ait pu mettre son projet à exécution, un fait nouveau, inexplicable, se produisit. Les capteurs s'affolèrent et l'écran principal se brouilla d'un inextricable réseau de lignes.

Sur l'écran de son bureau, l'agent observa le changement.

— Globulus, toutes ces lignes enchevêtrées, est-ce normal?

— Je ressens toujours la présence de Guidor, mais il m'est impossible de l'atteindre. Une nouvelle présence vient d'apparaître. Une présence cent fois plus puissante que Guidor. C'est incompréhensible. D'où provient cet immense champ de force?

Le rugissement des pompes telluriques monta d'une octave. Sur le bureau de Sygrill, de menus objets se mirent à danser frénétiquement. Toujours assis à son bureau, l'agent s'accrocha aux bras de son fauteuil.

— Globulus, une puissante secousse vient de secouer la ville. En êtes-vous responsable? Que se passe-t-il?

À l'écran, c'était le silence.

— Globulus, vous m'entendez?

— Bien sûr que je vous entends. Les pompes telluriques fonctionnent de nouveau à pleine puissance et cette fois-ci, Guidor sera écrasé.

La colère grondait chez le Globulus et même le courageux agent fut effrayé par la réaction du cerveau sous verre.

— Je vous en prie, soyez prudent, mon seigneur. Souvenez-vous des dégâts de Mexico, San Francisco et Los Angeles... Globulus, êtes-vous là?... Globulus!

Aucune réponse ne fut rendue. À des kilomètres sous la terre, les pompes telluriques puisaient l'énergie dans un sifflement déchirant.

***

Guidor, immobile devant la muraille de pierres, demeurait muet et semblait absent au reste du groupe. De temps en temps, l'écho d'un bruit de gravats se faisait entendre et amenait les enfants à jeter un coup d'œil inquiet à la voûte de la caverne. Caroline se cala encore plus profondément dans les bras de l'Ermite.

— Qu'est-ce qu'il attend? Pourquoi ne se passe-t-il rien?

— Au contraire, Caroline, Guidor travaille énormément, mais il est difficile de s'en rendre compte. Il dégage le passage en s'occupant de l'autre extrémité du bouchon. Toutes ces pierres doivent sortir de la grotte.

En réponse aux explications de l'homme, un bruit sourd résonna dans la caverne. Affichant un sourire encourageant, l'Ermite ajouta :

— Et voilà. De nouvelles pierres viennent tout juste de quitter la caverne.

De nouveau, l'écho d'un grondement roula dans la caverne. À la sortie de la grotte, telle une bouche de canon, un nuage de roches jaillit du flanc de la montagne.

***

Nadia s'arrêta et reprit son souffle. Par le petit sentier grimpant dans la montagne, elle avait maintenant une vue imprenable sur toute la vallée s'étendant à ses pieds. Plus bas, beaucoup plus bas, on devinait une petite tache sombre dévoilant la position du chalet. Nadia prit de nouveau une grande respiration.

— Je comprends à présent pourquoi l'Ermite ne nous visite pas tous les jours.

Revenant à sa préoccupation première, elle ferma les yeux, visualisa l'entrée de la grotte, lança un regard vers le sommet de la montagne et reprit sa marche. Toute à ses préoccupations, elle ne remarqua pas, en passant près d'un vieux chêne, la déformation subtile de l'écorce de l'arbre. Durant quelques mètres, un visage joufflu plein de douceur l'accompagna du regard.

***

Steven renifla bruyamment.

— Vous sentez ce que je sens?

Caroline, se dégageant de la protection de l'Ermite, prit deux grandes inspirations.

— Ça sent le sapin ou l'épinette.

— Si les parfums de la nature nous atteignent, c'est signe qu'il y a enfin une brèche dans l'éboulis, commenta l'Ermite.

Les enfants tout excités coururent vers Guidor.

— Bravo Guidor! Tu as réussi, s'exclama Caroline.

Steven, le nez en l'air, huma le parfum envahissant la grotte et avoua:

— J'n'aurais jamais pensé qu'un sapin pouvait sentir presque aussi bon qu'un poulet grillé.

— Attention, les enfants, prévint Guidor en souriant. Je vous conseille de reculer car cette fois-ci, je vais faire un grand nettoyage.

Les enfants rejoignirent sagement l'Ermite. Guidor se concentra de nouveau. Toutes les pierres obstruant encore le passage se mirent à vibrer sur place.

***

L'entrée de la grotte n'était plus qu'à une centaine de mètres au-dessus d'elle. Nadia, fixant l'ouverture, lança :

— Guidor ?

Progressant dans le sentier, elle appela de nouveau, les mains en porte-voix :

— Steven, Caroline ?

En réponse à son appel, l'ouverture de la grotte cracha des tonnes de pierres dans sa direction. Horrifiée par cette vision et se sachant incapable de se protéger, elle lâcha un cri de désespoir. Croyant sa dernière heure arrivée, les yeux fermés, elle attendit le choc fatal, un choc qui ne vint pas. Surprise, la jeune femme ouvrit les yeux et ne perçut au début qu'un léger crépitement. Observant plus attentivement son environnement, elle vit des milliers d'étincelles exploser autour d'elle, formant une cloche de lumière à une distance de deux mètres de sa personne. Chaque caillou, chaque bloc de roche atteignant la cloche alimentait la pluie d'étincelles. Levant les yeux, mais sans fixer un endroit précis, elle s'adressa humblement au monde invisible.

— Je ne sais pas à qui je dois cette protection, mais je vous dis merci.

Derrière la jeune femme, un peu au-dessus de son épaule, le tronc d'un bouleau se déforma. On aurait dit que l'arbre souriait...

***

Le visage féminin tapissait de nouveau la paroi rocheuse. Guidor lui adressa la parole.

— En mon nom et en celui de mes amis, remerciez l'assemblée des Maîtres de Shangrila.

— Cela est déjà fait, mais ne tardez pas à quitter cet endroit. En ce moment même, de puissantes énergies destructrices montent vers vous et cette fois-ci, nous n'aurons pas le droit d'intervenir et de vous protéger. Fuyez cet endroit immédiatement.

— Steven, Caroline, venez, l'Ermite. Nous n'avons pas une seconde à perdre, annonça Guidor en les invitant, d'un geste de la main, à prendre les devants.

L'Ermite, accompagné de Caroline, ouvrit la marche, suivi de Guidor. Tournant la tête à gauche et à droite, Caroline chercha la présence du garçon. Ne le voyant pas, elle s'arrêta et fouilla du regard le fond de la grotte. Elle devina la silhouette accroupie de Steven qui ne semblait pas se décider à fuir l'endroit.

— Steven! cria-t-elle. Pour l'amour du ciel, qu'est-ce que tu fabriques?

— Pas de panique, j'arrive!

Tous couraient de nouveau lorsque Steven réussit à rejoindre le groupe. Quand il fut à la hauteur de Caroline, cette dernière apostropha le garçon:

— Tu vas me rendre folle!

***

— Il est fou. Il est fou. Il va tous nous détruire!

Telle était la conclusion de Sygrill qui tentait de récupérer le porte-plume dansant sur son bureau. Sur un mur, un tableau se décrocha et tomba par terre. Plus loin, près de la porte, un miroir éclata en mille morceaux. Sygrill lâcha sa tasse à café, qui se mit aussitôt à sautiller sur la table. Nerveusement, il pianota quelques touches sur son communicateur.

— Globulus, m'entendez-vous? Je dois vous parler de toute urgence!

Le visage synthétique apparut sur l'écran.

— Alors faites vite car dans quelques secondes, je serai très occupé.

Le ton de la voix du puissant cerveau ne rassura pas l'agent.

— Globulus, je crois que nous dépassons les limites permises.

— Sachez que lorsqu'il s'agit de la destruction de Guidor, je suis le seul à fixer les limites. Jamais je n'ai accumulé une telle puissance et dans quelques instants, Guidor connaîtra ma vengeance. Guidor connaîtra sa fin.

***

La secousse fut terrible. Le tremblement de terre secoua la montagne tout entière. Une nouvelle pluie de roches s'abattit sur le groupe qui courait désespérément vers la sortie. Les mains sur la tête et se protégeant tant bien que mal des chutes de pierre de plus en plus fréquentes, chacun progressait vers la lumière en évitant les nombreux obstacles jonchant maintenant le sol.

Caroline et l'Ermite furent les premiers à respirer une grande bouffée d'air frais. Steven eut moins de chance. La voûte, de plus en plus friable, libéra plusieurs gros rochers. Le garçon évita les deux premiers, mais en tentant de sauter le suivant, il évalua mal son élan. Le bout de son pied gauche accrocha l'extrémité du bloc de pierre. Le garçon perdit l'équilibre et dans une roulade, se retrouva par terre. Il n'eut toutefois pas l'occasion de se relever. Guidor se concentra et le souleva à distance. Durant quelques secondes, Steven eut l'impression de faire du surf sur une vague invisible, une vague qui le projeta sans ménagement dans un buisson de jeunes conifères.

— Ça va, Steven? s'enquit une voix familière.

— Nadia, qu'est-ce que tu fais ici? articula péniblement le garçon en crachant quelques brindilles de sapin.

Nerveusement, elle répondit:

— Je suis venue assister à ton vol plané.

Ils n'eurent pas le temps d'échanger davantage. Dans un grondement assourdissant, la grotte vomit un nuage de poussière d'où sortit Guidor, un peu inquiet.

— Tout le monde est présent et en bon état? s'informa-t-il.

Un sourire sur tous les visages rassura l'être de lumière. Les regards se tournèrent ensuite vers l'entrée de la grotte. Une nouvelle secousse acheva son oeuvre, détruisant les derniers vestiges de la caverne.

— Je crois bien, l'Ermite, que vous avez perdu définitivement votre abri, observa Guidor.

— Cela n'a plus d'importance, cher ami. Cette nouvelle action des trogs démontre l'urgence de la situation. À compter d'aujourd'hui, je ne quitterai plus les enfants. Je t'aiderai à parfaire leur formation.

— Super! s'écria Steven. L'Ermite va vivre avec nous.

Se tournant vers Caroline afin de partager son plaisir, il fut étonné de la trouver assise sur une pierre, les mains sur les joues, le visage morose.

— Ben quoi? T'es pas contente d'apprendre ça?

Évitant de répondre au garçon, elle se tourna vers l'Ermite.

— Avez-vous toujours votre coffret?

L'Ermite examina ses mains. Elles étaient vides. La jeune fille s'adressa cette fois-ci à Steven sur un ton maussade:

— Alors, ça répond à ta question?

Prenant un air espiègle, Steven déboutonna sa chemise et en retira une petite boîte.

— Et ça, ça répond à ta question?

— Steven, tu es formidable! s'exclama Caroline.

Sautant au cou du garçon, Caroline lui embrassa les deux joues. À la vue d'une telle démonstration, Nadia ne put se retenir.

— Eh bien! Je n'aurais jamais espéré voir ça un jour.

Steven, s'essuyant les joues du revers de la main, ajouta en grimaçant:

— Moi non plus.

Durant une seconde, Caroline se sentit confuse. Son malaise fondit dans un grand rire communicatif.

CHAPITRE XII

Empruntant le sentier serpentant dans la montagne, le groupe redescendait tranquillement vers le chalet. Nadia et Steven ouvraient la marche, suivis de Caroline et de l'Ermite. Un peu en retrait, Guidor complétait le groupe. Tous revenaient progressivement de leurs émotions, sauf Steven qui se sentait obligé de raconter en détails les péripéties de leur aventure.

— ... Puis on est passé sous une chute qui plongeait dans un lac avec une eau toute noire et glacée. Y avait sûrement un monstre énorme caché au fond du lac.

— Un monstre ? Quel monstre ? Tu as vu un monstre ? vérifia Caroline avec une pointe d'ironie.

Steven accepta difficilement une telle intrusion dans son récit. C'est avec une impatience mal contenue qu'il répondit :

— Madame sait tout. Tu connais quoi des monstres ? Dans un lac aussi noir, y a toujours des monstres. C'est possible hein, l'Ermite ?

— Tout est possible sur cette terre, mon garçon, déclara l'interpellé. Il s'agit simplement d'y croire fermement.

L'Ermite fit un clin d'œil à Caroline qui lui retourna un sourire complice. Regardant toujours droit devant lui, Steven ne démordit pas.

— Ben moi, j'y crois très fort et je suis certain qu'il y en avait un. Je l'ai presque vu. Pis y devait être gros à part ça !

***

À la vue du chalet, Caroline émit un grand soupir.

— Ce n'est pas un château, mais ça fait tout de même plaisir de retrouver son chez-soi.

Prenant une course vers la porte, elle ajouta :

— Vite un bon bain dans le lac.

Guidor murmura quelques mots à l'Ermite avant de déclarer à haute voix :

— Vous êtes maintenant en sécurité. Je dois vous quitter. Nous nous reverrons bientôt.

Caroline s'arrêta net sur le perron et se retourna.

— Guidor, tu avais promis de nous parler de mon don de guérison.

— Oui, c'est vrai ! ajouta Steven. En soignant ma jambe, Caroline a fait un vrai miracle !

— Mon explication sera brève, car vous avez encore beaucoup de choses à apprendre avant de pouvoir saisir et comprendre tous les détails de la thérapeutique psychique.

— La théra peut-être chic, c'est comme les miracles ? demanda innocemment le garçon.

— Nous appelons miracle tout ce que nous ne pouvons comprendre, tout ce qui dépasse notre entendement, intervint l'Ermite. Il faut savoir que tout peut s'expliquer par les lois du monde visible ou du monde invisible.

— Caroline a utilisé les lois du monde invisible ? suggéra prudemment Nadia.

— Dans un sens, oui, admit Guidor. En plus de nos organes visibles, comme le cœur, le foie, les reins, notre corps possède des centres d'énergie très puissants que l'on appelle les chakras.

Steven illustra son niveau de compréhension par une grimace ressemblant au sourire du poisson rouge. Guidor comprit le message.

D'un geste de la main, un corps légèrement lumineux se dessina et se mit à flotter à moins d'un mètre de Guidor. Un à un, les sept chakras de couleurs différentes apparurent sur le corps lumineux.

— Grâce à un réseau très complexe, ces chakras alimentent en énergie chacune des cellules de notre corps.

— Et qu'est-ce que j'ai fait dans tout ça ? demanda la jeune fille.

— Tu as puisé dans tes propres chakras des énergies qui ont servi à activer, à réveiller des canaux d'énergie chez Steven. Et ces canaux ont ordonné la création de nouvelles cellules qui ont contribué à refermer la plaie sur la jambe de ton ami.

Accompagnant les explications de Guidor, le corps évanescent devint très brillant durant quelques secondes, puis s'estompa légèrement. Une pluie d'énergie descendit alors dans la jambe droite du corps lumineux.

— Mais pour cela, y faut y penser très fort, suggéra Steven.

Guidor acquiesça d'un signe de tête.

— Il faut le penser très fortement et il faut surtout y croire intensément. Lorsque l'on veut réaliser des miracles, il faut avoir la foi, une foi inébranlable.

Pour clore la discussion, l'Ermite suggéra aux enfants :

— Et une bonne façon de penser très fort et surtout correctement, c'est de pratiquer vos exercices de méditation et de concentration. Avec la foi et un cœur pur, tout est possible. Mais avant de penser à vous purifier le cœur, vous pourriez commencer par vous purifier le corps en vous dépoussiérant.

Les deux enfants se regardèrent mutuellement, éclatèrent de rire et ne firent aucune objection.

***

Sygrill entra presque au pas de course dans l'imposante caverne du Globulus.

— Désolé de mon retard, mais il y avait une circulation monstre en surface et ces Terriens sont dangereux sur les routes.

— Vous auriez pu prendre tout votre temps. Tout est terminé et c'est un échec total !

L'agent demeura immobile, sans réaction. C'était la première fois qu'il voyait le puissant cerveau dans un tel état. À travers la coupole translucide, il pouvait observer la faible activité électrique du Globulus. Quelques points lumineux seulement couraient sur la surface du cerveau. Sygrill tendit l'oreille. Il remarqua l'étrange silence des lieux. Tout autour de lui, c'était le calme plat. Tous les écrans étaient éteints. Rien ne bougeait.

Comme pour confirmer son état d'esprit, le Globulus lâcha :

— J'ai attendu ce moment durant plus de sept cents ans. Je tenais enfin Guidor, il était là, à ma portée, et j'ai échoué ! Laissez-moi maintenant. Je vais bientôt entrer dans une nouvelle phase de mon val-thorik. J'ai besoin d'être seul.

Les projets de grandeur de l'agent préoccupaient beaucoup plus ce dernier que la santé mentale de son maître. Un peu hésitant, il fit quelques pas dans la pièce. N'y tenant plus, il se risqua à poser la question qui lui brûlait les lèvres :

— Notre entente tient toujours, n'est-ce pas ?

— Quelle entente ? Il n'y a plus d'entente, souffla péniblement le cerveau.

— Mais nos ambitions sur le contrôle de la planète, la recherche du cristal sacré et votre promesse de faire de moi le maître des Terriens ; avez-vous oublié ?

— Sombre crétin ! Ne comprenez-vous pas ? Tant que Guidor sera sur cette planète, toute tentative est vouée à l'échec !

L'agent accusa le coup, mais accepta mal l'idée de voir tous ses rêves s'évanouir.

— Voyons, il y a sûrement une solution.

Le Globulus demeura muet, prostré sous sa bulle de verre. Chez Sygrill, au contraire, l'activité cérébrale tournait à plein régime. Il devait proposer une solution, n'importe quoi ; à la limite, une solution impossible. L'important se résumait à conserver la situation bien en main. Brusquement, il redressa la tête et se tourna vers le Globulus. Dans un geste presque théâtral, il déclara :

— Globulus, les Terriens ont un dicton : « Tant qu'il y a de la vie, il y a de l'espoir ».

— Qu'est-ce que vous entendez par là ?

— Je dis simplement que nous avons perdu une bataille, mais nous n'avons pas perdu la guerre.

— Vous le croyez vraiment ?

Au ton du Globulus, l'agent se rendit compte qu'il avait maintenant une certaine emprise sur son maître. Il se permit un petit sourire de satisfaction. Sygrill reconnaissait une très grande puissance au Globulus, mais peut-être n'était-il pas aussi intelligent que lui. Afin de réconforter son nouveau maître sans perdre l'initiative de la situation, Sygrill résuma les éléments de l'expérience en dosant minutieusement les informations.

— Cette première confrontation n'est pas un échec total. Bien au contraire, mon seigneur. Corrigez-moi si je me trompe : nous avons maintenant la confirmation que le trio est très important aux yeux de Guidor.

— Exact.

— Et que ce dernier est disposé à utiliser ses pouvoirs pour les aider.

— Exact.

— Ce qui le rend détectable et en position de vulnérabilité lors d'une attaque-surprise.

— Faux. À aucun moment il n'a présenté de points faibles.

— J'ai bien précisé : lors d'une attaque-surprise.

— Soyez plus clair, demanda le Globulus qui montrait déjà certains signes d'intérêt.

Quelques écrans s'illuminèrent à la grande satisfaction de l'agent.

— La prochaine fois, il faudra toucher les enfants d'une façon qui semblera naturelle.

— Comme un simple accident, suggéra le cerveau sous verre.

— En effet, et sans faire bouger les montagnes, précisa Sygrill. Guidor ira au secours de ses protégés sans se douter de notre présence.

Les nouveaux bouillonnements sous le globe et la reprise des activités électriques du cerveau rassurèrent l'agent. Un à un, de nouveaux écrans de contrôle reprirent vie.

— Vous avez peut-être raison.

En conclusion, Sygrill ajouta :

— Nous avons appris beaucoup, Globulus. Au prochain essai, vous aurez la peau de Guidor.

***

Tous les volets étaient fermés, tous les rideaux étaient tirés. Dans le salon du chalet, c'était l'obscurité totale jusqu'au moment où l'Ermite déposa sur la table la fine bougie de cire blanche. Face à la table, Nadia, Caroline et Steven occupaient trois chaises droites. En silence, ils attendaient les recommandations de l'Ermite.

— Cette chandelle sur un fond de velours noir vous aidera à vous concentrer.

— Pourquoi Guidor n'est pas là ? s'informa Caroline.

— C'est vrai, ajouta Nadia. Habituellement, c'est Guidor qui nous fait pratiquer nos exercices de visualisation.

— Guidor sera absent quelques heures. Il a dû se retirer dans le silence de la forêt. Il doit réaliser une communication télépathique très importante.

— Pour désirer un tel silence, c'est sûrement un gros interurbain, suggéra le garçon en s'esclaffant.

— Steven, souffla Nadia, sois un peu plus sérieux.

— Steven ne se trompe pas, souligna l'Ermite sur un ton amusé. Il n'a même jamais été aussi près de la vérité.

***

Dans une clairière située non loin du chalet, Guidor reposait, couché sur le dos, les bras en croix. Son esprit avait déjà quitté la banlieue de la Terre, traversé l'orbite de la Lune pour rejoindre, sur Vénus, l'esprit de Shaïba, le Grand Maître de lumière.

— Tu devras redoubler de prudence, Guidor. Les petits-gris de Trogol deviennent au fil des jours de plus en plus menaçants.

— J'en suis conscient, Grand Maître. Sans l'assistance et la protection de Shangrila, je crois que ma mission deviendrait impossible.

— Il y a également cet être immonde, ce Globulus qui te voue une haine indescriptible.

— Je crains que sept cents ans de silence n'aient pas réussi à émousser sa rancune.

— Il n'a jamais oublié la défaite que tu lui as fait subir à l'époque des croisades, constata maître Shaïba.

Guidor acquiesça mentalement, mais n'ajouta aucun commentaire.

— Sois très prudent, Guidor, reprit le Maître de lumière. Bien que des dizaines de guides s'activent sur Terre, il est à prévoir que le Globulus concentrera ses énergies négatives sur toi et tes protégés. Tu connais l'importance de la mission destinée à cette femme et à ces deux enfants, voici donc quelques recommandations supplémentaires…

***

« Il ne faudra donc pas perdre de vue cette femme et les deux enfants », recracha l'enregistreur où l'on reconnaissait clairement la voix du Globulus.

« Ils sont la clé de tout notre projet », ajouta Sygrill par l'entremise de l'appareil.

Dans le grand bureau du palais impérial, Krash-Ka pressa rageusement le bouton d'arrêt et s'exclama :

— Une femme et deux enfants! Cet enregistrement ne nous apprend rien! Qu'est-ce que tout cela signifie et quelle est la nature de ce projet?

L'interpellée, celle qui connaissait tout des intrigues de palais, ne savait que répondre à cette simple question. Avec prudence, dame Haziella proposa une réponse évasive:

— Difficile d'émettre des hypothèses, Votre Grandeur. L'enregistrement est très court et tout se dit en sous-entendus.

L'empereur devint songeur.

— Auraient-ils eu des soupçons sur la présence d'une écoute électronique?

— Je ne crois pas, répondit la grande conseillère. Leur façon de discuter laisse à penser qu'ils ont déjà beaucoup échangé sur le sujet. Ils en connaissent énormément sur cette femme et ces deux enfants.

L'empereur ressentit le besoin de bouger. Il se leva et fit quelques pas nerveusement.

— C'est ridicule! Une femme et des enfants. Quel est le rapport avec la fuite de capitaux... ou la présence des sphères de lumière, tant qu'à y être? L'agent Sygrill est idiot de s'intéresser à des enfants...

— Même lorsque le Globulus lui-même s'intéresse à ces jeunes Terriens?

Krash-Ka se calma et prit le temps de réfléchir.

— Vous avez raison. Tout cela est ridicule ou bien cache autre chose... de très gros.

— Je suis bien de votre avis, Votre Grandeur.

— Poursuivez l'enquête. Nous verrons bien.

***

— Pourquoi nous avoir amenés ici? Habituellement, nous pratiquons nos exercices près du chalet, s'enquit Nadia.

— Ici, on n'a pas beaucoup d'espace pour travailler, constata le jeune garçon.

— Aujourd'hui, les exercices développant vos dons peuvent attendre, déclara l'Ermite. Nous avons des choses plus importantes à régler.

— Plus importantes que nos dons?

D'un simple hochement de la tête, l'Ermite répondit à la question. D'un geste de la main, il les invita à s'asseoir sur le tapis de verdure.

— Je dois vous sensibiliser à l'importance de la mission qui vous sera bientôt confiée.

Il sortit de son sac de toile le coffret récupéré par Steven. Tous les yeux se fixèrent alors sur la petite boîte de métal. Délicatement, l'Ermite en souleva le couvercle et en retira un vieux cahier défraîchi. Chez Nadia et Caroline, il y avait de la curiosité; chez Steven, un peu de déception.

L'Ermite ressentit de la compassion pour le garçon, franchement déçu par le contenu de la boîte. S'adressant plus particulièrement à ce dernier, il demanda:

— Ce n'est pas exactement ce que tu espérais?

Embarrassé d'être mis ainsi sur la sellette, Steven s'agita et riposta timidement:

— Bah! Je m'attendais pas à voir des bijoux, quand même.

— Mais tu espérais quelque chose de plus... impressionnant.

— Peut-être, admit le garçon.

— Tu t'attendais à un trésor? Eh! Bien, c'est un trésor, répondit l'Ermite en agitant le carnet parcheminé. Un fabuleux trésor pour les générations futures.

— Un trésor dans un si petit cahier? interrogea Caroline.

S'adressant cette fois-ci à tout le groupe, l'Ermite se permit une courte récapitulation des faits.

— Vous connaissez maintenant l'existence des Trogoliens et vous savez que depuis des siècles, les trogs dirigent en secret les destinées de la planète.

Trois signes de tête répondirent à l'Ermite. Ce dernier poursuivit:

— Il vous faut maintenant savoir que les trogs ont pris le véritable contrôle financier de la planète, il y a de cela quatre-vingt-dix ans. Pour réussir leur coup, ils ont créé le Grand Krach boursier de 1929. Ils ont ainsi ruiné des dizaines de banques et mené à la faillite des milliers d'entreprises. Des gens considérés très riches se sont retrouvés du jour au lendemain à mendier dans la rue.

Caroline, connaissant bien la valeur de l'argent, ne put se retenir :

— Mais c'est terrible !

L'Ermite poursuivit :

— À cette époque, l'économie mondiale étant bouleversée, avec la complicité de quelques humains sans scrupules, les Trogoliens réussirent facilement à tout racheter pour une bouchée de pain. Rapidement, ils prirent ainsi le contrôle de tous les secteurs importants de l'économie.

— Et personne n'a réagi ? s'exclama Nadia, un peu surprise.

— Pour la plupart des gens, le Krach des années 20 était dû à la fatalité, ou on l'expliquait par une mauvaise gestion des gens d'affaires, mais quelques financiers perspicaces ont eu des soupçons. Ils ont alors commencé une grande enquête, une enquête à l'échelle mondiale. À leur plus grand étonnement, cette recherche les a menés aux trogs. Malheureusement, ceux-ci étaient déjà devenus puissants, trop puissants pour les affronter ouvertement. Les financiers qui connaissaient maintenant le terrible secret n'osaient se dévoiler et présenter au grand public leur dramatique découverte. Leur vie en dépendait.

— Alors, ils étaient coincés, conclut Steven.

— Coincés mais futés, rétorqua l'Ermite. Dans le plus grand secret, ils ont créé à travers le monde un immense réseau d'agents clandestins. Ces agents avaient pour tâche de retracer les entreprises gérées par les trogs afin qu'un jour, toutes ces entreprises puissent retourner entre les mains des humains. C'est ainsi que naquit la « confrérie du grand rétablissement ».

L'homme fit une pause et feuilleta délicatement les pages usées du cahier, donnant ainsi le temps au trio d'assimiler l'information reçue. Refermant le livret, il poursuivit :

— Ce réseau existe depuis plus de soixante-dix ans et je lui ai consacré trente ans de ma vie. Ce cahier contient la liste et les coordonnées de toutes les entreprises contrôlées par les trogs dans cette partie du pays. Je vais te le confier, Caroline, car certaines entreprises ayant appartenu à tes parents ont été infiltrées par ces financiers de l'ombre. C'est à toi qu'incombera, un jour, la tâche de les démasquer.

— Ça alors, vous étiez un agent secret ! s'exclama Steven, tout excité d'avoir devant lui un véritable espion.

— Vous étiez un genre de James Bond avec des missions dangereuses ?

L'Ermite précisa :

— Une seule mission fut vraiment dangereuse, à une époque où j'étais encore jeune et où on ne craint pas la mort.

— Vous avez risqué votre vie ? s'étonna Caroline.

— C'était lui ou moi, avoua l'Ermite. J'avais été démasqué par un Trogolien infiltré dans une entreprise de produits électroniques. Afin de protéger le secret du réseau, j'ai dû… « liquider » le trog et le faire disparaître discrètement. Aujourd'hui, ce gris n'existe plus, mais j'ai conservé un petit souvenir de cette aventure.

L'Ermite plongea de nouveau la main dans le coffret et en ressortit une boucle de métal portant le symbole gris.

— J'ai conservé précieusement cette boucle durant plus de vingt ans. Maintenant, elle est à toi, Steven. Sans ton courage, elle aurait été perdue à jamais dans les profondeurs de la grotte.

La tenant à bout de bras, bien en vue devant son auditoire, il déclara :

— Ce symbole représente la servitude de la race humaine. La réussite de la mission qui vous sera bientôt confiée représente la libération de toute l'humanité. Ce symbole doit disparaître de la planète à tout jamais.

***

Tel un ours en cage, l'empereur faisait les cent pas et montrait d'évidents signes d'impatience. D'un geste autoritaire, il pressa le symbole impérial épinglé sur sa tunique.

— Conseillère Haziella, j'attends votre venue depuis plus d'une heure.

La conseillère retira précipitamment une plaquette mémoire d'un lecteur. Tout en contournant une série d'écrans témoins, elle répondit :

— Je suis bien consciente de mon retard, Votre Grandeur. Je tiens à…

— Dois-je considérer ce retard comme un manque de respect envers votre souverain ?

La conseillère ouvrit les yeux comme si elle venait d'être témoin d'un sacrilège.

— Votre grandeur ! Jamais je ne me permettrais un tel outrage ! De nouvelles informations tombent des décodeurs. Dans quelques minutes, je serai à vos côtés.

L'empereur prit un ton plus posé et calma sa conseillère.

— Vous êtes au centre des communications ?

— En effet, excellence.

— Alors, inutile de vous déplacer. Je vous rejoins. L'inaction me pèse.

— Comme il vous plaira, Votre Grandeur.

L'empereur coupa la communication et marcha vers un des murs de son bureau. À son approche, un panneau glissa, donnant accès à un court corridor menant directement au deuxième étage de la grande salle des communications. De son poste d'observation surélevé, Krash-Ka profitait d'une vue générale sur toutes les activités de ses subordonnés.

Remarquant l'arrivée de l'empereur sur la passerelle d'observation, la grande conseillère ramassa rapidement son scryptobloc ainsi que divers documents. Sans attendre, elle se dirigea vers le petit ascenseur de verre.

Dame Haziella avait du neuf à offrir et c'est avec un certain plaisir qu'elle tendit à l'empereur une collection de fiches magnétiques.

— Qu'est-ce que c'est? demanda ce dernier.

— Vous vous souvenez de cet enregistrement concernant une femme et deux enfants.

— Bien sûr! Comment pourrais-je oublier un document aussi déterminant? répondit-il ironiquement.

Sans rien ajouter, la grande conseillère tendit trois photographies à son souverain. Ce dernier y jeta un coup d'œil rapide.

— Alors, ce sont eux?

— L'agent Sygrill n'est pas le seul à s'intéresser au sort de ces trois Terriens. Nous avons intercepté quatre photographies sur la ligne satellite d'Interpol. Vous en tenez déjà trois et voici la quatrième.

— Qui est-ce? demanda l'empereur.

— Notre agent Sygrill sous son apparence humaine.

L'empereur sourcilla:

— Interpol s'intéresse à un de nos meilleurs agents? Tout cela devient bien mystérieux et surtout fort dangereux. Notre empire est demeuré inconnu des Terriens depuis huit mille ans. Nous ne laisserons pas un simple agent de surface trop téméraire menacer la sécurité de l'état. Faites une enquête approfondie sur ce Sygrill et ses activités. Trouvez-moi le lien qui unit cette femme et ces enfants à notre agent… ainsi qu'au Globulus.

***

— Ça ne va pas du tout, avoua Steven, découragé.

Baissant les yeux, il se désintéressa de la pierre placée à un mètre devant lui. Assis à même le sol, les jambes croisées, il fouetta le sable du bout des doigts.

Depuis plus d'une heure, le jeune garçon tentait désespérément de mettre en pratique les conseils prodigués par l'Ermite. Mais il n'y avait rien à faire. Le gros galet s'obstinait à demeurer immobile. Un peu en retrait, l'Ermite, toujours aussi calme, reprit patiemment ses explications.

— N'oublie pas que tout est dans l'attention. Tu dois concentrer ton esprit sur une seule pensée. Recommence et reprends tout à partir du début.

Une nouvelle tentative se solda par un échec.

— Y a rien à faire! J'y arrive pas. Si on essayait avec une plus petite roche? suggéra Steven.

Le signe de tête de l'homme coupa tout espoir chez le garçon.

— Le poids et le volume de l'objet n'ont pas d'importance.

— Mais si elle était juste un peu plus petite... insista le garçon.

— Toute la puissance est en toi, mon cher ami. C'est le niveau de concentration qui est important. Tu as de la difficulté avec une grosse roche parce que la grosseur de la roche ébranle ta foi. Tu dois avoir confiance. Tu dois savoir, au plus profond de toi, que tu en es capable.

Steven ferma les yeux, prit plusieurs grandes inspirations et fit une nouvelle tentative en fixant intensivement la pierre. Cette fois-ci, la roche sembla frémir sur place. Lentement, elle s'éleva d'un centimètre.

— Wow! s'exclama le garçon tout excité.

Et la pierre retomba lourdement sur le sol.

— L'attention, Steven, tu dois conserver l'attention, répéta l'Ermite.

***

Un peu à l'écart, près de la rivière, des exercices tout aussi importants se préparaient. Guidor donna de nouvelles instructions à Nadia qui acquiesça de la tête et repartit vers le chalet.

Caroline, à genoux sur un coussin, s'appuyait sur ses talons, les mains posées sur les cuisses. À l'approche de Guidor, elle ouvrit les yeux. Guidor vint s'asseoir près d'elle et d'une voix douce, lui dit simplement:

— Tu dois apprendre à bien cibler les images que tu visualises ainsi que les sons que tu entends. Nous allons reprendre l'exercice de ce matin en y ajoutant une cible bien précise.

Caroline acquiesça et ferma de nouveau les yeux. Guidor, poursuivant ses instructions, lui suggéra :

— Tu vas en premier rechercher Steven et l'Ermite.

Caroline fit un signe de tête et se concentra. Après quelques secondes seulement, elle s'exclama :

— Oh!... La roche... Elle flotte !

***

C'est devant un public limité mais enthousiaste que Steven réalisa sa première performance. L'Ermite ne cachait pas son emballement et applaudissait avec énergie le succès du garçon.

— C'est formidable, Steven! Je savais que tu réussirais !

La grosse pierre flottait à plus de deux mètres du sol et Steven s'amusait maintenant à la faire balancer de gauche à droite, le tout sans effort apparent.

— C'est très bien, mon garçon. Nous allons passer à une expérience très intéressante.

— Plus gros que cette pierre? s'enquit le garçon.

Avec fanfaronnade, il déclara :

— Je suis prêt, quand vous voudrez !

— Ce n'est pas aussi simple, jeune homme. Tu dois maintenant apprendre à déplacer un objet que tu ne peux pas voir. Puisque tu sembles apprécier les objets légers, je vais placer un œuf à un mètre derrière toi.

— Un œuf? Ça ne sera pas difficile.

— Souviens-toi, mon garçon, qu'il faut développer la confiance sans tomber dans la suffisance. Dans un premier temps, tu visualiseras l'objet. Ensuite, tu devras le faire passer par-dessus ta tête et le ramener devant toi, dans cette assiette, sans le briser.

Toujours assis à même le sol et très sûr de lui, Steven ferma les yeux.

***

La navette avait à peine ralenti que déjà Sygrill dégageait le seuil de la porte et sautait sur le quai d'embarquement. Devant l'entrée de la caverne du cerveau sous verre, la vérification d'usage fut des plus expéditive. Rapidement, les grandes portes cédèrent le passage au visiteur. L'agent n'avait qu'un pied dans la grotte lorsqu'il lança :

— Bonjour, Globulus, j'ai enfin quelques informations intéressantes.

L'agent n'eut pas le temps d'en dire plus. La chaise au large dossier placée devant le Globulus pivota lentement, dévoilant l'imposante présence de l'empereur. Un sixième sens prévint l'agent d'un danger imminent. Un froissement de tissu attira son attention. Du coin de l'œil, il devina l'ombre de la grande conseillère se glissant derrière lui.

Prenant l'attitude de l'agneau qui vient de naître, il se composa un personnage, tout ce qu'il y a de plus fidèle à l'empire.

— Mes respects, Votre Grandeur. Si j'avais été informé de votre présence, je ne me serais pas permis une entrée aussi cavalière. D'ailleurs, je ne me serais pas permis de vous déranger. Je reviendrai plus tard.

Il avait à peine terminé son salut et se préparait déjà à s'esquiver lorsque d'un geste de la main, l'empereur s'objecta.

— Il est inutile de nous quitter, agent Sygrill. Nous attendions justement votre arrivée pour commencer.

— Mon arrivée ? Je ne comprends pas. Qu'attendez-vous de moi ?

— Des explications. Claires, nettes et précises.

— Je vous écoute, répondit l'agent sur un ton plus que respectueux tout en se plaçant pratiquement au garde-à-vous.

— Pourquoi toutes ces rencontres à huis clos? Pourquoi aucun rapport depuis des semaines sur les enquêtes concernant les fuites de capitaux et la présence des envahisseurs?

Le Globulus ne pouvait se permettre de risquer la sécurité et la liberté d'action de son complice, il détourna donc les responsabilités vers sa personne.

— Votre grandeur, commença le Globulus.

— Ce n'est pas à vous que je m'adresse, Globulus, déclara sèchement l'empereur.

— Sans vouloir vous offenser, mon seigneur, je me dois d'insister, répliqua le cerveau.

L'empereur se tourna vers ce dernier.

— L'agent Sygrill n'a fait aucun rapport sur ma recommandation.

— Sur votre recommandation? répéta lentement l'empereur.

Les neurones du Globulus travaillaient à plein régime et c'est sans difficulté qu'il commença à broder une fable.

— Qui dit rapport dit possibilité de fuites. Nous n'avons présentement que des hypothèses sur la disparition des capitaux. J'ai préféré attendre et donner, en temps et lieu, un rapport complet, exact, sans risque d'erreur.

L'empereur leva la main gauche. Dame Haziella y glissa trois grandes photographies.

— C'est tout à votre honneur, Globulus. Alors, dites-moi… À quoi rime une histoire concernant une femme médium et deux enfants?

— Une femme médium? répéta le Globulus, un peu pris au dépourvu.

C'était au tour de l'agent de trouver une suite à la fable. Il avança d'un pas.

— J'ai une information récente à ce sujet, Votre Grandeur. Et je venais justement la partager avec le Globulus, afin de connaître son avis.

— Alors, partagez-la avec nous tous, invita l'empereur.

Sans se démonter, Sygrill annonça avec prudence :

— Remarquez que cette information n'est pas encore validée.

— Mais encore... grogna l'empereur, avec un signe d'impatience.

— Il est possible que la jeune femme et les enfants soient des messagers.

— Des messagers ? répéta l'empereur.

L'agent avait maintenant un doigt dans l'engrenage, il devait continuer à mentir. Mais après tout, n'était-ce pas sa spécialité ?

— Qui soupçonnerait une femme et deux enfants de transporter des fortunes dans leurs bagages ? L'enquête n'a pas été facile, car il n'y avait aucune conversation téléphonique à intercepter. Et pour cause, la femme est un médium. Elle reçoit ses instructions par la pensée.

— Votre histoire est un peu tirée par les cheveux, déclara l'empereur.

Le Globulus prit la relève.

— Et c'est pourquoi nous ne pouvons la révéler officiellement. Cela provoquerait une panique chez les banquiers de l'empire.

Krash-Ka leva de nouveau la main gauche, la grande conseillère y glissa une nouvelle photographie.

— Nous avons intercepté ces trois photographies sur la ligne d'Interpol, ainsi que cette dernière.

Sygrill s'étira le cou et jeta un coup d'œil vers la photo. Sa curiosité se transforma en surprise.

— Vous pouvez m'expliquer votre présence sur cette photographie ?

Sygrill reconnut son image sur le seuil de la porte d'une imposante demeure de style colonial. Cette fois-ci, pour l'agent, il s'agissait d'un quitte ou double.

— Comme vous pouvez le constater, la police surveillait déjà la maison de l'un des trois suspects. Ce qui prouve que nous sommes sur la bonne voie.

— Sur la bonne voie pour permettre à la police et aux autorités de surface de découvrir notre existence, souligna la conseillère.

Se levant brusquement, l'empereur tira une conclusion :

— À aucun prix les humains ne doivent deviner notre présence sur la planète. Vous êtes maintenant un agent grillé dans le secteur 777… et partout où il y a des policiers.

— Mais je peux me donner une nouvelle apparence, s'objecta l'agent. Je peux…

D'un geste de la main, l'empereur coupa court.

— Les enjeux sont trop importants, agent Sygrill. Si vous remontez un jour à la surface, il vous faudra une bonne raison. Et à compter d'aujourd'hui, limitez-vous à la jungle et aux déserts. Faites-vous oublier.

Se tournant ensuite vers le cerveau sous bulle, il lança l'ultimatum :

— Quant à vous, Globulus, vous avez dix jours terrestres pour m'apporter des réponses définitives.

Sur ces mots, l'empereur et la conseillère quittèrent prestement la caverne. Après la fermeture des portes, Krash-Ka demanda :

— Que pensez-vous de cette histoire de messagers médiums ?

— Je crois que c'est une histoire, répondit Haziella.

De l'autre côté de la masse d'acier, l'agent Sygrill résuma la situation :

— Nous avons pris un gros risque avec cette histoire de médium. Quand ils découvriront la vérité, l'empereur me fera trancher la tête au laser.

— Je suis déjà passé par là et je n'en suis pas mort, ironisa le Globulus.

Sur un ton plus optimiste, il ajouta :

— Du calme, mon ami. Quand ils découvriront la vérité, nous aurons pris le pouvoir et l'empereur n'aura plus de tête depuis longtemps.

Un grand éclat de rire résonna dans la caverne.

***

Guidor se trouvait toujours assis auprès de Caroline lorsque le claquement de la porte à moustiquaire attira son attention. Nadia sauta les deux marches du perron et vint s'asseoir près de ses amis.

— Voilà, c'est fait. J'ai pris un grand verre d'eau froide, dit-elle en s'adressant au guide de lumière.

— Nous allons donc pouvoir commencer, conclut Guidor.

Les deux femmes choisirent une position confortable et devinrent très attentives aux propos de leur mentor.

— Tu utilises tes talents de médium depuis déjà plusieurs années. Tu es donc très sensible aux vibrations psychiques.

D'un mouvement de la tête, Nadia confirma les dires de Guidor et précisa :

— Et à mon corps défendant, à l'occasion.

Guidor afficha un sourire et poursuivit :

— Ces vibrations peuvent se manifester de plusieurs façons et il est important que vous appreniez, toutes les deux, à ressentir toutes les formes d'énergie, telles que les vibrations générées par les sentiments d'autrui.

— Lorsque les enfants se sont perdus sur la falaise, j'ai communiqué avec l'Ermite, mais j'ai travaillé un peu à tâtons sans vraiment maîtriser la technique, avoua la jeune femme.

— On peut sûrement apporter des améliorations de ce côté. Nous allons donc commencer par la communication à distance.

— Mais pour communiquer, il faut être deux.

— Nous allons faire l'exercice ensemble ? suggéra Caroline.

Devant la moue peu encourageante de Guidor, Nadia risqua :

— Ou peut-être avec toi ?

— Ce serait trop facile, répondit Guidor en souriant. Que dirais-tu de communiquer avec Steven ?

Caroline pouffa de rire et se permit de mettre son grain de sel.

— Avec Steven ! C'est tout un défi. Même par la parole, c'est difficile de se faire entendre.

— C'est donc un très bon sujet, déclara Guidor en riant.

— Et pour capter son attention, qu'est-ce que je peux lui dire ? demanda Nadia.

Caroline se permit une suggestion.

— Pourquoi ne pas lui parler du dîner en imaginant un gros poulet rôti ? Quand on parle de nourriture, Steven est toujours réceptif.

Nadia et Guidor échangèrent un large sourire. La jeune femme, trouvant l'idée fort intéressante, ferma les yeux. Avec une touche d'espièglerie, elle murmura :

— Un poulet rôti. Et je vais lui ajouter de la sauce, beaucoup de sauce.

***

À moins d'un mètre derrière Steven, six coquilles jonchaient déjà le sol. Un bruit mat annonça un nouveau dégât.

— L'attention, Steven. Tu dois conserver ton attention, rappela l'Ermite.

Mettant celui-ci au défi, Steven déclara, exaspéré :

— C'est plus facile à dire qu'à faire.

Demeurant très détendu, l'Ermite continua d'observer le garçon dans les yeux tandis qu'un œuf quittait son support et se déposait délicatement dans le dos du jeune homme. L'Ermite n'avait pas dit un mot, mais Steven comprit le message. Fermant les yeux, il se concentra.

L'œuf s'éleva progressivement à plus d'un mètre, hésita un peu et glissa dans la direction de Steven. La petite boule blanche caressa les cheveux du garçon quelques secondes, puis s'éleva d'une quinzaine de centimètres.

Un peu plus loin, Caroline chuchota à l'oreille de Nadia :

— Et n'oublie pas la sauce.

Au-dessus de la tête de Steven, l'œuf s'immobilisa soudain et flotta, indécis, comme si tout à coup il ne recevait plus de directives. Steven ouvrit les yeux et s'exclama :

— Un poulet!

Il n'en fallut pas plus: l'œuf quitta sa position et s'écrasa sur la tête du garçon. Sur un ton découragé, Steven gémit:

— Un poulet rôti. Pas une omelette!

Mi-sérieux, mi-amusé, l'Ermite insista:

— L'attention, Steven. Tu dois conserver l'attention.

CHAPITRE XIII

Les plus chaudes journées de l'été faisaient maintenant partie des souvenirs. Çà et là, de petites taches jaunes piquaient le couvert végétal de la vallée. Les nuits devenaient plus fraîches et les vols de canards sauvages indiquaient la fin d'une saison déjà révolue, une saison riche en rebondissements et en nouvelles acquisitions de connaissances.

Par les enseignements de Guidor, Nadia, Caroline et Steven avaient éveillé au plus profond d'eux-mêmes des énergies jusqu'alors insoupçonnées. En ces premiers jours d'automne, les enseignements faisaient place à des exercices intensifs et tous les trois pratiquaient maintenant leurs talents respectifs avec une assurance sans précédent.

Près de la pompe à eau, assise sur un seau renversé, les mains appuyées sur ses cuisses, Caroline pratiquait en compagnie de Guidor ses exercices de perception à distance. De temps à autre, ce dernier donnait quelques recommandations et Caroline, souriante, les yeux fermés, acquiesçait par de légers signes de tête.

Un peu plus loin, hors du champ de vision de la jeune fille, divers objets dansaient un ballet incongru, apprécié par son unique chorégraphe, le jeune Steven. Le tout semblait se faire sans effort. Un bout de bois, une roche, un pantalon, un chaudron et son couvercle virevoltaient en même temps au grand plaisir du garçon. Seul spectateur assistant à la représentation, l'Ermite jugeait d'un œil critique chaque nouveau mouvement.

Près de la porte du chalet, Nadia demeurait seule, debout, appuyée à la rampe du petit perron. Isolée du groupe, les yeux semblant fixer le vide, elle s'employait à peaufiner ses nouvelles techniques de visualisation.

À deux mètres du sol, tous les articles de cuisine semblaient maintenant figés dans le temps. Steven se concentra alors sur le chaudron et son couvercle. Sans la moindre hésitation, le couvercle se plaça sur le chaudron en émettant un petit «bing» sonore. Amusé par l'effet musical, Steven recommença l'exercice à deux reprises en accentuant la violence du contact. Devant ce tintamarre, l'Ermite fit la grimace, fronça les sourcils et marqua sa désapprobation d'un mouvement du menton dans la direction de Nadia. Steven comprit le message et laissa ses ustensiles glisser vers le sol. Du coin de l'œil, il remarqua la corde de bois appuyée à un arbre. Cinq bûches semblèrent prendre vie. Tout en poursuivant sa valse des rondins, Steven jeta un nouveau coup d'œil à la jeune femme et demanda :

— Pourquoi Nadia reste seule ? Si je ne la connaissais pas, je penserais qu'elle nous boude.

— Et tu te tromperais sûrement, rétorqua l'Ermite.

Steven fixa du regard les billes de bois qui se mirent au garde-à-vous sur une seule ligne. Prenant un ton tout militaire, il ordonna :

— À mon commandement… marche.

Dans un mouvement cadencé, tel un peloton bien entraîné, les cinq bûches glissèrent en silence et rejoignirent leur régiment sur la corde de bois. Ramenant son attention vers Nadia, Steven observa :

— C'est bizarre. On dirait qu'elle regarde tout le monde sans vraiment nous voir.

— Nadia s'exerce à voir l'aura des gens, déclara l'Ermite. Une partie invisible de notre personne.

Excité, Steven s'exclama :

— Elle voit à l'intérieur de nous comme avec des rayons X ?

Un léger sourire sur les lèvres, l'homme précisa :

— Elle ne voit pas à l'intérieur, mais plutôt autour de nous. L'aura est semblable à un nuage de lumière colorée qui enveloppe notre corps. Selon la couleur, on peut identifier des émotions et l'état de santé du corps.

Vu la distance, Nadia n'avait pas suivi la conversation des deux hommes, mais elle pouvait les voir et elle les voyait même très bien. Autour de l'Ermite et du garçon, qui avait repris ses exercices, se dessinait une double enveloppe rouge clair. Posément, elle tourna son regard vers Guidor et sa jeune amie. Là encore, elle découvrit deux enveloppes lumineuses, bien que celle de la jeune fille, tirant sur le vert, fût difficile à cerner, noyée dans l'intense rayonnement de Guidor et ses reflets dorés très particuliers.

Guidor écoutait attentivement les propos de Caroline. Cette dernière, par la pensée, plongeait au cœur de la forêt.

— Il avance par petits bonds. Ho ! Il vient de sauter par-dessus une branche morte... Il cache sa noisette sous une feuille.

Mentalement, Guidor accompagnait Caroline et vérifiait l'exactitude de ses visions.

— Qui est...

— La feuille est longue et toute dentelée.

— Bravo. Ta vision à grande distance est claire et très précise. C'est suffisant pour aujourd'hui.

Prenant un petit air de fillette, Caroline insista :

— Ho ! Guidor, encore une fois ! C'est si amusant !

— Tu n'es pas fatiguée ?

Honnêtement, Caroline sentait l'épuisement la gagner. Mais elle s'amusait tellement !

— Un dernier essai ?

Cédant au caprice de la jeune fille, Guidor proposa :

— Alors quelque chose de reposant. De très près. Tu vas me décrire les activités de Steven qui est tout juste derrière nous.

Caroline ferma les yeux et porta son attention sur le jeune garçon.

— Steven est assis sur le sol et...

Dans un éclat de rire, elle ajouta :

— Il jongle avec des tasses et des assiettes. C'est formidable !

Nadia était également témoin des performances du garçon, mais elle ne partageait pas le plaisir des enfants.

— Steven, si tu brises une seule assiette, ton prochain repas, tu le mangeras dans un sac de papier.

— J'ai pas peur, annonça Steven sur un ton chantant.

— Les tasses bougent vers la gauche, précisa Caroline.

Steven, attentif aux dires de la jeune fille, entra dans le jeu et modifia la course des porcelaines.

— Ha ! Maintenant, elles vont vers la droite.

Steven corrigea le mouvement.

— Elles reviennent vers la gauche.

Le garçon improvisa de nouveau.

— Elles font une ronde. C'est vraiment extraordinaire ! s'émerveilla la jeune fille.

Steven jeta un coup d'œil vers Caroline, prit un air taquin et annonça :

— Et je peux faire beaucoup mieux.

Nadia observait toujours le garçon tout en surveillant attentivement ses assiettes. Soudain, elle pointa le garçon du doigt. Elle lança haut et fort :

— Steven, ne fais pas de bêtises. Ton aura a changé de couleur et ce n'est pas très joli. À ta place, j'en serais gêné. N'embête pas les gens.

Steven regarda dans la direction de Caroline. Dans un geste d'impuissance et sur un ton espiègle, il déclara :

— Trop tard.

Soudain, Caroline ne sentit plus le contact rassurant du sol sous ses pieds. Toujours assise sur le seau de métal, elle s'éleva à plus d'un mètre du sol. Ouvrant les yeux, elle fut prise de panique en se voyant flotter au-dessus de ses amis, accompagnée d'un défilé de vaisselle. Un nouvel article s'ajouta à la ronde.

— Hé! Mais c'est ma brosse à cheveux! s'écria-t-elle.

La panique se transforma rapidement en rigolade et Caroline, jouant le jeu, tenta même à quelques reprises d'attraper sa brosse. L'esprit était à la fête et chacun soulignait avec plaisir les réussites des autres membres de l'équipe. Guidor laissa passer la vague d'euphorie et mit fin ensuite aux ébats du groupe en levant les bras. Délicatement, Steven déposa Caroline sur le sol, la vaisselle traversa une fenêtre entrouverte et prit le chemin de la cuisine, au grand soulagement de Nadia. Devant Caroline, seule flottait la brosse à cheveux.

— Tiens, voilà ta brosse, dit Steven. Je sais qu'elle est importante pour toi.

Caroline attrapa la brosse, mais sans montrer un réel plaisir.

— Oui, elle est importante… Merci, finit-elle par dire.

Guidor demanda l'attention du groupe:

— Mes chers amis, aujourd'hui se termine votre formation.

Un léger murmure se répandit dans l'assistance. Guidor confirma d'un signe de tête et poursuivit.

— Votre sérieux et votre détermination vous ont amenés à un haut degré de maîtrise de vos talents respectifs. L'Ermite et moi-même sommes très fiers de vous.

Avec un sourire, l'Ermite acquiesça de la tête. Guidor poursuivit:

— J'ai également l'agréable tâche de vous transmettre de sincères félicitations de la part de l'ensemble de la confrérie des Maîtres de lumière de Shangrila. Durant ces quelques mois, vos valeurs ont changé concernant la nature, les autres et vous-mêmes. Vous savez maintenant ce qui est important dans la vie. Dans cette vie et peut-être plus. Les Maîtres de lumière ont suivi vos progrès avec intérêt. Ils ont accueilli votre succès final et votre élévation spirituelle avec bonheur.

Bien que surpris d'un tel intérêt par les membres de la confrérie de Shangrila, le trio en était plus que fier.

— Tel que décrété par les Maîtres de lumière, annonça Guidor, ce soir, après le coucher du soleil, aura lieu le rituel de la triple initiation aux Grandes Révélations.

***

La conseillère Haziella venait de déposer les différents documents à signer sur le grand bureau lorsque la porte donnant sur les appartements impériaux céda le passage à Krash-Ka. Ce dernier entra précipitamment et lança joyeusement :

— Bonjour, chère dame Haziella.

Peu habituée à ce genre de familiarité de la part de son souverain, la conseillère risqua un commentaire :

— Vous semblez en très grande forme, aujourd'hui, Votre Grandeur.

— Et pourquoi ne le serais-je pas ? répliqua l'empereur.

Détendu, il contourna son bureau d'un pas léger et prit le temps d'étudier les informations diffusées sur les différents écrans tapissant les murs.

Aux yeux d'Haziella, l'attitude de l'empereur se révélait de plus en plus étrange. Ne sachant trop comment composer, elle préféra ne pas tenir compte de cet élément inhabituel et déclara sur un ton neutre :

— Je viens de déposer sur votre bureau les avis d'exécution qui doivent avoir lieu demain.

— Qu'ont donc fait tous ces pauvres malheureux ?

Haziella fronça les sourcils en se demandant depuis quand l'empereur s'apitoyait sur le sort de ses sujets.

— Rien de très grave, répondit-elle méfiante, mais il y a du relâchement chez certains fonctionnaires et vous aviez décidé, le mois dernier, de faire des exemples.

Maintenant assis à son bureau, les mains jointes, sa première griffe appuyée sur son menton, l'empereur s'octroya à peine quelques secondes avant de déclarer :

— Commuez leur peine en emprisonnement à vie. Cela sera suffisant.

Krash-Ka ramassa la tablette numérique, planta ses trois griffes dans les alvéoles prévues à cet effet et pressa la paume de sa main droite sur le petit écran.

— Votre générosité vous honore, Votre Grandeur, souligna la conseillère en se préparant à récupérer la petite tablette que tenait toujours l'empereur.

L'empereur retint son geste.

— Qui vous parle de générosité? rétorqua l'empereur, irrité par une telle remarque à son endroit.

— Les sentiments et la compassion sont l'apanage des faibles, ajouta-t-il en lançant sur le bureau la tablette qui glissa en direction de la conseillère.

— Alors, je ne comprends pas, avoua celle-ci, de plus en plus prudente dans ses déclarations.

L'empereur se calma. Retrouvant sa bonne humeur, il expliqua sur un ton songeur:

— Disons que c'est une bonne journée. Pour moi et pour eux. Avez-vous étudié les derniers rapports financiers?

— Je viens de terminer le dossier de la justice et j'allais m'y mettre justement, s'empressa de dire la conseillère.

— Alors, laissez-moi le plaisir de vous en annoncer les grandes lignes. Depuis deux mois, il n'y a pas eu une seule fuite de capitaux. Les indices boursiers sont à la hausse et plusieurs de nos actions ont remonté la pente… modestement. Il y a de quoi se réjouir, n'est-ce pas?

La grande conseillère fronça les sourcils et devint suspicieuse.

— Depuis deux mois, dites-vous?

— En effet, confirma Krash-Ka qui n'avait pas remarqué la réaction mitigée de dame Haziella.

Se calant confortablement dans son fauteuil, il marmonna:

— L'agent Sygrill avait peut-être raison, après tout.

Il précisa en se tournant vers sa conseillère :

— Cela remonte à l'époque de cette histoire de la femme médium et des deux enfants.

— Et cela correspond également avec le moment où vous avez interdit à l'agent Sygrill de retourner dans son secteur, précisa la conseillère.

— C'est bien possible… Et je crois bien…

La conseillère n'écoutait plus. Cette dernière semblait de plus en plus intriguée par certaines coïncidences, mais elle ne fit aucun autre commentaire.

Mentalement, l'empereur évalua ses gains. Avec un sourire de satisfaction, il ajouta :

— Oui, depuis deux mois, nous avons récupéré une fortune.

***

Sygrill, les yeux rivés sur sa calculatrice, n'en revenait tout simplement pas.

— Depuis deux mois, j'ai perdu une fortune.

Le régime de la navette s'amenuisa sensiblement. La légère décélération sortit l'agent de ses réflexions. Il en profita pour jeter un coup d'œil au décor environnant. La navette traversait une agglomération importante et le central informatique avait fort à faire pour distribuer sans anicroches tous ces véhicules glissant et se croisant sur les multiples voies suspendues.

L'agent replongea dans ses calculs, espérant minimiser ses pertes.

— Tant de millions perdus en deux mois d'absence. Il faut que le Globulus trouve une solution. Je dois absolument remonter à la surface.

La navette quitta le cœur de la cité. Rapidement, elle reprit de la vitesse avant de plonger dans un nouveau tunnel.

***

Devant le vieux miroir déformé, Caroline demeurait perdue dans ses pensées. Machinalement, elle brossait lentement l'extrémité de la queue de cheval qu'elle portait depuis quelques semaines. Dans le reflet du miroir apparut Nadia.

— Ça va, Caroline?

— Oui, ça va… ou plutôt non… Je ne sais pas.

Nadia s'approcha et remarqua le petit cristal suspendu au cou de la jeune fille par une fine chaînette d'argent.

— C'est nouveau, ce bijou?

— Un présent de l'Ermite, répondit la jeune fille en effleurant des doigts la pierre translucide. Ç'a un rapport avec mon don de guérison.

Un peu embarrassée, elle ajouta:

— Il m'en a expliqué le fonctionnement, mais je crois que je n'ai pas tout saisi. Ces jours-ci, j'ai la tête ailleurs.

Nadia remarqua alors la paire de ciseaux traînant sur la tablette au-dessus de l'évier.

— Est-ce que je peux t'être utile?

Devant le mutisme de la jeune fille, elle demanda doucement:

— Dis-moi le fond de ta pensée.

— Je crois que Guidor a raison. Mes valeurs ont changé.

Nadia caressa l'épaule de Caroline et lui fit un sourire par l'intermédiaire du miroir. La jeune fille lâcha sa queue de cheval et regarda sa brosse à cheveux.

— Elle était si importante pour moi… Nadia, j'ai changé et je veux que cela paraisse.

— Je vais t'aider, ma chérie, et la transformation sera magnifique.

***

Au centre des communications, dame Haziella retira la plaquette numérique de l'appareil.

— J'en étais sûre! Tout concorde: les fuites des capitaux, les activités suspectes de Sygrill et son incapacité à trouver les coupables. Ce mécréant! Des dizaines de millions de dollars détournés à son profit. Ce Sygrill, il était le ver dans la pomme.

∗∗∗

Le soleil terminait de ramasser ses derniers rayons lorsque Guidor brisa le silence enveloppant le chalet. Un léger parfum d'encens flottait dans le salon. Chacun pouvait ressentir les vibrations de paix imprégnant chaque atome de l'espace. Debout devant une table supportant un bol d'eau, la femme et les deux enfants tenaient dans la main droite une bougie éteinte. Nadia, Caroline et Steven sortirent de leur méditation et ouvrirent les yeux aux premiers mots de l'être de lumière.

Guidor, tenant à la main un cierge allumé, rappela la longue évolution de chacun.

— Les événements tragiques vécus en Atlantide par Nadia, en Égypte par Caroline et dans les montagnes du Pérou par Steven avaient mis en sommeil vos fabuleux pouvoirs et la plus grande partie de votre puissante force intérieure. Durant plusieurs incarnations, vous avez travaillé très lentement à retrouver, chacun de votre côté, une faible partie de votre immense héritage. Il a fallu attendre cette présente incarnation pour, enfin, vous réunir et vous permettre d'éveiller mutuellement vos dons et votre amour de la grande conscience universelle.

L'Ermite s'avança et prit la parole:

— Il y a près de douze mille ans, une énergie universelle enveloppait la planète. Cette planète que l'on nomme aujourd'hui la Terre s'appelait, à cette lointaine époque, Gaïa. En ces temps bénis, Gaïa était un havre d'amour. L'homme et la femme y vivaient dans la paix et l'harmonie, au diapason des vibrations de leur cœur. Mais survinrent des profondeurs de l'espace des êtres maléfiques qui détruisirent cette merveilleuse harmonie. Ils apportèrent avec eux la haine, l'envie, la jalousie. Ils répandirent sur la Terre et dans les cœurs le nuage gris de la désolation.

— En ce début de l'ère du Verseau, poursuivit Guidor, il est temps que des cœurs purs retrouvent la grande énergie universelle et en fassent profiter tous les hommes et toutes les femmes de cette planète.

Guidor s'approcha du trio et alluma les bougies. L'Ermite poursuivit :

— Que cette lumière, symbolisant vos pouvoirs retrouvés, vous assiste avec succès dans votre quête de la grande énergie universelle.

Les postulants placèrent alors leur bougie sur la table, dans trois supports d'argent, de façon à former un triangle.

L'Ermite reprit :

— Que cette triple lumière vous unisse et vous permette de conserver foi et courage tout au long de votre mission, dans votre quête de la dague de cristal.

Après une pause, il s'approcha du récipient d'eau déposé sur la table.

— Cette quête ultime se réalisera en n'ayant que des pensées d'amour dans votre cœur, quelles que soient les circonstances ou les situations rencontrées.

Plaçant sa main droite au-dessus du bol, il présenta le caillou retenu entre ses doigts.

— Voici une petite expérience qui vous fera comprendre l'importance de ne véhiculer que des pensées positives. Je laisse tomber ce caillou dans le bol d'eau. Le point de chute forme un centre d'où partent des ondulations concentriques. Ces ondulations grandissent jusqu'à ce qu'elles atteignent le contour du bol. À l'œil, elles paraissent alors perdre leur force et s'arrêter. En réalité, dès qu'elles ont atteint les limites de l'eau, elles repartent vers l'endroit où le caillou a touché l'eau, et ne se reposent pas avant d'avoir atteint ce centre.

Guidor poursuivit.

— C'est la représentation exacte de toutes nos pensées et de toutes les paroles que nous prononçons. La pensée et les paroles mettent en mouvement certaines vibrations qui se propagent au loin en cercles toujours grandissants, jusqu'à ce qu'elles embrassent l'univers. Puis elles retournent à celui qui les a émises. Toutes nos pensées et nos paroles, bonnes ou mauvaises, reviennent à nous aussi sûrement que nous les avons formulées.

Prenant un ton un peu moins solennel, Guidor expliqua ensuite la nature de la mission :

— Souvenez-vous du rêve de Steven. La dague de cristal que le jeune serviteur du grand prêtre a cachée dans le disque sacré agit comme une clé sur la porte du plus grand centre énergétique non éveillé. Du fait que le centre soit inactif, les Trogoliens n'ont jamais pu le localiser, mais durant des siècles, ils ont surveillé la dague de cristal sans pouvoir l'atteindre. Seuls des humains ayant connu, dans une vie antérieure, l'époque de la grande harmonie ont le pouvoir de récupérer cette dague.

Prenant un ton des plus sérieux, Guidor poursuivit :

— Avec les événements des derniers mois, il est à prévoir que la hantise de posséder la dague sera de nouveau éveillée chez les trogs. Nadia… Caroline… Steven, vous aurez donc une grande responsabilité : récupérer la dague et réactiver le dernier centre énergétique universel, tout en empêchant les trogs de détruire ce dernier espoir de l'humanité.

Fort impressionné par la mission qui lui était confiée, le trio demeura silencieux. Il se passa près d'une minute avant que Steven ose poser une première question :

— Est-ce que tu viens avec nous ?

Devant le mutisme de Guidor, Caroline insista :

— Tu seras avec nous, n'est-ce pas ?

— Je serai présent lorsque la situation l'exigera.

Comme dans un geste prémédité, Steven, Caroline et Nadia se tournèrent vers l'Ermite.

— Cette mission est un long voyage. Vu ma condition physique, avec le temps, je deviendrais un poids pour votre équipe.

Le trio protesta énergiquement, mais l'Ermite ne changea pas d'avis. Levant la main, il calma les esprits.

— Je ne puis me joindre à vous. Chacun de nous a une mission et la mienne ne me permet pas de vous accompagner... en personne. Par contre, je peux vous assurer que je serai toujours, de cœur et d'esprit, avec vous.

— Et qu'allez-vous faire tout seul ? demanda Caroline.

— Dans un premier temps, tromper la surveillance des Trogoliens. Je vais demeurer au chalet et diffuser une grande quantité d'énergie. Je pourrai ainsi laisser croire aux trogs que tout le groupe est toujours dans les environs du chalet.

À regret, la mort dans l'âme, le trio accepta cette stratégie sans ajouter de commentaire.

***

Le vaste dôme de la caverne multipliait l'écho des récriminations de l'agent. Tel un ours en cage, Sygrill faisait les cent pas devant la grande coupole protégeant le cerveau du Globulus.

— Vous trouvez peut-être très confortable de vivre sous ce globe de verre, mais moi, je suis fait pour l'action et j'ai besoin de bouger pour vivre.

L'agent s'arrêta devant l'écran central et fixa le visage synthétique.

— Vous devez me trouver une mission, n'importe quoi ! Je dois absolument remonter à la surface de la planète.

— Afin de compléter quelques transactions ?

— Des transactions ? De quoi voulez-vous parler ?

Devant le mutisme du Globulus, l'agent réalisa la futilité de jouer au plus fin avec le plus grand cerveau de la planète. Un peu gêné, il avoua par une question :

— Alors vous êtes au courant ?

— Depuis un bon moment déjà.

— L'empereur a été prévenu ?

— Je n'ai rien à dévoiler à ce pantin de carnaval, mais tôt ou tard, il fera les mêmes déductions que moi.

— À savoir...

— Depuis deux mois, vous êtes prisonnier du continent creux et depuis près de deux mois, l'empire recommence à faire des bénéfices.

Les épaules de l'agent s'affaissèrent d'un centimètre.

— En d'autres termes, je suis un mort en sursis.

— À moins de prendre rapidement le pouvoir.

— Comment ?

— En retrouvant le cristal sacré.

— Mais nous ne savons pas...

— Durant vos deux derniers mois d'inaction, moi, j'ai travaillé. L'empereur vous avait suggéré de vous perdre dans le désert ? Eh bien, le cristal est justement dans un trou perdu où ne règnent que la pierre et le sable.

***

L'aéroport international était peu achalandé en ce début de saison morte. Guidor et ses trois protégés se retrouvèrent donc rapidement en tête de la file d'attente au comptoir du bureau des douanes. Le fonctionnaire de service examina longuement les passeports présentés par Guidor, jetant de temps à autre un regard sévère à leurs quatre détenteurs. Il finit par dire :

— Veuillez patienter un instant.

Sans attendre de réponse, il quitta son guichet, emportant avec lui les précieux documents.

— Qu'est-ce qui se passe ? Pourquoi est-il si long à revenir ? demanda Caroline anxieuse.

Du groupe, Steven semblait le plus indifférent à toutes ces démarches administratives, jusqu'au moment où son œil baladeur accrocha un mémo interne piqué sur le muret du guichet voisin. Le sang se glaça dans ses veines. D'un coup de coude, il attira l'attention de Nadia.

— On n'est pas encore dans l'avion, murmura le garçon.

Tous avaient remarqué le geste de Steven et regardaient maintenant dans la même direction. Horrifiés, ils reconnurent les trois photographies accompagnant la note. Paniquée, Nadia se retourna vers Guidor.

— Nous ne sortirons jamais d'ici. Qu'est-ce que tu peux faire ?

— Dis plutôt ce que toi, tu peux faire.

— Moi ? Mais...

— Tu as des dons et de l'imagination. Souviens-toi de ton expérience avec Steven et le poulet rôti.

— Celui avec de la sauce ? précisa-t-elle.

Guidor acquiesça avec un sourire.

Nadia prit de profondes inspirations et retrouva progressivement tous ses moyens. Il était temps car le fonctionnaire revenait déjà, accompagné d'un officier supérieur. On aurait pu croire que Steven avait des yeux tout le tour de la tête car rapidement, le verdict tomba.

— Ça grouille de flics, ici.

Le plus gradé des deux hommes tenait maintenant les passeports. Nadia ferma les yeux et se concentra. L'homme examina les documents un à un, passant du document à son propriétaire. Les photographies collaient bien aux quatre passagers présents devant lui.

Il y avait cette vieille dame aux cheveux gris montés en chignon, la jeune délinquante avec sa mèche de cheveux orange tombant sur le côté et mâchant sans discrétion, le petit monsieur chauve à la moustache en balai et ce grand hippie qu'il faudrait contrôler et signaler au service des narcotiques lors de son retour au pays. Tous ces gens lui semblaient insignifiants et ne méritaient pas de déranger le chef de la sécurité.

À la stupéfaction du commis fonctionnaire, le supérieur remit les passeports à la vieille dame et du geste de la main, invita le groupe à libérer la place.

— Je vous souhaite à tous un très bon voyage.

Le groupe avait à peine quitté le guichet des douanes que Steven s'exclama à mi-voix :

— Comment t'as fait ça ?

— Steven, calme-toi. Ce n'est pas le moment d'attirer l'attention.

Sans s'arrêter ni se retourner, Nadia demanda à Guidor :

— Et si je n'avais pas réussi ?

— Je n'étais pas loin, mais j'avais confiance en toi.

Nadia laissa tout de même échapper un grand soupir de soulagement.

***

— Près de deux milliards de dollars ! s'exclama l'empereur qui avait de la difficulté à reprendre sa respiration.

— Et cela ne représente que les sommes déposées dans différents comptes numérotés en Suisse, reprit la conseillère. Il y a également les entreprises et les consortiums qu'il dirige sous différents noms ou par personnes interposées. Mais cela, ce sera plus difficile à inventorier. Dans un sens, cet agent est un génie.

— Génie ou pas, sa tête passera au désintégrateur. Amenez-moi ce traître sur-le-champ.

— En désintégrant sa tête, nous détruisons nos chances de retrouver tous ces milliards.

— Alors que suggérez-vous ?

— Donnons-lui un peu de corde, il finira bien par se pendre. Nous allons le surveiller de près et il nous mènera, sans le savoir, vers sa fortune.

— Sa fortune !… Ma fortune, celle de l'Empire ! rectifia l'empereur. Sygrill, pour toi, le glas vient de sonner.

***

Une douce tonalité se fit entendre. Le petit rectangle lumineux rappela aux passagers d'attacher leur ceinture de sécurité. Nadia, assise aux côtés de Guidor, s'exécuta et demanda à son voisin :

— Pourquoi nous accompagnes-tu en avion ? Tu pourrais faire le voyage beaucoup plus rapidement par tes propres moyens.

— Où nous allons, la langue courante est l'espagnol. Je vais profiter du voyage pour t'enseigner la langue du pays.

— Tu veux m'enseigner l'espagnol en sept heures ! s'étonna la jeune femme.

— Disons que tu en sauras assez pour te débrouiller. J'ai une technique d'enseignement très particulière.

— Avec toi, tout est toujours particulier.

Redevenue sérieuse, Nadia demanda avec une certaine anxiété :

— Guidor, je n'ai pas voulu en parler devant les jeunes, mais crois-tu vraiment que l'Ermite pourra tenir tête à tous ces êtres maléfiques ?

— Tu n'as pas à t'inquiéter. Il fera ce qu'il est nécessaire de faire.

Un sifflement aigu des moteurs annonça le départ imminent. Nadia se cala dans son siège et se perdit dans ses réflexions.

***

L'Ermite entra dans le chalet et déposa trois grosses bûches dans le support de fer forgé attenant au poêle à bois. À peine avait-il déposé le dernier rondin qu'une légère vibration se fit sentir. Quelques bibelots frémirent sur les tablettes du vaisselier. L'Ermite se redressa et déclara en pensée :

— Cette fois-ci, vous ne pourrez pas me surprendre.

L'homme sortit du chalet, descendit les trois marches de la galerie et ferma les yeux. Puis, s'éloignant du chalet, il s'arrêta près de la pompe à eau. Sans fixer un endroit en particulier, il lança à haute voix :

— Je suis prêt, seigneur du mal. Toute votre énergie négative, je la transformerai en vibration bienfaitrice, en vibration d'amour. Plus vous frapperez fort, plus je deviendrai invincible.

Comme en réponse à sa déclaration, une deuxième secousse ébranla la vallée. Les arbres frémirent, les insectes se turent. Soudain, venant de partout et de nulle part à la fois, un grondement sourd roula sur la vallée. Telle une mer en furie, le sol se mit à onduler au gré des accidents de terrain. Dans un fracas sinistre, les arbres majestueux entourant le chalet commencèrent à danser dangereusement. Certains se soulevèrent, poussés par une force herculéenne provenant des profondeurs. D'autres, terrassés à la base des racines, s'agenouillèrent avant de s'étaler sur le sol.

L'Ermite venait à peine de retrouver son équilibre lorsqu'une profonde fissure traversa le terrain ceinturant le chalet. Tentant de s'en éloigner, il recula de deux pas, mais ne put aller plus loin. À moins d'un mètre derrière lui, une nouvelle crevasse coupa tout espoir de retraite. La deuxième cassure rejoignit la première et l'îlot de terre supportant l'homme devint instable. L'Ermite tenta bien de retrouver son aplomb, mais la première fissure s'élargit brusquement.

La portion de terre où reposaient les pieds de l'homme s'inclina soudainement vers le gouffre. Cette fois-ci, l'Ermite resta impassible. La masse de terre bascula dans la crevasse, tandis que l'Ermite demeurait immobile, flottant silencieusement au-dessus de l'abîme. Le regard serein, l'homme jeta un dernier coup d'œil à son merveilleux refuge, la Vallée du silence. Il ferma ensuite les yeux et se laissa glisser rapidement au plus profond du gouffre.

***

Le biréacteur roulait déjà sur la piste et avait pratiquement atteint sa vitesse de décollage lorsque la vibration secoua l'appareil. Nadia s'accrocha à son siège. De l'autre côté de l'allée centrale, Caroline jeta un regard inquiet dans la direction de Guidor. Steven, assis près du hublot, annonça le premier :

— Hé ! Regardez à l'extérieur !

Dans l'autre rangée, Nadia s'étira le cou vers son hublot.

— Mon Dieu, regardez ces crevasses ! Nous sommes partis juste à temps.

Sur un ton de connaisseur, Steven annonça :

— Ça, c'est un coup des trogs.

— Ce qui signifie qu'ils nous ont repérés, conclut laconiquement Caroline.

— L'Ermite ! Qu'est-il advenu de lui ? demanda Nadia.

Caroline porta la main à son cou et serra machinalement le petit pendentif que lui avait remis l'homme de la montagne.

***

Dans la Vallée du silence, un observateur non averti aurait difficilement repéré l'emplacement du chalet. Tel un château de cartes, ce dernier s'était effondré et la majorité des débris avait été engloutis dans la nouvelle dépression de terrain. Coupant l'endroit en deux, une profonde cicatrice noire demeurait le seul témoignage de la violence des événements. On aurait pu croire l'endroit mort, n'eût été la nuée brillante qui inondait à présent la crevasse.

À travers la nuée, une lumière bleue éblouissante s'échappa d'un seul trait de la fissure. La boule de lumière azurée tournoya quelques secondes au-dessus des vestiges du chalet et prit soudainement son envol.

Une voix familière couvrit alors toute la colline et l'on reconnut la présence de l'Ermite à ces paroles :

« Je serai toujours avec vous, de cœur et d'esprit... et ma protection vous suivra partout. »

TABLE DES MATIÈRES

**L'utilisation de 7 802 lb de Rolland Enviro100 Édition
plutôt que du papier vierge réduit
votre empreinte écologique de :**

Arbre(s) : 66
Déchets solides : 4 214 lb
Eau : 39 775 gal
Matières en suspension dans l'eau : 26,7 lb
Émissions atmosphériques : 9 254 lb
Gaz naturel : 9643 pi3

**RÉDUISEZ VOTRE
EMPREINTE
ÉCOLOGIQUE**

C'est l'équivalent de :
Arbre(s) : 1,3 terrains de football américain
Eau : douche de 8,4 jours
Émissions atmosphériques :
émissions de 0,8 voiture par année

EcoLogo

Sources : www.environmentaldefense.org / www.ofee.gov / www.ncasi.org / www.epa.gov

Le présent ouvrage publié par
les publications L'Avantage
a été achevé d'imprimer le xx xxxbre 2009.

  Papier recyclé post-consommation

LA CONFRÉRIE DU GRAND RÉTABLISSEMENT

Communiqué n° 708 – Sujet : Site Internet

Notre service informatique vient de découvrir l'adresse URL du site secret de nos ennemis jurés, les Trogoliens.

Voici l'adresse : **www.trogol.net.**

Toujours aussi discrets sur leur présence, ils ont créé une page d'accès piégée qui vous indiquera une erreur 404.

Ne vous laissez pas berner. Pour avoir accès au site, il suffit de cliquer sur le nombre 404 imprimé en rouge.

Naturellement, le site est en langue trogolienne, mais grâce au décodage de leur adresse IP, nous avons réussi à pirater leur page d'accueil. En cliquant sur le premier bouton du menu, à la gauche de l'écran, vous aurez accès à une traduction française du site.

Ceci termine notre communiqué n° 708.

Bonne chance à tous.

Note : **La confrérie du grand rétablissement** est le réseau auquel a participé l'Ermite durant plus de 30 ans, afin qu'un jour toutes les entreprises contrôlées par les Trogs puissent retourner entre les mains des humains.